LES COMPLAISANCES DU CŒUR

DU MÊME AUTEUR

Les Farrell, Belfond, 1981 ; Pocket, 2004
À l'aube l'espoir se lève aussi, Belfond, 1995 ; Pocket, 2007
Et soudain le silence, Belfond, 1996 ; Pocket, 2008
Promesse, Belfond, 1997 ; Pocket, 2003
À force d'oubli, Belfond, 1998 ; Pocket, 2003
Le Secret magnifique, Belfond, 1999 ; Pocket, 2007
Les Mirages du destin, Belfond, 2000 ; Pocket, 2003
Comme un feu secret, Belfond, 2001 ; Pocket, 2004
La Tentation de l'oubli, Belfond, 2002 ; Pocket, 2007
Le Plus Beau des Mensonges, Belfond, 2003 ; Pocket, 2007
Les Saisons du bonheur, Belfond, 2004 ; Pocket, 2006
Tous les fleuves vont à la mer, Presses de la Renaissance, 1982 ; rééd. Belfond, 2005 ; Pocket, 2006
Les Trésors de la vie, Presses de la Renaissance, 1992 ; rééd. Belfond, 2006 ; Pocket, 2008
Le Collier de Jérusalem, Presses de la Renaissance, 1991 ; rééd. Belfond, 2007 ; Pocket, 2005
La Splendeur des orages, Presses de la Renaissance, 1983 ; rééd. Belfond, 2008 ; Pocket, 2009
Les Werner, Presses de la Renaissance, 1988 ; rééd. Belfond, 2009 ; Pocket, 2010
Là où les chemins nous mènent, Belfond, 2010 ; Pocket, 2011
La Coupe d'or, Presses de la Renaissance, 1987 ; rééd. Belfond, 2011 ; Pocket, 2012

BELVA PLAIN

LES COMPLAISANCES DU CŒUR

Traduit de l'américain
par Michel Ganstel

belfond
12, avenue d'Italie
75013 Paris

Titre original :
HEARTWOOD
publié par Delacorte Press, une marque de The Random House Publishing Group, une division de Random House, Inc., New York

Ce livre est une œuvre de fiction. Les noms, les personnages, les lieux et les événements sont le fruit de l'imagination de l'auteur ou utilisés fictivement. Toute ressemblance avec des personnes réelles, vivantes ou mortes, des événements ou des lieux serait pure coïncidence.

Si vous souhaitez recevoir notre catalogue
et être tenu au courant de nos publications,
vous pouvez consulter notre site internet :
www.belfond.fr
ou envoyer vos nom et adresse, en citant ce livre,
aux Éditions Belfond,
12, avenue d'Italie, 75013 Paris.
Et, pour le Canada,
à Interforum Canada Inc.,
1055, bd René-Lévesque-Est,
Bureau 1100,
Montréal, Québec, H2L 4S5.

ISBN : 978-2-7144-5041-8

RÉUNION

La famille est la patrie du cœur.

Giuseppe MAZZINI
1805-1872

1

À peine entrée dans le parking du supermarché, Iris Stern poussa un soupir découragé. Pas une place libre ! Trois jours avant Thanksgiving, elle aurait dû s'en douter. Le pire, c'est qu'elle devrait revenir le lendemain chercher la dinde fraîche qu'elle avait commandée. Pour arriver avant l'affluence, elle serait forcée de se lever aux aurores.

Une femme mieux organisée ne se serait jamais trouvée dans une telle situation. Laura, sa fille, aurait fait ses courses, tout préparé et congelé les légumes des semaines à l'avance.

— À toujours t'y prendre à la dernière minute, lui avait dit une fois Laura, les fêtes deviennent pour toi une vraie corvée.

Iris avait essayé de lui expliquer qu'elle aurait beau faire, elle ne pouvait pas penser aux patates douces ou à la sauce aux canneberges quand elle avait l'esprit occupé par les cours qu'elle donnait à la faculté. Un professeur comme elle, avec une charge de travail à plein temps, des copies d'examen à corriger, des conférences à préparer, sans parler des dizaines de rendez-vous à expédier, avait autre chose en tête que des problèmes de cuisine.

— Il faut quand même apprendre à compartimenter ton emploi du temps, avait répondu Laura. C'est simple.

Pour elle, oui.

Ça l'avait été aussi pour Anna, la mère d'Iris. Sept ans après sa mort, survenue en 1972, Iris ne pouvait pas oublier la facilité avec laquelle Anna faisait marcher sa maison comme sa famille tout en consacrant des heures à ses œuvres de bienfaisance et en réussissant toujours à avoir l'air de sortir d'un carton à chapeaux. Il fut un temps où Iris se comparait à sa mère et se jugeait lamentablement inférieure. Pour être tout à fait franche, cela lui arrivait encore de temps à autre, mais jamais comme avant parce que, depuis, elle avait eu le courage de poursuivre ses études universitaires jusqu'au doctorat. Spécialisée dans la formation des futurs enseignants, douée depuis toujours pour la pédagogie, elle était étonnée et ravie d'être devenue l'un des professeurs les plus populaires et les plus appréciés de son campus. Cette réussite professionnelle lui permettait d'évoquer sans trop de complexes le souvenir de la maîtresse de maison accomplie qu'avait été sa mère, talent que Laura avait hérité d'Anna à qui, en plus, elle ressemblait trait pour trait.

Sans Laura, Iris n'aurait pas couru le lendemain à la première heure chercher une dinde au supermarché. « On ne peut quand même pas en servir une surgelée, maman ! » avait protesté Laura, comme si Iris avait suggéré de nourrir la famille avec les produits industriels d'une chaîne de hamburgers. Laura arrivant par avion le lendemain soir de la Californie du Sud, où elle vivait, et se chargeant de préparer pratiquement tout le dîner de la famille, Iris n'avait pu que s'incliner devant son autorité et commander une volaille fraîche. Aujourd'hui, elle allait simplement acheter les produits de la liste que Laura lui avait dictée par téléphone.

Si seulement elle réussissait à trouver une place de parking ! Elle venait de remonter sans succès la première allée et contournait avec précaution le capot d'un break qui dépassait de l'alignement avant de pouvoir s'engager à une allure d'escargot dans l'allée suivante. Dieu merci, elle avait largement le temps.

Thanksgiving était la fête préférée d'Iris parce qu'elle n'exigeait rien. Pas de cadeaux qu'il fallait se donner la peine d'acheter et d'envelopper pour qu'ils soient déballés avec des cris d'extase prétendant que c'était exactement ce dont on avait envie. Pas de bougies à souffler d'un coup en se forçant à sourire malgré des pensées déprimantes sur le passage du temps. Pas non plus de ces sentiments complexes qu'Iris éprouvait aux traditionnelles fêtes juives que Theo, son mari, refusait de célébrer chez eux. Issu de la haute bourgeoisie juive autrichienne, né dans les années 1900, Theo avait perdu sa famille entière, y compris sa jeune femme et leur enfant, pendant l'Holocauste. Plus de trente ans s'étaient écoulés depuis cette tragédie, mais il n'avait toujours pas pardonné à Dieu d'avoir permis que pareilles abominations se produisent.

C'était donc Jimmy, le second fils d'Iris, qui, avec Janet sa femme, célébrait pour la famille Stern les rites de Rosh Hashana, Yom Kippour, Hanoukka et Pessah. Pour ces fêtes, Theo allait avec Iris chez Jimmy, comme il allait chez les parents d'Iris, Anna et Joseph, jusqu'à leur mort. Iris s'en était toujours accommodée en se disant que le mariage, après tout, reposait sur des séries de compromis. Et puis, Janet faisait tout si bien, efficacement et sans fausses notes. Pourtant, depuis quelque temps, Iris se sentait un peu… frustrée. Comme si elle était en marge.

Elle ne pouvait s'empêcher de se remémorer les fêtes du temps de sa mère. Anna présidait des tablées croulant sous l'abondance des plats qu'elle avait elle-même cuisinés : la daube à la sauce onctueuse, les galettes de pommes de terre croustillantes, les quenelles de carpe farcie dans leur gelée soyeuse, les carottes confites aux pruneaux, les strudels parfumés à la cannelle. Pour ces repas de fête, la table scintillait de l'éclat de la fine porcelaine, de l'argenterie, du cristal du somptueux service de table acheté exprès pour de telles occasions. Les plus importantes, les plus solennelles, puisqu'elles étaient réservées à la famille.

Bien entendu, Iris n'arriverait jamais à égaler un tel niveau de splendeur, elle le savait fort bien. Par moments, toutefois, elle pensait peut-être pouvoir créer ses propres traditions dont ses petits-enfants, peut-être, se souviendraient avec affection. Elle avait la cinquantaine, la soixantaine approchait à grands pas. Une femme « entre deux âges », expression consacrée qu'elle jugeait absurde, car combien d'êtres humains vivaient cent vingt ans ? Elle avait déjà deux petits-enfants, en espérait d'autres et il lui paraissait soudain très important qu'ils conservent d'elle un bon souvenir. C'est quand même drôle de se réveiller un beau matin en souhaitant être immortel alors qu'on n'y avait jamais pensé avant.

Ses sentiments avaient pourtant des racines plus profondes. Elle avait toujours attaché de l'importance à sa religion et aux fêtes qui en faisaient intégralement partie. En cela, elle était comme son père. Elle voyait encore son regard briller quand maman allumait les bougies rituelles lors de la première veillée de Pessah. Pour lui, ce moment était le meilleur de l'année. Il en avait toujours été ainsi, même pendant la grande dépression, quand ils devaient rogner sur toutes les dépenses. Papa était encore plus heureux lorsque maman présidait la table en faisant briller la belle bague de diamants qu'il lui avait offerte. Il avait dû la mettre en gage quand ils avaient été au bord de la ruine, mais dès que la chance avait recommencé à lui sourire, il s'était empressé de la dégager. À Pessah cette année-là, la bague était enfin revenue au doigt de maman pendant qu'elle présidait la table du *seder*, servait les plats et versait le vin. Iris savait que son père avait vécu là le jour le plus heureux de sa vie.

C'était, au fond, des bribes de souvenirs comme celui-là qui, mis bout à bout, faisaient l'esprit des fêtes. Certains étaient joyeux, d'autres plus sombres si l'année avait été marquée par des épreuves ou la perte d'un être cher, mais l'ensemble constituait l'histoire d'une famille. Et quand, aux fêtes les plus saintes, l'histoire de la famille s'ajoutait à la grande histoire de son peuple qui remontait à quatre millénaires, les enfants l'assimilaient sans même s'en rendre compte si elle leur était racontée comme il fallait. C'est pourquoi, à certains moments, Iris se disait que les réunions organisées par Janet, avec des repas irréprochables mais préparés par des traiteurs professionnels, manquaient d'âme et de chair. Mais peut-être était-ce tout simplement par jalousie…

Si c'est vraiment le cas, se reprit-elle sévèrement, *tu n'es qu'une idiote. Theo était catégorique sur ce point, tu ne peux pas aller contre ses désirs. C'est ton mari, tu l'as choisi, arrête de perdre ton temps à des pensées de ce genre.*

D'ailleurs, il ne s'agissait ni de Rosh Hashana ni de Pessah, mais de Thanksgiving. La douillette Thanksgiving, la plus américaine, la plus religieusement neutre de toutes les fêtes du calendrier, qui tombe quand le temps est juste assez frais et le ciel juste assez gris pour que l'on soit heureux de rester chez soi et que l'on s'y sente bien. Theo l'aimait plus encore qu'Iris et la célébrait joyeusement tous les ans avec le reste de la famille. Compte tenu de la dispersion de ses membres et de leurs diverses occupations, les réunir tous tenait du miracle.

Iris finit par repérer une place libre tout au bout du parking. Elle accélérait pour aller la prendre quand une fourgonnette blanche s'y glissa avant elle. Résistant à la tentation de manifester son dépit par de furieux coups de klaxon, elle reprit lentement sa ronde.

Jimmy et Janet venaient bien entendu à Thanksgiving, puisqu'ils habitaient Manhattan, à trois petits quarts d'heure de voiture de la banlieue résidentielle de Theo et d'Iris. Avec Rebecca Ruth, leur fille, ils avaient toujours fêté Thanksgiving chez papy et mamie. Papy ! soupira Iris. Y avait-il pire surnom pour un homme aussi imposant, aussi raffiné que Theo ? Quand Janet avait suggéré à Rebecca Ruth d'appeler son grand-père papy, il avait tiqué. Mais Janet ne s'en était pas aperçu et Janet était parfaite, à la fois brillante anesthésiste, mère de famille exemplaire et belle-fille attentionnée. Iris ne pouvait quand même pas s'empêcher de la trouver un peu… imperturbable. Froide. Trop parfaite, peut-être.

— Qu'est-ce qui peut bien faire rire Janet ? avait demandé une fois Iris à Laura dans une de leurs longues conversations téléphoniques hebdomadaires. Je ne la crois pas douée d'un sens de l'humour très développé, sinon elle comprendrait à quel point il est comique de voir les efforts de ce pauvre Theo pour garder sa dignité quand il s'entend appeler papy.

— Je sais, mais Jimmy n'a lui non plus aucun sens de l'humour. Ils sont parfaitement assortis.

— Tu le crois vraiment ? Je me le demande quelquefois, tu sais. Janet est toujours si sûre d'elle et de tout ce qu'elle dit, alors que Jimmy n'a jamais eu un caractère à vouloir discuter…

— De quoi voudrais-tu qu'il discute ? Janet et lui sont exactement pareils. Ils sont tous les deux médecins et ils aiment autant l'un que l'autre parler boutique. Ils sont d'accord pour n'avoir qu'un enfant, ils adorent vivre à Manhattan et ils ont l'un et l'autre la passion de l'opéra. Ils sont faits l'un pour l'autre. Personne n'a aucun souci à se faire pour eux, pas même toi.

Après une démonstration aussi péremptoire, Iris ne s'était plus inquiétée – du moins pas autant, ni aussi souvent.

Un camion de livraison lui barra soudain le passage. D'un coup d'œil dans le rétroviseur, elle vit qu'une file de voitures derrière elle l'empêchait de reculer. Elle n'eut donc d'autre choix que d'attendre que les deux livreurs, suant à grosses gouttes malgré le froid, déposent leur cargaison sur le quai de chargement du supermarché.

Cette inaction forcée ramena ses pensées dans le passé. *Je voudrais pouvoir, ne serait-ce qu'un instant, entrer dans la tête de mes enfants. Au moins, je serais sûre qu'ils vont bien. Mais comment le savoir vraiment pour ceux que nous aimons ? Nos enfants, surtout. Ces petits êtres que nous avons nourris, bercés, dorlotés nous réservent toujours des surprises quand ils grandissent.*

Cette remarque était tout à fait vraie en ce qui concernait Steven, son fils aîné, peut-être le plus doué de ses enfants. Pendant toute son adolescence, il avait été rebelle, hargneux, portant la barbe et des cheveux longs rarement propres, bref, l'uniforme de sa génération – il aurait été furieux qu'on le lui dise, bien sûr –, et résolument opposé à la guerre du Vietnam, ce qu'Iris pouvait comprendre et même approuver jusqu'à un certain point, mais qui mettait Theo en rage.

Steven avait alors poussé trop loin, même pour Iris, ses convictions politiques en s'intégrant à un groupuscule qui manifestait son opposition par des méthodes proprement terrifiantes. Elle frémissait encore au souvenir de ces années de torture au long desquelles elle avait peur de regarder le journal télévisé tant elle craignait à chaque fois de reconnaître, dans un jeune visage aux traits déformés par la rage et les cris de haine emmené sans ménagement par les policiers, celui de son fils. Bien entendu, Steven avait fini par se faire arrêter, ce qui avait brisé le cœur de son père et provoqué la première brouille réelle de ses parents. Ou plutôt, pour être tout à fait honnête, creusé et élargi aux proportions d'un fossé la fissure qui existait déjà entre eux. Cette mésentente avait été la cause directe de l'accident qui avait coûté à Theo, chirurgien plastique, l'usage d'une de ses mains, mettant fin à sa brillante carrière et… Iris dut se forcer à ne pas aller plus loin. Elle ne se permettait jamais d'évoquer les jours et les mois consécutifs à l'accident de son mari.

Ils avaient fini par surmonter cette épreuve. Au prix d'un courage et d'un effort de volonté admirables, Theo s'était reconverti dans une autre branche de la médecine, la cancérologie. De son côté, elle était devenue le Pr Iris Stern. Ensemble ils avaient ainsi découvert les vertus du pardon et leur couple en était sorti renforcé. Inutile d'en dire davantage.

Et Steven ? Iris ne put s'empêcher de sourire. Son fils, le révolté qui parlait de déchirer la Constitution, était devenu... avocat ! « Il faut changer le système de l'intérieur », avait-il déclaré à ses parents ébahis. La révélation lui était venue avec la déconfiture de son groupuscule. Il travaillait alors à Washington comme analyste dans un bureau d'études sociopolitiques de tendance libérale. Jugeant étouffante cette atmosphère de tour d'ivoire, il avait obtenu ses diplômes, passé le concours du barreau – en un temps record, estimait fièrement Iris –, et exerçait maintenant dans le cadre d'un organisme d'assistance juridique, à la raison sociale altruiste de « Prospérité pour le peuple », qui représentait les clients désespérés, hors d'état de payer des honoraires normaux. Pour autant, Steven ne s'était pas vendu au « système » mais, comme le faisait remarquer sa sœur Laura, s'habillait désormais tous les jours en costume cravate et paraissait enfin bien dans sa peau et satisfait de sa vie.

— J'espère qu'il est heureux, avait soupiré Iris six mois plus tôt lors d'une de leurs conversations téléphoniques.

— Il se sent peut-être un peu seul, avait répondu Laura.

— Il a bien le temps de rencontrer quelqu'un. Il n'a pas de raison de se presser.

Il y avait eu une légère pause à l'autre bout du fil :

— En fait, maman, je crois qu'il a déjà rencontré quelqu'un. Elle s'appelle Christina. Il m'en a parlé.

Pour la énième fois, Iris se rendit compte que tout le monde dans la famille se confiait à Laura. Laura ne portait jamais de jugement et ne donnait son avis que si on le lui demandait, mais ses conseils étaient le plus souvent judicieux. Anna avait été comme cela. Dans les pires circonstances, elle réussissait à se faire entendre des enfants quand leurs parents affolés n'y arrivaient pas. Merveilleuse maman, non seulement belle et charmante mais pleine de bon sens ! Laura avait bien de la chance de lui ressembler comme deux gouttes d'eau.

— Steven ne nous en a pas même touché un mot, avait dit Iris en espérant ne pas paraître ulcérée.

— Oui, je sais. Il m'avait demandé de préparer la voie. Amener une fille à la maison pour la présenter à ses parents n'est pas facile, surtout pour le fils aîné.

— Il veut nous la présenter ? Aussi tôt ?

— Ils se connaissent déjà depuis plusieurs mois, maman. Fais l'effort de garder l'esprit ouvert.

— Je le fais toujours, tu le sais bien.

Pourtant, Theo et elle n'avaient pas aimé Christina. Elle n'était pas chez eux depuis dix minutes qu'Iris avait ressenti de l'antipathie à son égard.

— J'ai l'impression qu'elle n'a pas même fini ses études secondaires, avait dit Iris à Laura après cette désastreuse visite. Je ne suis pas snob, tu le sais bien, je n'estime pas que tout le monde devrait avoir fait des études supérieures. Regarde mes propres parents, maman a travaillé comme femme de chambre en arrivant dans ce pays et papa était peintre en bâtiment. Mais cette fille, cette Christina... Je me demande si elle a jamais ouvert un livre ou jeté un regard sur un journal. Elle ne s'intéresse ni à la politique, ni au droit, ni à aucune des causes qui passionnent Steven. Je ne vois vraiment pas de quoi ils peuvent parler. Si au moins elle était jolie, je comprendrais peut-être ! laissa-t-elle échapper en se sentant rougir de honte. Elle ne l'est même pas.

— Oh, maman ! J'espère au moins que tu n'as pas...

— Rassure-toi, j'ai été très aimable avec elle, si c'est que tu allais me demander. De toute façon, je crois que si j'avais été désagréable elle ne s'en serait même pas aperçu. Elle a passé son temps à calculer ce qu'avait coûté chaque meuble et chaque objet dans la maison.

— Elle était peut-être tout simplement mal à l'aise.

— Elle n'a pas arrêté de dévorer des yeux les chandeliers en argent de grand-mère. À son avis, je pourrais tirer au moins vingt mille dollars de la bague que papa avait offerte à maman.

Malgré son indulgence, Laura n'avait rien trouvé à répondre.

— Papa s'est bien tenu, au moins ? demanda-t-elle.

— Ton père est un gentleman.

— Autrement dit, il s'est conduit en aristocrate viennois. Glacial.

— Elle ne s'en est sûrement pas rendu compte.

— Steven non plus, j'espère ?

— Il est trop entiché d'elle pour se rendre compte de quoi que ce soit d'autre. Mais enfin, qu'est-ce qu'il a dans la tête ? Il devrait savoir qu'ils n'ont rien de commun. Quand je pense à toutes les filles belles et intelligentes qu'il aurait pu…

— Ce n'est pas son genre, l'interrompit Laura. Il lui en faut une qu'il puisse secourir. Christina était une de ses clientes, n'est-ce pas ?

— Oh, oui ! Elle nous a tout raconté en détail. Son propriétaire lui faisait payer un loyer exorbitant, elle était expulsée et Steven lui a fait gagner son procès. Maintenant, bien sûr, elle n'a plus de problème de logement puisqu'elle s'installe chez lui.

— C'est un peu rapide, avait commenté Laura.

— Tu veux savoir ce qu'elle nous a dit ? Steven est son héros, le prince charmant sur son blanc destrier, comme dans les contes de fées pour enfants. Elle l'adore parce que personne avant lui ne s'était jamais occupé d'elle. Et Steven était là à l'écouter et à la couver des yeux avec un sourire béat ! Je ne pouvais pas y croire !

— Maman, promets-moi de ne rien lui dire de pareil. Il est amoureux d'elle et…

— C'est impossible !

— Il le dit, et il le dit sincèrement.

— Cette fille l'exploite ! Il faut que quelqu'un se dévoue pour lui ouvrir les yeux.

— Est-ce que quelqu'un a jamais pu forcer Steven à voir ce qu'il ne veut pas voir ? Si tu cherches à le décourager… Tu sais comment il est.

Iris le savait trop bien. Elle avait appris à ses dépens que chaque fois que son fils, aussi brillant que passionné, se sentait obligé de se lancer dans une entreprise absurde et dangereuse, tenter de le raisonner le poussait à faire pire.

— Après nous avoir fait passer par toutes ces épreuves et ces inquiétudes, nous infliger ça…

— Ne commence pas à penser comme cela et ne laisse pas papa s'y mettre aussi. Ce n'est rien par rapport à ce que Steven a enduré pendant la guerre du Vietnam, il revient de loin. Et si Christina était vraiment celle qu'il lui fallait ?

— Il mérite cent fois mieux !

Iris se sentait près de fondre en larmes.

— Elle vaut peut-être mieux que ce que tu crois. Donne-lui au moins une chance. De toute façon, je ne crois pas que tu aies le choix.

Iris avait donc pris sur elle. Depuis des mois, elle n'avait plus proféré la moindre critique à l'encontre de la bonne amie de Steven. Elle était même allée jusqu'à inviter Christina pour Thanksgiving.

— Mais Steven vient de me dire qu'elle ne pourra pas venir, avait-elle rapporté à Laura. Je mentirais si je te disais que je le regrette.

— Je suis vraiment désolée que leurs relations te soient si pénibles à supporter.

— C'est simplement parce que… J'espérais ne plus avoir à me faire de souci pour lui.

Elle n'avait pas fini de le dire qu'elle se rendait compte à quel point l'argument était ridicule. On s'inquiète toujours de ceux qu'on aime, pour la simple raison que les êtres humains ne peuvent jamais rester sagement à l'abri sans bouger. Ils grandissent, ils changent, ils vont et viennent, c'est la vie et on ne peut rien y changer. Même si l'on est persuadé qu'ils prennent un mauvais chemin, comme Steven. Ou comme Philip, son plus jeune fils.

Devant elle, les livreurs avaient fini de décharger leurs caisses. Ils remontèrent dans la cabine et redémarrèrent lentement. Iris les suivit au ralenti, ses pensées passant de l'aîné de ses fils au cadet.

Philip ne commettait pas d'erreur aussi flagrante que Steven avec Christina, ce qu'il faisait était plus subtil – et plus inattendu. Pour Iris, le coup était encore plus dur parce qu'elle n'avait jamais eu un instant d'inquiétude à son sujet quand il grandissait. Philip avait été son « bébé surprise », arrivé bien après les autres. Il avait toujours été un enfant facile, affectueux et doué. Dès l'âge de cinq ans, il était considéré comme un petit pianiste prodige.

Son grand-père Joseph en était particulièrement émerveillé. « On ne peut pas prévoir d'où vient le génie, avait-il déclaré après que Philip eut magistralement interprété devant la famille une étude de Chopin. Sa grand-mère et moi ne sommes pas musiciens pour deux sous. Toi, Iris, tu avais un peu de talent, c'est vrai, mais permets-moi de te dire que tu étais très loin du niveau de notre petit Philip. » Iris avait volontiers admis que le talent de son fils dépassait le sien de cent coudées, et Joseph avait renchéri en prédisant une brillante carrière au petit garçon. « Oui, oui, je sais, il est très difficile de percer dans le domaine de la musique classique, avait-il répondu à Theo qui s'efforçait de calmer son enthousiasme. Mais on jouera toujours de la musique à Carnegie Hall et si quelqu'un doit s'y produire, pourquoi pas mon petit-fils ? » En dépit d'eux-mêmes, Theo et Iris commençaient à en rêver eux aussi.

Ils prenaient cependant grand soin de ne pas exprimer ce rêve devant Philip ni de le pousser d'une manière ou d'une autre dans cette direction, mais ils auraient pu s'en épargner l'effort. Le jeune garçon était conscient de ce que sa famille espérait de lui. Et même si Joseph était déjà mort lorsque Philip était entré à l'école de musique Juilliard, Iris savait que quand son fils avait assisté à son premier cours, il n'avait pas oublié la foi que son grand-père avait en son talent. Aussi, lorsqu'il avait décidé deux ans plus tard de quitter la prestigieuse école, le coup avait été encore plus rude. « J'ai vu de près ce qu'est le vrai génie, avait-il expliqué à ses parents. Je l'ai entendu chez d'autres élèves. Je sais que je ne suis pas assez bon pour faire partie des meilleurs et je ne suis pas assez humble pour me contenter du deuxième rôle. »

Alors, après Juilliard, il était allé dans une école de commerce. « Après tout, avait-il dit à Iris avec un petit sourire en coin qui lui avait brisé le cœur, beaucoup de musiciens sont bons en maths. » Une fois diplômé, il était devenu trader à Wall Street. Son charme et son charisme faisaient merveille auprès de ses clients et il s'en sortait plutôt bien.

— Peut-être, mais regarde comment il vit ! avait dit Iris à Laura. Toujours à courir à droite et à gauche. Et avec tout l'argent qu'il gagne, il n'en a jamais assez ! Il n'est jamais chez lui. Quand il ne travaille pas, il sort tous les soirs dans des restaurants et des boîtes de nuit avec ses soi-disant amis qui boivent comme des trous… sinon pire. Et il sort avec une nouvelle fille chaque semaine !

Pour une fois, Laura n'avait pas essayé de la calmer.

— Il n'a toujours pas fait son deuil de la musique. Il l'aimait tellement que ce qu'il fait en ce moment ne peut pas lui plaire, mais il n'est pas encore prêt à l'admettre. Nous ne pouvons rien faire d'autre qu'attendre.

— Si seulement il pouvait venir à la maison pour Thanksgiving au lieu d'aller encore courir dans une de ces villégiatures hors de prix aux Caraïbes ou je ne sais où !

— Tu as raison, ça lui ferait peut-être du bien.

Iris avait fait une croix sur la venue de Philip quand, quelques jours après cette conversation, celui-ci l'avait appelée pour lui dire qu'il viendrait. Iris était sûre que Laura était derrière ce revirement, c'était le genre de choses qu'elle faisait. Anna aurait sûrement fait pareil.

C'est peu après la manœuvre de Laura pour modifier les projets de Philip à Thanksgiving qu'Iris prit conscience de quelque chose.

— Chaque fois que je te parle, avait-elle dit à Laura pendant leur conversation téléphonique suivante, c'est pour m'inquiéter de l'un ou l'autre de mes enfants. Mais pour toi, tout va bien ? Je sais que Robby et toi ne roulez pas sur l'or…

Robby, le mari de Laura, terminait ses études en vue d'un doctorat en archéologie. Assistant d'un de ses professeurs, il assurait deux cours pour celui-ci et se chargeait d'effectuer ses recherches, ce qui lui valait un modeste salaire.

— Bien sûr que nous ne roulons pas sur l'or, avait répondu Laura sur un ton optimiste. Mais avec la carrière universitaire de Robby, nous n'avons jamais compté devenir millionnaires.

— Mais maintenant que Katie grandit, ce ne doit pas toujours être très facile.

Katie était leur fille de neuf ans.

— Katie va très bien, et nous aussi. N'oublie pas que nous sommes logés par l'université à un tarif préférentiel et que je gagne un peu d'argent de mon côté en faisant de la pâtisserie pour le traiteur dont je t'ai parlé. Ne commence pas à t'inquiéter aussi pour moi, maman, je t'en supplie.

Iris se sentit soulagée. En fait, elle comptait sur Laura pour rester éternellement son enfant heureux et insouciant.

— Ta bonne-maman disait toujours que je n'aurais pas à me faire de souci pour toi et elle avait raison. Tu réussis tout si bien. Simplement… eh bien, je t'admire, Laura. Je ne crois pas que beaucoup de mères puissent en dire autant de leurs enfants.

La mienne n'aurait jamais pu le dire de moi, en tout cas, ajouta-t-elle en son for intérieur.

Alors Laura, qui paraissait douée d'un sixième sens pour entendre ce qu'on ne disait pas, l'avait rassurée :

— Nous ferons de ce Thanksgiving le meilleur de tous, maman. Tu verras.

Ses fils avaient des problèmes, mais Laura gardait toujours le contrôle de tout, pensa Iris. Merveilleuse Laura, si belle, si aimante…

Iris releva les yeux. Devant elle, une voiture quittait son emplacement, la place était à elle ! Avec un sourire triomphant, elle s'y glissa.

2

Le moule à tarte se révéla trop volumineux pour tenir dans le sac de voyage que Laura avait déjà rempli d'ustensiles.

— Pourquoi te crois-tu obligée de trimballer cet attirail à travers tout le pays ? s'étonna son mari en la voyant emballer les objets pour ne pas risquer de les cabosser. Ta mère n'a pas de batterie de cuisine ?

Sa mère, bien entendu, avait tout ce qu'il fallait pour préparer les repas, mais un cordon bleu tel que Laura ne pouvait pas opérer sans son matériel personnel.

— Elle a des poêles et des casseroles, mais pas de moule de cette forme et de ce diamètre. J'en aurai besoin pour ma tarte aux châtaignes.

Cette tarte, garnie d'un mélange de purée de châtaignes et de crème au chocolat, résultait de l'interprétation récente par Laura d'une classique recette viennoise. Dans son enfance, Laura avait appris de sa grand-mère les secrets de la pâtisserie européenne. Aussi, lorsque Robby et elle avaient eu besoin d'arrondir leurs fins de mois, elle avait entrepris de confectionner pour un traiteur local des desserts traditionnels américanisés pour plaire aux goûts de la clientèle. Cette saison, sa tarte aux châtaignes faisait fureur. Une bonne moitié de la population de la San Fernando Valley en voulait pour Thanksgiving, et Laura devait passer des journées entières à la cuisine.

Robby s'en était plaint amèrement !

— Tu ne prépares même plus le dîner pour Katie et moi, tu consacres tout ton temps à fabriquer ces maudits gâteaux !

— Je vais lentement parce que je n'ai qu'un petit four ordinaire, pas un grand four de pâtissier. Je ne peux donc cuire qu'une seule tarte à la fois. Pourquoi n'emmènerais-tu pas Katie au drive-in ce soir ? avait-elle suggéré avec un petit sourire.

Mais Robby n'avait pas voulu sortir, et Katie et lui s'étaient contentés, pour tout dîner, d'un bol de céréales froides. Laura, bien sûr, s'était sentie coupable, sans pouvoir s'empêcher de penser que c'était précisément ce qu'avait cherché Robby.

En fait, elle aurait pu faire sa pâtisserie dans les fours professionnels des cuisines du traiteur, dont la propriétaire lui avait offert un emploi à plein temps assorti d'un bon salaire. Mais, si elle avait accepté, son salaire aurait été supérieur à celui de son mari. Beaucoup de femmes lui auraient dit qu'on n'était plus en 1950, que les mouvements féministes avaient réussi à changer les mentalités et qu'elle était idiote de s'arrêter à un pareil scrupule, Laura le savait. Elle admettait volontiers qu'un salaire régulier aurait été le bienvenu pour payer les factures du ménage. Elle songeait parfois aussi qu'elle aurait aimé avoir un job stable au lieu d'être traitée en gentille petite ménagère qui s'amuse avec son passe-temps favori pour avoir un peu d'argent de poche. Mais tout valait mieux que blesser Robby dans son amour-propre masculin.

Laura avait toujours désiré un mariage parfait. Elle savait que c'était possible parce que, dans son enfance, elle en avait eu un sous les yeux. Pas celui de ses parents, dont les rapports avaient toujours posé des problèmes en dépit de l'amour sincère qu'ils se portaient. C'était ses grands-parents qu'elle prenait pour modèles, surtout sa grand-mère. Toute petite, Laura avait déjà compris pourquoi sa bonne-maman réussissait à rendre tout le monde heureux autour d'elle. Plus forte, plus intelligente que son mari, Anna Friedman ne lui avait jamais fait sentir sa supériorité. Elle l'avait, au contraire, toujours traité comme un roi. Il le savait et le lui rendait au centuple en amour et en dévotion.

Les méthodes de sa grand-mère avaient paru simples à Laura jusqu'à ce qu'elle essaie de les mettre elle-même en pratique. Elle avait alors appris qu'il existe mille et une manières de saper sans le vouloir la confiance qu'un homme peut avoir en lui-même. Prendre le job offert par le traiteur, travail essentiellement manuel, pour un salaire supérieur à celui de Robby, qui exerçait une activité intellectuelle, aurait été pour lui une grave humiliation. Hors de question, donc, de l'accepter.

Bien sûr, ce qu'elle gagnait avec sa pâtisserie était utile. Elle avait pu payer les billets d'avion pour aller chez ses parents sans entamer les maigres économies qu'elle avait amassées pour faire face aux imprévus. Elle ne pouvait pas s'empêcher d'être fière du succès de sa tarte et de vouloir en faire profiter sa famille pour un repas comme Thanksgiving.

— Je ne vois vraiment pas pourquoi tu te donnes tout ce mal, lui avait dit son mari. Tes frères mangent n'importe quoi, ta mère n'apprécie pas la bonne cuisine et le seul dessert qu'aime ton père, c'est le strudel.

Piquée au vif par son ton agressif, elle l'avait regardé comme si elle le voyait pour la première fois depuis longtemps.

Robby n'était pas au mieux de sa forme, ces temps-ci. Son menton, si ferme jusque-là, s'empâtait et sa taille, dont il était si fier, commençait à s'épaissir. Il n'aurait sans doute pas dû aller aussi souvent discuter avec ses élèves dans les petits cafés proches du campus en buvant des bières. Mais c'était surtout son air buté qui l'avait frappée et elle avait tout de suite compris pourquoi : ce voyage lui déplaisait. Il trouverait à redire à tout, même à la manière dont elle ferait les valises, à l'heure de leur vol et jusqu'aux cinq dollars dont elle allait payer le fils des voisins pour les conduire à l'aéroport le lendemain matin. Elle se prépara donc à subir un feu roulant de critiques et de reproches qui durerait jusqu'à ce qu'ils soient dans l'avion.

Robby avait cependant autre chose en tête :

— À la réflexion, je me demande si cela vaut la peine que je t'accompagne demain...

Ce n'était pas dans la ligne de ses récriminations habituelles. Avait-il vraiment envie de rester seul à la maison ?

— C'est un peu une perte de temps, avait-il repris. On ne pourra rester qu'à peine quatre jours là-bas et il faudra rentrer dimanche soir. Je reprends mes cours lundi matin et Katie doit retourner à l'école.

— Mais... tu le savais depuis longtemps, Robby ! Nous avions fait nos projets il y a des mois.

— Je te l'ai dit, j'y ai réfléchi ces jours-ci. Et puis, il y a des choses plus importantes que les voyages ou les fêtes de famille auxquelles je dois penser en ce moment. Pour moi, ce ne sont pas des vacances. On va voyager au plus mauvais moment de l'année et tu sais que je ne supporte pas tous ces gens qui se bousculent dans les aéroports. Quand on rentrera, je serai crevé et il faudra que je me remette au travail.

S'il jouait le rôle du martyr, il fallait faire preuve de doigté.

— J'ai déjà pris les billets d'avion.

— Eh bien, allez-y Katie et toi, tu te feras rembourser ma place. De toute façon, tu passes ton temps à te tracasser pour l'argent.

Un instant, Laura se permit de rêver à partir sans lui. S'asseoir dans la véranda de ses parents en respirant l'air frais de l'automne – le contraste des saisons lui manquait cruellement en Californie du Sud – sans avoir à entendre Robby se plaindre du froid. Flâner dans Manhattan en faisant du lèche-vitrines sans Robby à côté d'elle pour lui dire de se dépêcher parce qu'il ne supportait pas le bruit et la pollution. Pourquoi ne pas le prendre au mot et le laisser seul ?

Non, impossible. Ses parents tenaient à réunir la famille au complet pour un beau et grand dîner de fête. Si son mari n'y venait pas, ils se poseraient des questions, ils s'inquiéteraient. Or, Laura ne voulait à aucun prix gâcher leur plaisir.

— Tu sais combien mes parents aiment réunir toute la famille. Thanksgiving est la seule fête que papa aime célébrer...

— Thanksgiving est surfait. C'est devenu une mascarade publicitaire, tu le sais aussi bien que moi.

Dans les cercles « intellectuels » qu'ils fréquentaient, dénigrer les fêtes était à la mode. Laura n'était pas de cet avis. Elle revit par la pensée les grandes tablées présidées par ses parents. Maman était radieuse, mais avec une hésitation dans le regard, comme si elle ne pouvait pas vraiment croire au bonheur. Aucune ombre, en revanche, n'assombrissait le sourire de papa. Il couvait du regard ses enfants autour de la table, leurs conjoints et leurs enfants respectifs ; et ses yeux brillaient de la joie qu'éprouve un homme ayant réussi à rebâtir sur des ruines une vie pour lui-même et les siens. Son amour pour ce pays qui l'avait recueilli et lui avait permis cette réussite n'avait rien d'une mascarade surfaite.

— Sans vouloir paraître naïve, mon père sait, comme nous ne pouvons le comprendre ni toi ni moi, ce que cela signifie d'être américain. C'est pourquoi il aime tant célébrer Thanksgiving. Pour lui, cette fête ne se résume pas à un plantureux repas de famille ni à la parade dans les rues de New York. Il veut exprimer à ce pays sa gratitude réelle, profonde. Tu comprends ce que je veux dire ?

L'espace d'un instant, sa mine maussade s'effaça et il redevint le jeune homme sensible et idéaliste qui savait ce qu'elle allait dire alors même qu'elle ne l'avait pas encore formulé dans sa tête, le Robby qu'elle avait aimé, qu'elle avait épousé.

— Viens avec moi, enchaîna-t-elle. Mes parents comptent sur toi, tu sais combien ils t'aiment et t'apprécient. Je t'en prie, ne les déçois pas. Ne me déçois pas moi non plus, ajouta-t-elle.

Une étrange lueur traversa son regard.

— Tu n'as pas besoin de moi pour être heureuse, Laura, dit-il sans élever la voix. En fait, tu t'amuses beaucoup mieux sans moi.

C'était exactement ce qu'elle pensait – pourquoi fallait-il qu'il redevienne intuitif au plus mauvais moment ? –, mais elle ne pouvait pas le lui laisser soupçonner une seconde de plus.

— Tu plaisantes ? dit-elle en lui donnant un petit baiser. Sans toi, je serais malheureuse comme les pierres ! Et puis, outre le fait que tu n'auras pas le cœur de me laisser tomber, Steven viendra exprès au lieu d'aller Dieu sait où avec Christina, et Philip annule son week-end de ski pour venir lui aussi à Westchester. C'est moi qui les en ai suppliés et qui ai réussi à les convaincre. Bien sûr, maman est convaincue que c'est elle qui a tout fait et qu'elle a les meilleurs fils du monde... Tu ne voudrais quand même pas que je leur explique pourquoi je ne suis pas arrivée à emmener mon mari ?

Ayant décidé de se laisser faire, il accorda un sourire à Laura.

— Je vois... Vous en êtes toujours à vos chamailleries enfantines.

— Tout juste. Je veux leur exhiber fièrement ma famille.

— Bon. Dans ce cas, je n'ai pas le choix.

Elle avait gagné ! Laura réprima un soupir de soulagement.

— Et puis, avait-elle dit gaiement, nous pourrions peut-être demander aux parents de garder Katie samedi soir et aller tous les deux passer la soirée en ville. Comme avant.

Pour être tout à fait franche avec elle-même, elle ne tenait pas vraiment à perdre de cette façon une minute du précieux temps de sa visite, mais elle l'avait dit dans l'espoir de faire plaisir à Robby. C'est en voyant son sourire se ternir – juste un peu – qu'elle comprit qu'il pensait la même chose et n'en avait pas plus envie qu'elle.

— Attendons plutôt d'être là-bas pour voir comment cela se passera, avait-il répondu. Ils voudront sans doute que nous restions avec eux jusqu'à notre départ…

Il avait lancé un regard aux bagages déjà préparés et au moule à pâtisserie qu'elle tenait toujours à la main.

— Tu va devoir mettre ce truc-là dans une valise avec nos vêtements. Fais attention qu'il ne s'accroche pas à mon sweater irlandais.

Et il avait tourné les talons et quitté la pièce sans rien ajouter.

Laura s'était assise sur le lit, la nuque et les épaules endolories d'avoir battu des blancs d'œufs en neige toute la semaine, le dos de s'être penchée des centaines de fois pour mettre le moule dans le four et l'en ressortir. Mais il était encore plus pénible de se rendre compte que ni Robby ni elle n'étaient heureux – et pas même intéressés – à la perspective de passer une soirée en amoureux à Manhattan. En se massant la nuque, elle se rappela la conversation qu'elle avait eue un peu plus tôt avec sa mère. Iris avait cité les paroles d'Anna, que Laura avait entendu répéter toute sa vie : « Tu n'auras jamais de souci à te faire pour celle-là. »

Oh, bonne-maman, si tu me voyais maintenant…

Et puis, une pensée en entraînant une autre, elle en arriva à se poser la douloureuse question : *Comment en sommes-nous arrivés là ? Comment, en à peine dix ans, Robby et moi sommes-nous passés du bonheur et de l'amour fou du jour de notre mariage à une pareille indifférence ? une telle incompréhension ?*

3

Le jour de leurs noces…

Mariés en 1970, au plus fort de la rébellion et des soulèvements de la jeunesse américaine, Laura et Robby avaient choisi un mariage civil. Iris, profondément religieuse, en avait été consternée, mais Laura avait tenu bon.

— Voyons, maman, Robby n'a pas mis les pieds depuis des années dans un temple méthodiste, et moi j'ai cessé toute pratique religieuse quand je suis allée à l'université. D'ailleurs, je n'ai jamais été pratiquante, je suis comme papa et je n'observe les grandes fêtes que pour te faire plaisir. Simuler maintenant la religion serait de l'hypocrisie de ma part comme de celle de Robby. Réjouis-toi plutôt que je me marie. Les filles de tes amies se contentent pour la plupart de vivre avec leur petit ami du moment.

Iris avait dû se résigner à l'inévitable, mais elle en restait ulcérée. De son côté, Laura était au septième ciel. Comme son mariage avait lieu au printemps, elle avait voulu qu'il se déroule en plein air pour avoir à la fois le ciel au-dessus de sa tête et la terre ferme sous ses pieds en prononçant ses vœux de fidélité éternelle à Robby. De plus, de l'avis de tous leurs amis, si on se donnait la peine de se marier officiellement, autant le faire au grand air, dans un parc ou sur une plage. Laura avait opté pour le jardin de sa grand-mère qui était à ses yeux le plus bel endroit du monde. Bonne-maman était une fabuleuse jardinière.

Ce jour-là, Laura dardait sur Robby des regards brûlants de désir et Robby regardait Laura comme s'il ne pouvait maîtriser son impatience d'être enfin seul avec elle, manifestations de passion plutôt amusantes pour tous ceux qui savaient qu'ils couchaient ensemble depuis plus d'un an mais qui, le jour de leur mariage, semblaient obéir à une certaine logique – s'il est logique de n'avoir d'yeux que pour un jeune homme en chemise à col ouvert et de couver du regard une jeune fille en longue robe blanche flottante. En guise de prières, ils avaient lu leur poème préféré d'Emily Dickinson. À l'époque, ils avaient les mêmes goûts pour des poèmes, des livres, des chansons...

Alors, pourquoi en sommes-nous arrivés là ? se demanda Laura, assise sur le lit que Robby et elle partageaient depuis dix ans. *Comment expliquer que nous en soyons au stade où Robby m'en veut de gagner un peu d'argent en faisant des gâteaux, où j'en veux à Robby de s'en plaindre, où aucun de nous deux n'a envie d'être seul avec l'autre dans une chambre d'hôtel le temps d'un week-end ? Nous refusons l'un et l'autre d'admettre que cela ne va pas, nous ne nous mettons pas en colère – pas ouvertement, du moins, mais je pense de plus en plus souvent que ce serait plus facile que de poursuivre cette sorte de... bataille muette, qui dure indéfiniment sans affrontements directs. Au début, je finissais ses phrases et il lisait dans mes pensées comme à livre ouvert. Quand le fossé a-t-il commencé à se creuser entre nous ? J'ai parfois l'impression que des signes avant-coureurs des premières fissures se sont manifestés dès le début. Avant même que nous soyons mariés. Cela peut-il vraiment remonter à aussi loin ? Par moments, je ne peux pas m'empêcher de le penser...*

Lasse, les yeux clos, elle s'étendit entre les valises à moitié faites.

Laura n'avait pas encore rencontré les parents de Robby quand ils avaient décidé de se marier. Ses parents à elle, sans parler de sa bonne-maman, en étaient profondément choqués, mais Laura estimait qu'ils se référaient encore à des notions périmées sur la famille et les rites sociaux à observer, notions qu'elle avait elle-même jetées aux orties comme toutes ses amies de sa génération. Robby et elle étaient adultes, pas plus entravés l'un que l'autre par les préjugés, les coutumes ou les mentalités de leurs familles respectives. Se faire présenter aux proches n'a rien d'obligatoire ni même de nécessaire quand on a vingt ans, du moment qu'on est capable de penser par soi-même. Sa grand-mère ayant quand même réussi à convaincre Laura que les vieilles habitudes avaient du bon et n'étaient pas tout à fait inutiles, ne serait-ce que pour rassurer ceux qui vous aiment, les MacAllister avaient été invités à venir de leur résidence de Blair Falls, dans l'Ohio, faire la connaissance des Stern.

Robby était sûr qu'ils n'accepteraient pas : « Ils ne sortent jamais de leur trou », avait-il déclaré. À sa propre surprise, ils étaient venus. Laura avait senti qu'il en était presque honteux, malgré ses dénégations.

Les jeunes gens voulaient se marier au printemps, trois semaines après la fin des examens de Robby. Iris ayant dit qu'il serait bien que les deux familles fassent connaissance quelques mois avant le mariage, ils avaient donc choisi d'un commun accord un week-end à la fin d'octobre. Le soir de leur arrivée, après le dîner qu'avait tenu à préparer Laura, les MacAllister, répondant respectivement aux prénoms de Frank et Emma Ann, se retirèrent dans la véranda avec Theo et Iris Stern pour y prendre le café et faire plus ample connaissance.

Physiquement, les MacAllister formaient le couple le plus mal assorti qu'on puisse imaginer. Frank était petit, maigre, sans une once de graisse, Emma Ann grande, forte et bien rembourrée. Frank affichait en permanence une expression aigrie et revêche due, comme Robby l'avait dit à Laura, à une série d'échecs dans ses affaires. Emma Ann n'était pas belle et ne faisait rien pour arranger son apparence. Elle tirait ses cheveux d'un châtain terne en un gros chignon qui rendait son visage encore plus lunaire et elle dissimulait ses yeux bleus, son unique atout, derrière de grosses lunettes rondes. Ses traits exprimaient le dépit hargneux d'une femme qui en veut au monde entier d'avoir raté sa vie.

Ils étaient du genre à s'appeler entre eux maman et papa, et voulaient qu'après le mariage Laura leur donne elle aussi du maman et papa MacAllister. Au vif soulagement de Laura, les Stern ne demandaient à Robby que de les appeler Theo et Iris. Elle était non moins soulagée que Robby n'ait ni frères ni sœurs et elle n'avait pas invité ses frères à ce dîner. La soirée avec les seuls parents était déjà assez pénible.

À leur arrivée, Laura était presque sûre que le père de Robby avait déjà beaucoup bu. Il n'était pas ivre, mais son haleine sentait l'alcool et le regard inquiet que Robby avait lancé à sa mère ne lui avait pas plus échappé que le haussement d'épaules désabusé de cette dernière. Laura en avait déduit que ce n'était pas la première fois, même si Robby n'avait jamais fait allusion devant elle aux mauvaises habitudes de son père.

Le dîner s'était plutôt mal passé. Devant le coq au vin, que Laura avait mijoté en l'honneur de ses beaux-parents, Frank MacAllister avait déclaré que son estomac ne supportait pas la « cuisine exotique ». Compte tenu du nombre de verres de vin qu'il avait ingurgités avant et pendant le repas, ce n'était manifestement pas l'alcool de la sauce qui l'indisposait.

« Papa en est resté au régime steak pommes de terre », avait commenté Mme MacAllister avec un petit rire gêné. Elle devait être accoutumée à s'excuser du comportement de son mari.

Robby avait dit à Laura que la famille de sa mère, en particulier le frère de celle-ci, faisait partie des notables de leur ville. Pendant tout le repas, Mme MacAllister s'était répandue en anecdotes édifiantes sur le grand magasin fondé par ses ancêtres et dont son frère assurait maintenant la direction. « La quatrième génération de Landon, vous rendez-vous compte ? Mais c'est à mon frère Donald que la maison doit son expansion. Sa renommée s'étend désormais jusqu'à Cincinnati ! »

À un autre moment, elle avait expliqué que Robby était son chéri et qu'elle y tenait comme à la prunelle de ses yeux. Elle avouait cela sans honte devant des étrangers ! Laura espérait que Robby dirait au moins un mot pour l'empêcher de continuer, comme auraient réagi ses frères si leur mère avait eu le mauvais goût de tenir de pareils propos. Robby avait rougi jusqu'à la racine des cheveux d'un air gêné, mais c'est son père qui était sèchement intervenu : « Pour l'amour du ciel, maman, ne ridiculise pas ce malheureux garçon ! »

Après le dîner, les époux MacAllister n'avaient fait aucun effort pour se montrer sociables avec les parents de celle qui allait devenir leur belle-fille. Ils étaient restés assis côte à côte sans dire un mot en laissant Theo et Iris faire les frais de la conversation.

— Vous pouvez être très fière de Robby, avait commencé Iris.

Sa voix, habituellement mélodieuse, sonnait sèche et coupante. Iris savait mal gérer les situations difficiles.

Devant ce compliment, Mme MacAllister se rengorgea et gratifia l'assistance d'un sourire suffisant sans rien trouver à répondre. Theo se sentit obligé de venir à la rescousse de son épouse :

— Le classement de Robby à ses examens est remarquable.

— L'archéologie est un sujet passionnant, avait renchéri Iris.

À l'automne, Robby commençait le cursus universitaire devant le mener au doctorat. Cette remarque avait décidé

Mme MacAllister à retrouver sa langue, pourtant fort bien pendue jusque-là.

— Je n'y connais rien. Mais ma belle-sœur, la femme de mon frère, a un frère diplômé de Yale, de sorte que je fais confiance à son jugement. Selon lui, le fait que le professeur de Robby lui ait demandé de travailler à ces fouilles au Nouveau-Mexique est un très bon point pour lui.

— C'est même une marque d'honneur, s'était empressée d'approuver Iris. J'ai souvent entendu parler des travaux du Pr Hawkins, bien que je ne sois pas très ferrée moi non plus en archéologie.

Le Pr Hawkins, directeur de thèse de Robby, avait ouvert un important chantier de fouilles au Nouveau-Mexique et invité Robby à se joindre à son équipe. C'était pour lui un honneur, en effet, d'avoir été sélectionné à ce stade de ses études.

— J'ai eu beaucoup de chance de..., commença Robby.

— Ça ne lui rapportera pas un sou, l'interrompit son père d'une voix légèrement embarrassée. Aller faire des pâtés de sable dans le désert...!

Laura avait lancé un coup d'œil à Robby. Ses frères auraient immédiatement protesté si Theo s'était permis de dire une chose pareille, mais Robby restait impassible, comme s'il n'avait pas entendu. Seuls ses poings serrés sur ses genoux trahissaient une réaction à cette insulte délibérée.

— Il prétend que ça lui donnera de l'expérience et des connaissances, avait poursuivi M. MacAllister sur le même ton. Des connaissances sur quoi, je voudrais bien le savoir ! Il va encore passer six ans à l'école, tout ça pour déterrer de vieux bouts de poteries qu'il va s'amuser à recoller. Avec tout l'argent qu'on a englouti dans son éducation et...

— Mon frère Donald est enchanté de voir Robby s'engager sur cette voie, l'interrompit sa femme. C'est lui qui l'a envoyé à l'université. Donald et sa femme – ma belle-sœur, dont je vous ai parlé – n'ont pas eu d'enfants. Robby est comme leur propre fils, et Donald...

— Donald ! Donald ! éclata son époux. Tu nous casses les oreilles avec ton frère ! On s'en fiche, de ton fameux Donald !

Malgré la lumière tamisée, Laura vit des larmes poindre dans les yeux de Mme MacAllister et une grimace de douleur crisper son visage rond, mais cela ne dura qu'une seconde. Elle se ressaisit aussitôt, se força à sourire. Depuis combien de temps subissait-elle de telles humiliations ? Des années sans doute, estima Laura avec un élan de pitié pour la pauvre femme.

Pendant ce temps, Iris et Theo s'efforçaient de dissiper le malaise avec de grands sourires et des offres cordiales d'un peu plus de café ou d'une autre tranche du cake spécialement préparé par Laura, offres que déclinèrent Robby et sa mère. Celle-ci prit congé un instant plus tard en invoquant les fatigues du voyage puis, la désastreuse soirée ainsi écourtée, Robby avait reconduit ses parents à leur hôtel.

Il avait ensuite fallu à Laura un bon moment pour rassurer ses parents sur son choix.

— Vous ne pouvez pas juger Robby d'après ses parents, avait-elle plaidé. Ce serait injuste. Vous l'aimiez avant de les connaître, rien n'a changé entre lui et vous. Et puis, oublions cette première soirée. Ils étaient fatigués, dépaysés. Celle de demain se passera sans doute mieux.

Cette soirée parut, en effet, s'annoncer mieux que celle de la veille. M. MacAllister était sobre et Mme MacAllister faisait dès le début l'effort de se montrer plus sociable. Le dîner avait lieu cette fois au restaurant de l'hôtel où étaient descendus les parents de Robby. Tout le monde paraissait bien s'entendre et l'ambiance resta amicale jusqu'au café, lorsque Theo annonça qu'il voulait discuter d'un sujet pratique.

— Iris et moi voudrions payer le loyer de l'appartement où Laura et Robby vivront pendant les deux ans qu'ils passeront au Nouveau-Mexique. Le temps que Laura termine ses études et obtienne ses diplômes. Ensuite, elle pourra chercher un emploi et subvenir aux dépenses du ménage jusqu'à ce que Robby passe son doctorat.

— De toute façon, avait précisé Iris, nous aurions payé son logement si elle n'avait pas changé d'université pour rester avec Robby.

M. MacAllister avait alors reposé avec bruit sa tasse de café.

— J'estime que si un homme digne de ce nom est prêt à se marier il doit aussi être prêt à tenir tout seul sur ses deux jambes. Je ne vois pas de raison de dorloter mon fils comme vous le suggérez.

Dites plutôt que vous n'en auriez pas les moyens, pensa Laura, furieuse. Une fois de plus, Robby faisait comme s'il n'avait pas entendu.

— Enfin, voyons, Laura et Robby ne gagneront pas de quoi vivre avant plusieurs années ! avait protesté Iris. S'ils y arrivaient, ce serait en se privant de tout.

— Nous préférons qu'ils se consacrent à leurs études plutôt qu'à chercher comment payer un loyer, avait ajouté Theo. Je n'appelle pas cela les « dorloter ». Nous comptons fermement qu'ils travaillent dur et qu'ils réussissent. Nous voulons simplement faciliter un peu leurs premiers pas dans la vie.

— Et puis, ils ont un long chemin devant eux, avait renchéri Iris. Laura a encore deux ans d'études avant sa maîtrise, et je sais par ma propre expérience le temps et les efforts qu'il faut pour un doctorat.

— Dans ce cas, intervint Mme MacAllister, Laura pourrait mettre ses ambitions de côté pour aider son mari en gagnant l'argent du ménage. Beaucoup de femmes l'ont fait et le font encore sans s'en plaindre.

C'est cela qu'ils attendent de moi ? se demanda Laura, choquée. *Et Robby ne leur a jamais dit un mot pour les en détromper ?*

— Je compte travailler pendant que Robby préparera son doctorat, dit-elle rageusement. Et je vous promets de ne jamais m'en plaindre.

Et je me demande bien pourquoi je plaignais cette chipie. Vous méritez bien votre abominable mari, madame MacAllister !

— Si elle est titulaire d'un diplôme universitaire, avait tenté de raisonner Iris, Laura gagnera beaucoup mieux sa vie.

Elle n'avait pourtant jamais considéré la culture et l'éducation en termes bassement matériels de salaire et de pouvoir d'achat.

— Peut-être... tout ce que je sais, c'est que j'ai quitté l'école et pris un emploi de bureau quand papa et moi nous sommes mariés, insista Mme MacAllister. Oh, ce n'était pas un emploi valorisant ni très satisfaisant intellectuellement, mais nous avions besoin d'un salaire régulier et je ne pouvais rien faire de mieux. Je ne me rappelle pas qu'on m'ait dit à ce moment-là que je devrais poursuivre mes études ou les faire payer par quelqu'un d'autre...

— C'est possible, intervint sèchement Theo, mais la mère de Laura et moi-même disons qu'elle *doit* terminer ses études. Laura recevra la même éducation et la même assistance que celles que nous avons données à ses frères.

Laura sentait que son père contenait à grand-peine sa colère. Elle reconnaissait le ton que ses frères et elle redoutaient quand ils étaient petits.

La situation menaçait de dégénérer et de devenir pire que celle de la veille. M. MacAllister dardait sur Theo des regards incendiaires, Mme MacAllister respirait bruyamment, et Theo regardait le couple comme s'il découvrait quelque chose de répugnant sur la semelle de sa chaussure. Si l'un des deux s'avisait d'ajouter un mot, Theo n'hésiterait pas à leur dire à quel point il les jugeait stupides et ignorants. Malgré le plaisir qu'elle aurait pris à entendre son père les remettre à leur place, Laura savait qu'une pareille scène aurait sur Robby un effet catastrophique. Elle souhaitait aussi que les deux familles soient en assez bons termes pour au moins s'adresser la parole pendant le mariage. Elle devait donc faire quelque chose pour éloigner l'orage.

— Papa, maman, ne vous faites donc pas de souci pour nous. Robby et moi prendrons un job à mi-temps. Nous n'avons besoin de l'aide de personne.

En dépit des protestations de ses parents le soir même et au cours des jours suivants, Laura était restée inflexible. Elle ne faisait, après tout, qu'aider Robby à sauver la face. Sa chère bonne-maman n'en aurait pas fait moins pour son mari.

Si Laura s'était attendue à ce que Robby lui soit reconnaissant d'avoir repoussé l'aide financière de ses parents, sur laquelle elle comptait pourtant, elle se trompait. Il ne fit aucune allusion à cette abominable soirée jusqu'à ce qu'ils soient de retour à leur campus et couchés dans son lit. Étendu à côté d'elle sans la toucher, il regardait le plafond.

— Bon, maintenant tu es au courant. Mon père boit, pas tout le temps mais toujours trop. Je n'ai jamais su au juste s'il avait commencé parce qu'il avait fait faillite ou s'il avait fait faillite parce qu'il buvait déjà.

— Quelle importance ? avait-elle répondu avec conviction. Cela n'a rien à voir avec toi.

C'étaient sans doute les mots qu'il attendait, car il la prit dans ses bras. Mais il paraissait toujours troublé.

— Ne juge pas trop mal ma mère, d'accord ?

— J'avais plutôt l'impression que c'était elle qui jugeait mes parents.

— Tu ne sais pas quelle vie elle a menée, avait-il soupiré.

— À l'entendre, sa vie était parfaite. Ou plutôt, c'est elle qui était parfaite.

— Mais non, elle le sait très bien. C'est pourquoi elle est… Oh ! Tu ne peux pas comprendre.

Il avait retiré son bras et regardé de nouveau le plafond.

— Essaie quand même.

— Toi, dans ton enfance, tu avais tout, la culture, la classe… Ta mère a eu le même genre de vie avant toi et tu m'as dit que ton père la traitait comme une reine. Personne n'a traité maman comme ça. Mon oncle Donald était beau, intelligent… et puis, c'était un garçon. Elle, ce n'était qu'une fille. Elle prend trop souvent des grands airs, je sais. Quand elle trouve le moyen de parler de ma tante Margaret dont le frère est allé à Yale, ça me rend malade. C'est lamentable…

» Ton père est fier de ta mère parce qu'elle a un doctorat. Je le vois bien à la manière dont il parle de son travail. Mon père n'a jamais été fier de ce que faisait ma mère. Je ne l'ai jamais vu être tendre ou simplement gentil avec elle. Pas une fois. Je ne l'ai jamais entendu lui dire un mot de remerciement pour toutes les années qu'elle a passées à ce job minable pour nous entretenir tous pendant qu'il échouait et perdait de l'argent dans tout ce qu'il entreprenait – jusqu'à ce que mon oncle Donald prenne pitié de sa sœur et lui verse une pension. C'est pour cela que mon père leur en veut à tous les deux. Quand j'étais plus jeune, je ne me demandais pas pourquoi ils avaient eu l'idée de se marier et je me moquais bien de leur sort à tous les deux. Maintenant, je sais ce que je peux faire pour rendre un peu meilleure la vie de ma pauvre mère.

Il l'avait dit avec tant d'ardeur que Laura se souleva sur un coude.

— Que veux-tu dire ? Personne ne peut faire cela pour un autre.

— Tout ce que j'ai à faire, c'est réussir. Elle n'a pas besoin d'autre chose. Tu sais, elle me faisait la lecture quand j'étais petit. Le soir, elle rentrait à la maison à la fin de sa journée de travail, elle faisait le ménage, la cuisine pour le dîner, elle me couchait et elle me faisait la lecture – pas des contes de fées ou des histoires pour enfants, non, des romans de Walter Scott ou de Dickens. Elle était si fatiguée qu'il lui arrivait de s'endormir au milieu d'une phrase, et je ne suis même pas sûr qu'elle appréciait ce qu'elle me lisait. C'est ma tante Margaret qui lui disait de lire ces livres-là parce qu'ils étaient plus « intellectuels ». Elle avait même acheté les œuvres complètes de Shakespeare et, un été, on s'y est lancés. Imagine un peu quelqu'un qui essaie de lire *Timon d'Athènes* pour se distraire ! dit-il en pouffant de rire. Mais elle a quand même tiré quelque chose de toutes ses lectures. Elle a pris goût aux histoires nobles et chevaleresques... c'est pour cela qu'elle est contente que je sois archéologue. Elle a lu quelque part que l'archéologie est une profession noble. Pour elle, cela revient à dire que je serai comme *Ivanhoé*. Quand elle a avoué que j'étais la prunelle de ses yeux, Laura, elle était sincère. La seule raison pour laquelle elle se lève le matin, c'est moi.

Faut-il qu'une femme soit cruelle et égoïste pour faire peser un tel fardeau sur les épaules de son fils...

— C'est lourd à supporter pour toi, non ?

— Elle ne me l'a jamais dit, bien sûr.

Peut-être pas en toutes lettres, mais cela revient au même. Elle a tout fait pour te faire croire que c'est à toi qu'il incombe de donner un sens à sa vie, de compenser toutes les désillusions, tous les malheurs qui lui sont arrivés. C'est d'une injustice scandaleuse !

Robby lui caressa la joue.

— Eh ! Ne prends pas cette mine tragique. Je ne suis pas devenu l'esclave de ma mère. Si j'ai travaillé un peu plus dur quand j'étais gamin pour résoudre un problème de maths ou réussir un examen afin de ne pas la décevoir, où est le mal ?

Il n'avait pas tort et Laura ne voulait pas discuter.

— Non, admit-elle, il n'y a pas de mal là-dedans.

— Et puis, je l'avoue, j'aimerais bien devenir célèbre, découvrir un site archéologique qui porterait mon nom, écrire des livres. Et si je me contente d'ajouter un petit quelque chose à la somme des connaissances humaines, ce sera déjà très bien. J'aurais au moins eu une vie honorable.

Quand Robby lui parlait comme cela, il balayait tous les doutes que Laura pouvait nourrir. Surtout quand il était couché à côté d'elle, leurs corps serrés l'un contre l'autre.

— Ivanhoé et toi. Les héros de l'histoire, murmura-t-elle.

— Exactement.

Il lui donna un baiser et ils n'eurent plus besoin de parler, car la manière dont ils faisaient l'amour avait toujours banni dans leurs esprits toute autre pensée que celle du bonheur immédiat.

Plus tard, quand ils se reposèrent, encore haletants, Robby chuchota :

— Nous aurons la plus belle des vies, Laura. Je te rendrai la plus heureuse des femmes, tu verras.

Sur le moment, elle n'en avait pas douté une seconde. Et si, un peu plus tard dans la nuit pendant que Robby dormait, Laura sentit renaître un ou deux légers doutes, elle les chassa bien vite. Robby avait un esprit supérieur, tous ses professeurs s'accordaient à le dire, il était donc normal qu'il soit ambitieux. S'il devait à sa mère d'avoir cultivé cette ambition, il n'y avait en effet rien de mal là-dedans. Presque tous les hommes ayant accompli une œuvre digne de la postérité avaient été poussés par au moins un de leurs parents.

Il fallut plusieurs années à Laura pour se rendre compte que son premier instinct ne l'avait pas leurrée et que ses premiers doutes étaient probablement fondés.

4

Laura n'avait le temps ni de douter ni même de penser à son mariage ou à n'importe quoi d'autre. Dans les turbulences de cet hiver-là, tandis que les années 60 s'effaçaient devant les années 70 et que la guerre du Vietnam faisait rage, les événements allaient trop vite pour la plupart des jeunes. Laura et Robby ne faisaient pas exception : comme chez tous ceux de leur âge, leurs conversations tournaient autour de l'épée de Damoclès pendue au-dessus de leur tête – la loterie de la conscription.

Laura n'oublierait jamais la journée du 1er décembre 1969. Avec Robby et la plupart des étudiants de leur campus, elle fixait des yeux l'écran de télévision où des gens qu'ils n'avaient jamais vus puisaient dans un grand bol de verre des capsules en plastique bleu qui allaient décider du sort de Robby comme de tous les jeunes Américains de dix-huit à vingt-six ans. Chaque capsule contenait une date de naissance, une pour chaque jour de l'année. Le nom de chaque jeune homme inscrit sur les listes de recrutement était affecté d'un numéro déterminé d'après sa date de naissance. Si celle-ci sortait de l'urne au début, il était appelé à se battre pour une cause à laquelle il ne croyait pas ou qu'il désapprouvait. Ceux qui avaient la chance de sortir de l'urne vers la fin, avec un numéro d'ordre élevé, pouvaient poursuivre le cours normal de leur vie.

Les discussions allaient bon train tout au long du tirage. Celui-ci terminé, les bénéficiaires du hasard qui leur accordait un numéro élevé dissimulaient leur soulagement pour ne pas aggraver le désarroi de leurs camarades. Partagés entre la peur et la fureur, ceux que la chance n'avait pas favorisés arpentaient les couloirs en pleurant leurs espoirs et leurs rêves anéantis. Ceux dont le numéro était sorti vers le milieu du tirage supputaient avec anxiété les probabilités d'en réchapper ou la durée du répit que le sort leur accordait. Les filles, et Laura avec elles, serraient leurs amis dans leurs bras en s'évertuant à trouver des paroles consolantes. Le soir venu, chacun ayant appris les numéros des uns et des autres, ils avaient cherché dans l'alcool ou le cannabis une ivresse rapide, qui pour fêter sa chance, qui pour trouver au moins quelques heures d'oubli.

Pour sa part, Robby ne pleura pas ni ne s'enivra. Étendu sur son lit, il regardait le plafond avec l'expression absente et fermée que Laura en était arrivée à craindre autant que la loterie de la conscription elle-même. Son numéro était sorti dans le premier tiers du tirage, ce qui voulait dire qu'il ne serait peut-être pas mobilisé avant le printemps. Il pourrait donc passer ses examens et se marier avec Laura. Elle calculait cependant qu'il serait appelé au début de l'été – à moins de découvrir une échappatoire.

— Il doit y avoir un moyen ! s'était-elle écriée. Tu ne m'avais pas dit que ton père connaissait des gens haut placés dans l'administration des anciens combattants ? Il ne pourrait pas tirer quelques ficelles ?

Un silence suivit.

— Écoute, Robby, tu as encore le temps. Si ton père parlait dès maintenant à un de ses amis…

— Mon père, tirer des ficelles pour que je sois déserteur ? répondit-il avec un ricanement amer. Tu ne sais vraiment pas de quoi tu parles.

— « Déserteur » ? Qu'est-ce que tu veux dire ? Tu ne crois pas à cette guerre, tu la désapprouves et…

— C'est pourtant de déserteur que mon père me traitera. Chez les MacAllister, les hommes vont faire la guerre, Laura. Ils ne se posent pas de questions, ils ne se demandent pas si leur pays a tort ou raison, ils vont se battre quand le pays les appelle, point. Demande donc à mon père de te parler du courage avec lequel il a sauvé un de ses copains sur la plage d'Omaha Beach, au moment du débarquement de Normandie. C'était son heure de gloire. Si tu tiens à le savoir, il n'a jamais rien fait de mieux depuis.

— Mais ce n'était pas pareil ! Cette guerre-là était juste.

— Aucune importance. « Aime l'Amérique ou fous le camp », c'est la devise de mon père.

— Mais s'il réfléchissait à ce que nous faisons maintenant là-bas…

— Tu n'y comprends rien ! Tes parents réfléchissent. Pas mon père.

— Au début, mon père approuvait cette guerre, lui aussi.

— Mais il a fini par voir la lumière. Le mien ne la verra jamais. Il ne lit jamais les livres ou les articles qui amènent les gens à se poser des questions, à remettre en cause les choses auxquelles ils croient. Il n'a jamais voyagé, jamais voulu connaître d'autres cultures que celle de l'Amérique, jamais étudié d'autre religion que celle dans laquelle il a été élevé. Il est incapable de penser, Laura.

— Et ta mère ?

— Quand elle apprendra mon numéro, elle mourra de peur. Elle se moquera éperdument que j'aille me battre pour un camp ou un autre, elle suppliera l'oncle Donald d'arranger les choses, mais même lui ne pourra rien faire.

— Ton père le pourrait, lui.

— Il ne voudra pas, ce qui revient au même, parce que Oncle Sam fera de moi un homme, j'irai dans l'armée et je serai débarrassé de mes idées ridicules, comme celle d'aller faire des pâtés de sable dans le désert.

Laura avait dû finir par s'y résigner : même si le père de Robby pouvait intervenir, il ne le ferait pas. Theo et Iris ne disposaient d'aucun moyen ni d'aucun contact, ils ne pouvaient que s'inquiéter pour leur fille et le jeune homme qu'ils aimaient autant qu'elle. Que cette guerre, qui allait éloigner Robby, ait déjà bouleversé leur propre famille au point d'altérer durablement leurs rapports avec leur fils Steven n'arrangeait rien, au contraire. Aussi Laura faisait-elle de son mieux pour ne pas parler du Vietnam devant ses parents.

Pourtant, autour d'elle, ses contemporains ne parlaient que de cela. Dans tous les couloirs, toutes les cantines, tous les petits cafés autour du campus où se réunissaient les étudiants, les conversations finissaient toujours, quel qu'en ait été le sujet initial, par tourner autour de la conscription ou, plus exactement, des moyens d'y échapper. Il y avait peu de militaristes sur le campus de Laura, où prévalait la gauche libérale et où la quasi-totalité des étudiants et de leurs professeurs avait participé aux manifestations d'hostilité à la guerre, longtemps avant que la télévision diffuse les images de jeunes Américains rapatriés dans des cercueils et des enfants vietnamiens brûlés par le napalm américain. Aux élections présidentielles de 1968, ils avaient presque tous soutenu la campagne du candidat pacifiste Eugene McCarthy. Laura, Robby, tous leurs amis et toutes leurs connaissances assistaient aux meetings électoraux en portant un brassard de deuil. Mais, jusqu'à l'instauration de la conscription par tirage au sort, ces protestations étaient restées dans le domaine des idées abstraites et des débats intellectuels. La nouvelle politique engagée par le gouvernement avait amené la réalité de la guerre et la peur de la mort jusqu'aux portes du petit paradis de leur campus, jusqu'alors protégé des violentes réalités du monde extérieur.

Robby s'était tout à coup trouvé un nouveau cercle d'amis, tous affligés d'un numéro assez faible pour leur laisser craindre d'être incorporés dès la fin de l'année. Avant l'instauration du tirage au sort, ces garçons avaient prévu d'attendre tranquillement la fin de la guerre à l'abri de longues études universitaires ou, à la rigueur, de jobs classés d'intérêt général. Ils n'avaient pas prévu que le gouvernement déciderait d'annuler la plupart de ces sursis, voire de les déclarer illégaux. Ils se réunissaient désormais tous les soirs dans la chambre de Robby pour vitupérer les vieux salauds qui mettaient le pays dans un pareil bourbier et, surtout, chercher des heures durant la meilleure façon d'y échapper eux-mêmes.

Robby était toujours le premier à avancer l'idée de quitter le pays ou d'aller en prison. « C'est le seul choix honorable », répétait-il. Laura n'oublierait jamais le soir où il avait dit que, quand il était petit, il rêvait d'être Ivanhoé.

Robby parlait quelquefois à Laura de son frère Steven, activement engagé dans les mouvements clandestins, pour approuver sa conduite. Mais quand il disait envisager sérieusement de suivre son exemple, Laura en était atterrée. Si elle était fière du courage de son frère, elle savait que ce qu'il faisait était non seulement illégal mais dangereux et, bien qu'il n'ait jamais blessé ni tué personne, les membres de son groupe ne reculaient pas devant une violence qu'elle réprouvait autant que la guerre elle-même. En plus, Steven avait causé trop de problèmes et de souffrances dans sa famille. Non, elle ne voulait pas que Robby marche sur ses traces.

Elle savait pourtant que Robby et ses camarades ne le feraient jamais. Les jeunes intellectuels qui palabraient dans sa chambre s'opposaient à la guerre mais n'étaient pas comme son frère. Ils auraient simplement voulu poursuivre leur marche vers un avenir paré à leurs yeux de mille séductions et enrageaient maintenant de le voir anéanti. Car c'était là le pire : sous les vociférations et les lamentations, attisées par l'alcool et d'autres substances, se trouvait l'horrible réalité. La terreur de ces garçons était justifiée, car des milliers d'autres comme eux en étaient déjà morts ou rendus invalides jusqu'à la fin de leurs jours.

Un soir que vitupérations et lamentations battaient leur plein dans la chambre de Robby, le silence se fit à l'irruption soudaine d'un de ses voisins, George, dont la chambre était au bout du couloir.

— Alors ? demanda l'un des amis de Robby. C'est vrai ?

Tout le monde tendit l'oreille. George éclata de rire :

— Ouais, ça marche ! Larry vient de décrocher son sursis. Nancy et lui sont en train de se marier en ce moment même. Ils iront demain annoncer la nouvelle aux parents de Nancy, qui seront sans doute furieux que leur chère petite fille se soit fait engrosser sans les prévenir. Mais au moins, Larry ne fera pas la sale guerre de Lyndon Johnson.

Un tonnerre d'acclamations salua sa déclaration. Un garçon brandit une canette de bière en portant un toast d'une voix mal assurée :

— Pour Nancy, hip, hip, hip, hourra !

— Hourra ! ajouta un autre. Et hourra pour cet enfant de salaud de Larry qui s'en tire aussi bien !

Laura s'était alors souvenue que le Larry en question avait parlé du fait qu'être père de famille était un des moyens infaillibles d'échapper à la conscription. « J'appelle ça le sursis papa, avait-il spécifié. Non seulement tu ne risques pas d'aller en taule ni de perdre ta citoyenneté, mais tu t'offres du bon temps pendant que tu prépares ton dossier ! »

Ils avaient tous ri – sauf Laura. Elle ne pouvait pas même imaginer avoir un enfant avant que Robby et elle soient prêts à l'aimer et à l'élever, conscription ou pas. Elle ne voyait rien de risible là-dedans.

Dans le vacarme des ovations et des toasts au futur père, elle entendit Robby à côté d'elle dire à voix basse :

« Je n'aurais pas cru que Larry irait réellement au bout de son idée. »

Elle tourna la tête : Robby la regardait d'un drôle d'air. Comme il se détourna aussitôt, elle se dit qu'elle l'avait imaginé.

Mais, quand les autres eurent peu à peu regagné leurs chambres et qu'elle se retrouva seule avec Robby, il ne la prit pas dans ses bras pour entamer leur long processus de déshabillage mutuel en multipliant les caresses, prélude habituel à une nuit d'amour. Il ne s'écroula pas non plus sur son lit en bâillant, lui signifiant ainsi qu'il était trop fatigué pour faire l'amour ce soir-là, mais, en évitant de la regarder, il entreprit de débarrasser la chambre des vestiges de la soirée. Sans mot dire, Laura le vit aligner les canettes de bière vides dans un coin et replier les boîtes de pizza avant de les emporter au vide-ordures au bout du couloir. En temps normal, Robby vivait dans un fouillis permanent. Ses vêtements étaient par terre à l'endroit où il les avait laissés tomber et il lui fallait parfois des jours pour ranger sa chambre après une soirée mouvementée comme celle-là. C'était le plus souvent Laura qui se chargeait de sortir les ordures et de lui laver son linge. Ce soir-là, il faisait consciencieusement le ménage – sans la regarder, ce qui voulait dire qu'il se préparait à lui dire quelque chose qu'elle ne voulait pas entendre.

— Je crois que je vais rentrer dans ma chambre ce soir, lui dit-elle. J'ai un examen de sciences mercredi, il faut que je révise.

— Tu ne vas pas travailler ce soir, il est trop tard.

— Non, mais je m'y mettrai de bonne heure demain matin.

— Reste donc. Tu partiras tôt, je mettrai le réveil.

Elle aurait préféré ne pas rester, mais elle ne trouvait pas de bonne excuse pour s'esquiver.

— D'accord, soupira-t-elle.

Elle s'assit au bord du lit, enleva ses chaussures. Robby continuait à ranger en lui tournant le dos.

— C'est formidable, non ? Pour Larry et Nancy, commença-t-il.

— J'estime qu'ils ont tort.

Cette fois, il se retourna vers elle.

— Un jugement un peu hâtif, tu ne trouves pas ?

— Je pense simplement qu'il n'est ni normal ni juste d'avoir un enfant pour toute autre raison que d'en désirer un.

— Et s'ils le voulaient vraiment ?

— Il n'a pas de travail, ils n'ont pas de logement et ils ne sont pas mariés.

— Tu deviens bien sévère, ma parole. Nous connaissons tous les deux des filles qui se sont retrouvées enceintes avant de se marier, et tu ne les as jamais critiquées.

— Parce qu'elles ne l'avaient pas fait exprès.

— Alors, ça excuse tout ?

— Cela vaut mieux qu'une décision prise de sang-froid.

— Comment le sais-tu ? Nancy et Larry voulaient de toute façon se marier et avoir des enfants. Ils ont pris un peu d'avance, voilà tout.

— Tu sais très bien de quoi je parle.

— Tout ce que je sais, c'est que Larry a tiré le numéro 77. Sans ce bébé, il partirait d'ici quinze jours se battre pour une cause qu'il abomine et risquerait de se faire tuer. Pour rien.

— Je le sais.

— Nancy l'aime assez pour vouloir lui sauver la vie. Et tu trouves qu'elle a tort ?

Laura aurait voulu lui répondre que Larry n'aurait pas dû laisser Nancy décider à sa place, même si elle l'en avait supplié. Il lui suffit toutefois de regarder Robby pour choisir de se taire. Il avait pâli, donc il devinait ce qu'elle pensait et était probablement d'accord avec elle. Mais elle savait aussi que si elle faisait la moindre allusion au sursis papa, il sauterait sur l'occasion de la prendre au mot. La manière dont il baissait les yeux sur ses poings crispés signifiait qu'il avait honte de lui, parce qu'il rêvait toujours d'être Ivanhoé, le vaillant chevalier sans reproche. Il aurait préféré aller en prison au nom de ses convictions ou passer la frontière et vivre en exil, les seules issues « honorables », il l'avait dit lui-même.

Mais il circulait des histoires horribles sur les traitements infligés en prison aux objecteurs de conscience, et s'exiler en renonçant à la citoyenneté américaine était un prix bien lourd à payer pour une série d'erreurs dues à d'autres. Parce que c'était là le fond du problème, cette guerre que personne ne pouvait expliquer ni justifier et à laquelle personne ne pouvait mettre fin, même s'il était patent que l'Amérique était incapable de la gagner. C'était une effroyable et sanglante erreur de jugement commise par des hommes trop âgés pour se battre eux-mêmes et trop orgueilleux pour avouer s'être trompés. Dans ces conditions, comment attendre d'un garçon comme Robby qu'il ait assez de force et d'abnégation pour risquer sa vie à seule fin de sauver la face des responsables de ce massacre ? Comment exiger de quiconque qu'il agisse « honorablement » quand, chaque semaine, les magazines publiaient des photos de soldats morts et de Vietnamiens brûlés vifs dans les rizières ? Il suffisait d'y réfléchir pour admettre qu'avoir un enfant pour échapper à l'horreur n'avait, en fin de compte, rien de répréhensible.

— Je suis désolée, dit-elle. Cela n'aurait pas dû t'arriver à toi.

— Je ne veux pas mourir, murmura-t-il, les larmes aux yeux.

— Moi non plus, je ne veux pas que tu meures.

En dépit de ses principes, une idée commençait à germer en elle.

Robby ne demanda jamais ouvertement à Laura de lui épargner la conscription et elle ne lui dit jamais qu'elle le ferait. Mais au cours des semaines suivantes, quand elle voyait Robby sourire, faire la moue en se concentrant sur son travail ou l'entendait rire, l'idée qui germait dans sa tête croissait de plus en plus. Et lorsque, la nuit venue, ils se serraient l'un contre l'autre dans le lit étroit et commençaient le lent et doux voyage qui les mènerait jusqu'à se fondre l'un dans l'autre, elle se sentait pleine d'indulgence pour Nancy et les autres filles en proie aux mêmes terreurs en ce terrible hiver 1969-1970. Elle ne pouvait laisser partir vers la mort le jeune homme qu'elle aimait.

En digne fille de sa mère – et petite-fille de sa grand-mère –, elle ne voulait toutefois pas se marier enceinte. Mais après le mariage, sans se l'admettre l'un à l'autre, ils coururent des risques délibérés. Laura n'avait jamais pris la pilule, laissant à Robby les « précautions » d'usage. Il les négligeait désormais et elle ne faisait rien pour l'en empêcher. Il n'en fallait pas davantage. Un mois après leur installation au site archéologique du Nouveau-Mexique, Laura sut avec certitude que Robby ne serait pas appelé sous les drapeaux. Leur bébé était en route.

5

Laura finit par se lever, prit le sac bourré d'ustensiles de cuisine avec le volumineux moule à cake et descendit le tout à la cuisine. Elle allait être obligée de refaire l'emballage afin de caser le moule, ce qui la forcerait peut-être à laisser d'autres objets – les fouets ou le chaudron de cuivre, peut-être ? Mais sa mère n'en avait pas. En vidant le sac sur le comptoir, son esprit revint malgré elle à ses réflexions.

Si Theo et Iris avaient soupçonné la grossesse « imprévue » de Laura d'avoir modifié le statut militaire de Robby, ils n'en avaient rien laissé paraître. Ils avaient simplement renouvelé leur offre d'assistance financière que Laura avait, une fois de plus, refusée. Le père de Robby, lui, était parvenu à des conclusions bien différentes, qu'il avait exprimées à son fils dans une lettre de quatre pages où il le traitait de traître, de demi-portion et de lâche qui se cachait derrière les jupes d'une femme pour échapper à son devoir patriotique. À la stupeur de Laura, cette diatribe haineuse eut sur Robby un effet dévastateur. Elle ne pouvait croire que la méchanceté gratuite de cet homme, qui n'était par ailleurs bon à rien, puisse encore avoir une telle influence sur son fils. Pourtant, à la réflexion, elle s'était rendu compte que si Robby en avait tant souffert, c'était peut-être parce qu'il pensait, plus ou moins consciemment, que son père n'avait pas tort. Ou, peut-être aussi, parce que les enfants ne sont jamais tout à fait immunisés contre l'injustice, le rejet ou les agressions de leurs parents.

Laura avait fait de son mieux pour réconforter son mari alors qu'elle luttait elle-même contre le découragement. Depuis le début de son existence, somme toute heureuse et facile, elle ne s'était jamais sentie aussi démoralisée qu'au cours de cet été-là au Nouveau-Mexique.

Pour se loger, Robby et elle avaient loué une vieille caravane près du site archéologique où Robby allait travailler. Pendant trois mois, ils vivraient donc en plein désert comme le Pr Hawkins et les autres membres de l'équipe. Robby serait le bras droit du professeur et Laura participerait elle aussi aux fouilles comme bénévole. Le chantier serait fermé au bout de trois mois jusqu'à l'année suivante, le professeur et ses élèves regagneraient la Californie du Sud, et la petite mais prestigieuse université de Custis, où enseignait Hawkins et où Robby suivrait son cursus jusqu'au doctorat.

Ils avaient fait ces projets juste après leur mariage. Robby, qui avait déjà participé à plusieurs chantiers de fouilles, avait averti Laura que les conditions de vie seraient spartiates.

— C'est la première fois que je travaillerai avec Hawkins, mais des types qui ont fait partie de ses équipes auparavant m'ont dit que ce ne serait pas de tout repos. Dans le désert, il fait une chaleur écrasante le jour, les nuits sont glaciales et ce site-là sera au beau milieu de la zone la plus désertique. On n'y trouve que des insectes, des serpents et d'autres créatures plutôt malfaisantes.

— Des créatures ? De quel genre ?

— Tu verras bien. En tout cas, la caravane ne sera pas précisément un hôtel de luxe.

— Je suis une grande fille, ne t'inquiète pas pour moi.

Laura avait dit cela avant d'être enceinte. Avant l'apparition des nausées matinales qui duraient toute la journée. Avant de ressentir un épuisement permanent. Elle n'avait pas envisagé les phénomènes de ce genre. Les grossesses de sa mère s'étaient toujours déroulées sans problème – Iris était même de ces femmes que la grossesse rend radieuses. Même au bout de tout ce temps, Iris avait les yeux brillants quand elle se remémorait cette partie-là de sa vie. Bonne-maman, bien sûr, n'avait jamais abordé le sujet, les femmes de sa génération ne parlaient pas de choses aussi intimes. Laura était pourtant certaine que sa grand-mère avait traversé ces épreuves avec élégance et bonne humeur, comme tout ce qu'elle avait toujours fait.

Laura s'efforçait de suivre son exemple. Elle essayait de faire bonne figure en grignotant les biscottes que son médecin lui avait suggérées pour combattre ses nausées. Lorsque Consuelo, la femme du village voisin qui faisait la cuisine pour l'équipe, avait pitié d'elle et lui préparait une tisane prétendument souveraine contre ses malaises, Laura l'ingurgitait avec le sourire. Tous les matins, elle se réveillait en se disant qu'elle se sentirait mieux ce jour-là. Qu'elle irait travailler sur le site avec les autres, qu'elle résisterait au soleil brûlant, aux piqûres d'insectes qui la démangeaient partout. Qu'elle ne se plaindrait pas du climatiseur impuissant à donner à la caravane une température supportable ni du linoléum crevassé qu'elle devait balayer et nettoyer sans répit. Mais, chaque jour, elle supportait tout cela de plus en plus mal. Par moments, quand les biscottes insipides ou la tisane amère refusaient de rester dans son estomac, elle se demandait si le bébé qu'elle portait ne protestait pas à sa manière contre le fait que Robby et elle l'aient conçu trop vite au lieu d'attendre d'être décemment installés et prêts à l'accueillir. Pareils fantasmes étaient absurdes, pourtant elle n'arrivait pas à chasser de son esprit des mots tels que « égoïste » ou « irresponsable ». Elle ne voulait pas communiquer ces pensées à Robby afin de ne pas le blesser, mais les mots revenaient de plus en plus souvent et avec de plus en plus de force jusqu'au jour où ils lui avaient échappé.

L'explosion avait été provoquée par l'apparition sur le site d'une chienne errante à peine adulte, avec de grosses pattes laissant présager une taille respectable quand elle aurait achevé sa croissance. Maigre, efflanquée, on voyait les côtes saillir sous sa peau.

— Oh, la pauvre bête ! s'était-elle écriée. Nous la gardons, n'est-ce pas Robby ? Nous l'appellerons Molly, c'est un nom qui lui ira très bien.

Les membres de sa famille auraient prédit sa réaction. Depuis son enfance, Laura voulait adopter tous les chiens et chats perdus. Robby avait secoué négativement la tête.

— Mais non, ma chérie, nous ne pourrons pas lui donner à boire et à manger pendant qu'on sera ici. Et qu'est-ce qu'on fera d'elle en Californie ? Nous serons sans doute logés dans un studio à peine assez grand pour nous deux. Cette chienne aura besoin d'exercice, elle deviendra folle d'être à l'étroit, et nous aussi. Surtout, nous n'aurons pas le temps de nous occuper d'elle. Laisse-là donc rôder aux alentours, elle trouvera bien quelqu'un d'autre pour la recueillir.

Elle avait retenu de justesse le mot « égoïste » qui lui brûlait les lèvres, car elle se disait aussi qu'il avait raison. Parmi tous les gens en rapport plus ou moins direct avec les fouilles, il y aurait sûrement une personne assez charitable pour adopter la pauvre chienne perdue. Aucune ne se manifesta. Si les uns lui donnaient des restes de leur déjeuner, et d'autres lui laissaient pour la nuit une assiette de nourriture, nul ne voulait s'en charger en permanence.

— Comment peut-on être aussi indifférent ? s'était-elle indignée.

— Les autres sont comme nous, ils n'ont ni le temps ni la place.

— Pourtant, tout le monde lui donne à manger.

— Parce qu'elle a faim.

— Maintenant qu'elle a pris l'habitude qu'on la nourrisse, que deviendra-t-elle après notre départ ?

— Je n'en sais rien, Laura.

— Et ça ne dérange personne ? s'était-elle écriée. Que va-t-il lui arriver ? Ce n'est encore qu'un pauvre petit sans défense ! Il faut qu'on s'en occupe, sinon elle mourra !

— Écoute, Laura...

— Comment peut-on se montrer aussi irresponsable ? aussi égoïste ?

Ce qui sous-entendait « *Nous* allons avoir un bébé sans défense. Et *nous* nous conduisons en égoïstes irresponsables ».

Bien entendu, Robby avait compris. Il restait prostré, le visage dans les mains et les coudes sur la table de la minuscule kitchenette de la caravane. Laura sentait les remords l'étouffer. Cette fois, c'était elle qui détruisait l'amour-propre de Robby.

Elle avait donc redoublé d'efforts. Ne plus penser au sort de la chienne vouée à l'abandon et à la mort. Lutter contre ses nausées, se forcer à travailler aux fouilles. Dominer le mal du pays qui, par moments, l'accablait avec une intensité douloureuse. C'est ce qui la surprenait le plus. Contrairement à la plupart des étudiants de première année éloignés de chez eux pour la première fois, elle s'était réjouie d'aborder de nouvelles expériences, de découvrir des mondes et des personnes inconnus. Au Nouveau-Mexique, elle n'était plus la même. Elle savait qu'elle était entourée d'une nature admirablement belle, mais elle n'arrivait pas à la voir avec un regard objectif. Alors que tout le monde se réunissait le soir pour contempler les justement célèbres couchers de soleil sur le désert, alors que Robby et les autres s'émerveillaient devant les somptueux déploiements de couleurs qui embrasaient le ciel, Laura regardait le même spectacle en étant rongée par la nostalgie de la pluie et des pelouses verdoyantes du Nord-Est. New York surtout lui manquait, ce qui l'étonnait plus encore. Robby aimait les vastes espaces et avait réussi à la convaincre qu'elle les aimait aussi. Elle se rendait maintenant compte qu'elle aspirait réellement à vivre dans une grande ville : arpenter des rues animées, accéder à des théâtres, des musées, des magasins offrant des marchandises venues du monde entier. Elle n'éprouvait pas le besoin d'acheter, elle ne l'avait d'ailleurs jamais ressenti. Elle souhaitait seulement savoir qu'elle le pourrait le jour où elle en aurait envie.

Un soir, elle avait quitté plus tôt que d'habitude le groupe réuni autour du feu de camp pour aller prendre une douche avec ce qui restait d'eau chaude dans le réservoir de la caravane. Pendant que le filet d'eau tiède ruisselait sur son visage, elle se prit à rêver d'une petite boutique de Lexington Avenue qui vendait des bougies et des savons parfumés au citron, à la lavande ou à d'autres essences. Alors, en imaginant les arômes de fleurs ou d'agrumes des petits savons mais en ne sentant que l'âcre odeur de rouille de l'eau coulant de la pomme de douche, elle éclata en sanglots. Elle pleurait car, au lieu des senteurs douces et fraîche, elle ne humait que les relents rancis des précédents occupants qui imprégnaient encore la caravane. Elle pleurait car elle avait peur d'être trop jeune et trop pauvre pour avoir un bébé. Elle pleurait car elle aurait voulu courir chez ses parents leur demander de la reprendre sous leur aile, mais ce comportement enfantin était interdit à une adulte. Elle pleurait surtout car Laura Stern, l'enfant gâtée, n'était pas censée s'apitoyer sur son sort.

Elle se retourna en entendant du bruit derrière elle. Robby était là. Ses sanglots l'avaient empêchée d'entendre grincer la porte.

— Laura ? demanda-t-il avec inquiétude. Qu'est-ce que… ?

— Pardonne-moi. Je ne sais pas pourquoi je…

De nouveaux sanglots l'interrompirent. Robby se laissa tomber sur l'étroite banquette qui leur servait de lit. Sa pâleur et sa mine accablée ne firent qu'aggraver le chagrin de Laura.

— Tu ne supportes pas cet endroit, dit-il tristement.

Elle parvint à se ressaisir.

— Mais si, mais si. Il faut seulement que je m'y habitue.

— Je ne suis pas aveugle. Tu es malade toute la journée, la chaleur te tue. Tu n'as jamais vécu dans de telles conditions, dit-il en désignant l'intérieur sordide de la caravane. J'aurais dû y penser davantage. J'aurais dû le savoir.

— Comment le pouvais-tu ? Je ne veux surtout pas que tu te culpabilises à cause de moi qui ai été trop gâtée.

Cette réponse lui tira un sourire.

— Disons plutôt que tu as eu une enfance... privilégiée.

— Appelle-la comme tu voudras, tu n'y es pour rien. Si je craque, ce n'est pas ta faute et je me dominerai. Dans quelques semaines, je me sentirai mieux. Consuelo m'a promis que les nausées matinales vont cesser.

En réalité, la cuisinière lui avait dit que, chez certaines femmes, les nausées duraient pendant toute la grossesse.

— Consuelo n'est pas médecin, ton père l'est. Il estime que vivre ici sur le site est trop dur pour toi.

— Tu as parlé à mon père ?

— Oui, et à ta mère.

Elle aurait dû être furieuse contre Robby d'avoir téléphoné à ses parents derrière son dos. Si elle avait honte d'avoir montré devant lui à quel point elle était malheureuse, elle était en même temps contente que Theo et Iris soient au courant de ses souffrances. Ils allaient pouvoir tout arranger pour elle.

— Tes parents te demandent de rentrer à la maison, reprit-il.

Là-bas, l'herbe serait verte, il pleuvrait, New York ne serait qu'à une demi-heure de train... Une seconde, elle se mit à l'imaginer. Et puis, elle vit Robby sur la banquette, le dos voûté, comme un boxeur vaincu accablé par sa défaite. Si elle retournait chez ses parents, ce serait pour lui pire qu'une défaite. Une humiliation. Jamais bonne-maman n'aurait fait cela à son mari. Elle n'aurait pas pris la fuite parce qu'elle habitait une caravane inconfortable, qu'elle avait peur de l'avenir et se demandait si elle était sûre de devenir adulte. Bonne-maman avait traversé l'océan quand elle était plus jeune qu'elle et trouvé sa place dans un pays inconnu dont elle ne parlait même pas la langue.

— Non, je n'irai pas. Tu es mon mari, je reste avec toi.

Un sourire éblouissant transfigura Robby. Il se leva, la serra dans ses bras, l'embrassa.

— Je te revaudrai ça, je te le promets.

Quels que soient les désagréments qu'elle allait devoir continuer à endurer – les nausées, la chaleur, les insectes –, l'avoir rendu aussi heureux en valait et en vaudrait encore largement la peine.

Le lendemain matin, Laura se réveilla tard et Robby était déjà parti. Au site, on lui dit qu'il était allé en ville faire une course urgente, nul ne savait laquelle, et qu'il reviendrait dans une heure ou deux. Laura décida alors de prendre un jour de congé et regagna la caravane en attendant le retour de Robby. Quand il reparut, il était déjà midi.

— Où étais-tu ? Je commençais à m'inquiéter…

Elle s'interrompit. Robby tenait d'une main une grande gamelle de chien sur laquelle il avait tracé le nom de Molly en lettres rouges et, de l'autre, une laisse attachée à un collier passé autour du cou de la chienne.

— Voilà, dit-il en retenant Molly qui allait se précipiter sur Laura qu'il couvrait de coups de langue. Je me suis dit qu'elle t'empêcherait peut-être d'avoir le cafard.

Dans sa cuisine, Laura termina d'emballer ses ustensiles. Un halètement derrière elle trahit l'entrée d'une grande chienne pataude, au poil roux en broussaille, dont le museau commençait à grisonner.

— Salut, Molly, lui dit-elle en se penchant pour la caresser.

Il y eut un temps où Robby et moi faisions des efforts pour être gentils l'un envers l'autre. Nous voulions rendre l'autre heureux. Maintenant, par moments, je me demande si Robby ne fait pas au contraire des efforts pour être odieux avec moi. J'essaie de comprendre ce qui a pu se passer pour en arriver là, mais il n'y a peut-être pas de raisons…

— Nous ne nous en sortons pas si mal que cela, après tout, Robby et moi, dit-elle à la chienne. Ce qui arrive est peut-être normal chez des gens mariés depuis si longtemps. Je me crois toujours capable d'arranger les choses, mais elles ne peuvent peut-être pas aller mieux.

Elle aurait tant voulu ne pas croire à ce qu'elle venait de dire !

6

À la fin de l'été, quand ils avaient quitté le site de fouilles et la caravane exécrée pour l'appartement qu'ils avaient loué près du campus, Laura était sûre que les problèmes étaient enfin derrière eux et que désormais tout irait mieux. Au début, en effet, les choses s'annonçaient plutôt bien. Il y avait dans leur rue une rangée de petits restaurants et de boutiques plus tentants les uns que les autres, l'appartement était équipé d'une climatisation qui fonctionnait à la perfection. Devant l'immeuble, des gardénias embaumaient au crépuscule.

Proche du campus, le quartier était presque exclusivement peuplé d'étudiants. Laura et Robby le savaient, ce serait amusant, s'étaient-ils dit, de se retremper dans cette ambiance, ils n'en étaient pas si loin eux-mêmes. Hélas, ils n'avaient pas prévu le vacarme quasi permanent que provoquaient les joyeuses soirées étudiantes. Ils n'avaient pas pensé qu'entendre, parfois des nuits entières, les échos de fêtes ou de beuveries et les appels d'une fenêtre à l'autre des immeubles voisins pourrait troubler Robby dans son travail minutieux et les recherches prescrites par son exigeant mentor. Il ne leur était jamais venu à l'esprit que cette liesse continuelle sous leurs fenêtres les rendrait fous tandis qu'ils subiraient les affres d'une nuit d'insomnie en se demandant avec angoisse comment payer leurs factures à la fin du mois.

Car ils n'arrivaient pas à joindre les deux bouts. Ils vivaient en permanence dans la terreur du lendemain. En se mariant, en rêvant à l'avenir, ils ignoraient tout des dépenses qu'entraîne un enfant, ni que ces dépenses commenceraient bien avant sa naissance. Ils n'avaient pas estimé le coût des visites médicales et des produits pharmaceutiques, sans parler du matériel qu'exigeait un nouveau-né, dont la liste toujours plus longue rétrécissait leur budget déjà serré. Pour compléter la maigre rémunération que le Pr Hawkins allouait à Robby, ils avaient aussi compté sur le salaire que gagnerait Laura. Il y avait autour du campus tant de boutiques et de restaurants qu'ils étaient l'un et l'autre certains qu'elle obtiendrait sans peine un job, même à mi-temps – sans avoir jamais envisagé, bien sûr, que ces petites entreprises refuseraient d'embaucher et de former une femme enceinte qui les quitterait au moment de l'accouchement. Laura persévérait cependant dans sa quête d'un emploi. Un mois avant terme, elle avait dû admettre sa défaite et jeter l'éponge.

Le bébé vint au monde, une fille qu'ils prénommèrent Katie à l'instar de la grand-mère de Robby. D'après les grand-mères de la petite, ses deux parents avaient été des bébés roses et joufflus aux yeux bleus. Katie avait les traits anguleux, le teint bistre et posait sur le monde le regard curieux de ses grands yeux noirs. Un vrai mystère... Robby finit par trouver à qui elle ressemblait.

— Te rappelles-tu les photos de ta mère quand elle était bébé ? Katie pourrait être son sosie.

Laura s'était penchée vers le petit visage qui émergeait des bulles de savon du bain.

— Tu as raison, elle ressemble à maman.

La ressemblance n'était pas seulement physique. Dès ses premières semaines, Katie semblait avoir aussi hérité du caractère d'Iris.

— Elle réagit comme ta mère, avait dit Theo quand Iris et lui étaient venus en Californie faire la connaissance de leur petite-fille. Elle n'est encore qu'un bébé, je le sais, mais elle observe ce qui se passe autour d'elle et elle comprendra toujours tout ou en connaîtra les raisons.

Une fois encore, Laura avait dû admettre que les similitudes entre sa fille et sa mère étaient remarquables. Alors, quand elle s'était retrouvée seule avec Katie un peu plus tard, elle lui avait murmuré à l'oreille :

— Tu lui ressembles, oui, mais tu ne seras jamais timorée et doutant de toi comme ma mère l'a été toute sa vie. Tu seras forte et sûre de toi, ma chérie. J'y veillerai.

Laura était tombée réellement amoureuse de son enfant. Les doutes et le sentiment de culpabilité qui l'avaient hantée pendant sa grossesse lui paraissaient aussi incongrus que s'ils avaient été ceux de quelqu'un d'autre ; leur souvenir même s'était effacé de sa mémoire. Non que la vie quotidienne avec Katie ait été facile, surtout quand des braillements d'étudiants éméchés dans la rue la réveillaient au milieu de la nuit. Elle manifestait alors son mécontentement par des cris assourdissants et qui duraient longtemps.

— Elle ne peut jamais s'arrêter, non ? s'était plaint Robby après une séance qui semblait s'être éternisée.

— Elle n'est pas contente, avait répondu Laura. Elle dormait tranquillement sans rien demander à personne et il a fallu que ces imbéciles dehors la réveillent. Elle veut nous faire comprendre qu'elle n'apprécie pas du tout qu'on la dérange. C'est normal.

Puis elle avait chuchoté à l'oreille de sa fille, enfin calmée :

— Tu as raison, Katie. Ne fais jamais semblant d'être contente quand tu ne l'es pas, ma chérie.

Mais ses parents dormaient peu et mal. Robby, surtout, était épuisé. Pour combler le trou toujours plus profond de leurs finances, il donnait des leçons particulières de maths et de sciences. En plus de ses heures de recherches pour Hawkins, il devait donc préparer ses leçons et corriger des copies. Le week-end, il avait un job dans un magasin de chaussures du centre commercial. Tout cela, bien entendu, mordait sur le temps qu'il pouvait consacrer à ses propres études, et le manque de sommeil n'arrangeait rien. En le voyant le matin traverser en titubant l'appartement encombré des meubles du bébé, s'asseoir à la table de la cuisine et retomber endormi le nez sur ses livres, Laura savait qu'il prenait un retard de plus en plus difficile à rattraper. En même temps, il était obsédé par l'idée qu'il lui fallait obtenir son doctorat le plus vite possible.

— Ce n'est que comme cela que je pourrai gagner un salaire décent qui nous permettra de vivre convenablement et de nous sortir de cet appartement minable. Toi, il faut que tu retournes à la fac pour avoir ton diplôme. On n'en parle plus, mais cela ne veut pas dire que je l'ai oublié. Katie grandit à vue d'œil, il lui faut de nouveaux vêtements tous les mois. Nous n'y arriverons jamais si nous ne gagnons pas davantage.

Pauvre Robby, qui faisait tant d'efforts pour s'occuper des siens ! Il voulait en même temps prouver à son père qu'il avait tort et à Theo et Iris que Laura n'avait pas commis d'erreur en se mariant aussi jeune et en ayant un enfant si vite. Mais Laura savait qu'il en faisait trop et ne résisterait pas s'il continuait au même rythme. Pendant toute la première année, elle s'efforça de le convaincre qu'il devait ralentir, étudier à sa propre allure. Elle recommença à chercher du travail et finit par trouver un emploi de serveuse. Mais elle dut le quitter au bout de quelques semaines en se rendant compte que la baby-sitter lui coûtait plus que ce que ses pourboires lui rapportaient.

Au bout de la première année, Robby avait fait le bilan.

— Nous sommes continuellement angoissés de ne pas pouvoir joindre les deux bouts. Nous vivons dans un appartement à peine assez grand pour une seule personne, donc, pour deux et un enfant... Nous n'avons même pas une cour où Katie et Molly puissent sortir et aller jouer. Et toi, Laura, tu n'as toujours pas repris tes études. J'ai vraiment de quoi être fier de ma réussite !

Elle avait beau dire et beau faire, il n'en démordait pas. Aussi, lorsque l'été venu il avait décidé de ne pas participer aux fouilles du Pr Hawkins parce qu'il gagnerait davantage chez le marchand de chaussures, Laura ne chercha pas à l'en dissuader, tout en sachant qu'il se privait ainsi d'une importante référence sur son curriculum vitae.

Ils étaient tous deux au comble de la frustration. Ils avaient beau se tourner de tous les côtés, le manque d'argent les empêchait de faire quoi que ce soit. Pour Robby, son doctorat constituait la seule solution. Devant cette obsession qui prenait peu à peu possession de son esprit, Laura avait peur, mais Robby refusait toujours de l'écouter. Dès le début de son troisième semestre à l'université, il annonça qu'il passerait l'oral de son examen cette année-là. L'oral représentait le premier pas vers ce doctorat si convoité.

Il n'y avait donc rien d'étonnant à ce que Robby échoue. Dans l'état d'esprit où il se trouvait, ce fut pour lui un calvaire. Il avait placé la barre trop haut, s'était soumis lui-même à une pression trop forte. En fait, comme Laura l'avait craint, il s'était surtout mal préparé. À la première question, il était resté muet et n'avait jamais pu se ressaisir ensuite.

Pour lui, le choc fut rude. Il avait toujours été le premier de sa classe et il se retrouvait dans le rôle du cancre. Des jours durant, il refusa de sortir de l'appartement de peur de rencontrer un de ses élèves.

Laura avait fait de son mieux pour lui remonter le moral.

— Tu auras une autre chance. Tout le monde passe l'oral au moins deux fois.

— Je ne veux pas en parler.

— Mais ce ne sera pas pareil la prochaine fois, tu verras…

— Vraiment ? Comment crois-tu que ça va se passer ?

— Tu seras mieux préparé.

— Comment ? Je voudrais bien le savoir, Laura ! Comment est-ce que je pourrai me préparer en ayant trois jobs ?

— J'en chercherai un.

— On a déjà essayé, tu t'en souviens ?

— On trouvera un moyen. Nous ferons en sorte que tu sois reposé, que tu ne subisses plus de pression et…

— Arrête ! Arrête de te conduire en petite idiote ! Rien ne changera, rien n'ira mieux, mets-toi bien ça dans la tête ! Je suis pris au piège dans ce studio minable et je n'arriverai jamais à m'en sortir tant que j'aurai à traîner deux…

Il s'interrompit, mais Laura avait compris. Le bébé et elle étaient deux boulets à ses pieds. Elle ne savait pas comment elle aurait réagi s'il avait fini sa phrase, mais il s'était rattrapé de justesse.

— Je n'arriverai jamais à m'en sortir, avait-il conclu.

Elle s'était rendu compte des années plus tard qu'elle aurait dû se rebiffer dès ce moment-là. Qu'elle aurait dû lui crier qu'il n'avait pas le droit de lui faire des reproches, parce que l'idée d'avoir un bébé pour sauver sa précieuse peau venait de lui, pas d'elle. Il aurait dû depuis longtemps savoir prendre la responsabilité de ses propres erreurs – si même il était capable de l'avoir appris. Elle aurait dû lui dire que Katie n'avait rien d'une erreur et qu'elle ne pourrait jamais la considérer autrement que comme une bénédiction. À cette époque, de toute façon, Laura désirait toujours être l'épouse parfaite. Alors, elle avait ravalé sa colère et elle était allée rouvrir le store qu'il avait baissé. Un timide rayon de soleil dissipa la pénombre dans laquelle il se complaisait.

— Il fait un temps splendide, Robby, dit-elle le plus calmement qu'elle put. Sors donc un peu, tu ne peux pas te cacher ici éternellement.

— Fous-moi la paix !

Après cette scène, il ne lui avait plus adressé la parole. Il finit par sortir de l'appartement, puisqu'il avait quand même deux emplois. Mais, quand il rentrait, il s'asseyait pour lire des magazines ou regarder sans mot dire des inepties à la télévision jusqu'à ce qu'il soit l'heure de se remettre au travail.

Un jour, Laura se rendit soudain compte que la guerre du Vietnam était finie depuis des mois. Elle avait trop d'autres choses en tête pour s'en être aperçue.

7

Ce fut finalement le mentor de Robby qui leur tendit la bouée de sauvetage. Conscient des problèmes dans lesquels Robby se débattait, Hawkins l'invita un jour à déjeuner à la cantine des professeurs. Malgré le désespoir qui l'accablait, Robby n'osa pas refuser.

— Je connais votre potentiel, Robby, lui dit Hawkins après avoir commandé à manger. Je crois toujours en vous, mais vous vous dispersez trop. J'ai une solution à vous proposer.

Il lui offrit alors un poste de chargé de cours à la faculté. Hawkins dispensait des cours à deux classes de première année en archéologie – du moins, c'est ce qui figurait sur les programmes. En réalité, le professeur voulait se décharger d'une corvée sur un de ses bons élèves. Le jeune homme qui le faisait jusque-là partait, et Hawkins avait choisi Robby pour le remplacer. Le travail ne serait pas très prenant, moins écrasant en tout cas que ce que Robby s'imposait, et le poste était assorti d'un traitement plus substantiel que ce qu'il gagnait déjà comme assistant de Hawkins. Mieux encore, Robby serait du même coup habilité à solliciter un des logements réservés au corps enseignant. Pour un loyer moins élevé que celui qu'il payait actuellement, il aurait droit à une maison entière.

La gratitude que Robby en conçut pour son sauveur frisait l'idolâtrie. Laura restait toutefois méfiante. D'après ce qu'elle savait, Hawkins aimait s'entourer de jeunes disciples dévoués dont les carrières ne progressaient pas mieux pour autant – une étonnante proportion d'entre eux paraissait même ne jamais pouvoir arriver à décrocher leur diplôme. Malgré tout, Robby avait recommencé à lui adresser la parole.

— Pardonne-moi d'avoir été aussi bête et méchant. Bien sûr que je ne regrette pas de t'avoir épousée et que nous ayons eu Katie.

— Je sais, mon chéri.

Et elle s'était convaincue que, quelles que soient ses réserves sur le professeur, ils leur devaient le nouveau départ dont ils avaient besoin.

Au début, tout avait paru conforme à leurs espoirs. Robby aimait enseigner et ses élèves l'appréciaient. Pour la plupart, il est vrai, ils ne suivaient ce cours qu'afin de remplir leur quota de matières scientifiques et se moquaient éperdument de l'archéologie. Que Robby parvienne à les intéresser à un tel sujet constituait un baume inappréciable sur son amour-propre blessé par ses déboires. Et puis, le poste était en effet moins absorbant – plus valorisant en tout cas que la vente de chaussures ou les leçons particulières données à des cancres. Il lui laissait surtout le temps de se consacrer à ses propres études.

Quant à la nouvelle maison, c'était un paradis. Elle était située dans une rue calme en face d'un grand jardin public où Molly et Katie pouvaient aller jouer. Elle avait une chambre supplémentaire qui servait de bureau à Robby et un jardin, minuscule mais bien à eux. La maison n'était pas vaste et, dans un passé récent, Laura l'aurait jugée étriquée, plus maintenant cependant. Ne pas avoir de voisins du dessus dont la stéréo déversait des flots de musique à minuit était un don du Ciel. Elle entreprit donc de l'aménager pour en faire leur vrai foyer.

Elle planta des fleurs et put bientôt remplir de roses des vases dont elle égayait toutes les pièces. Le jardinage était pour elle un plaisir. Tous les étés, elle passait des heures dans le jardin de sa grand-mère à tailler avec elle ses poiriers en espalier, à désherber, à planter. Elle avait appris tout ce qu'il fallait savoir sur la nature des sols, l'eau, le soleil, et à mettre ses connaissances en pratique. Aussi, quand elle regardait son petit jardin débordant de couleurs, elle regrettait de ne pouvoir y amener sa grand-mère pour lui montrer qu'elle avait bien profité de ses leçons.

L'intérieur présentait d'autres défis à relever. Quand ils avaient signé le bail, on leur avait dit que la maison était partiellement meublée. Ils s'étaient vite rendu compte que le terme « partiellement » était tout au plus un euphémisme ; Laura avait couru les brocantes pour compléter l'ameublement réduit à sa plus simple expression. Elle s'était bientôt trouvée munie d'un trésor de tables, de chaises et de commodes, toutes plus ou moins bancales, qu'elle entreprit de retaper à grand renfort de papier de verre, de peinture et de vernis. Elle dégotta une vieille machine à coudre avec laquelle elle confectionna des rideaux dans des chutes de coupons en solde. Elle emprunta à la bibliothèque des manuels pour apprendre comment retapisser le canapé. Les autres femmes de professeurs, avec lesquelles elle s'était liée d'amitié, la poussaient à s'établir comme décoratrice pour jeunes ménages impécunieux.

Laura y réfléchit sérieusement. Malgré le salaire plus confortable de Robby et la modicité de leur loyer, ils n'avaient jamais tout à fait assez d'argent et elle cherchait depuis un moment le moyen d'arrondir leurs revenus. Elle eut finalement une autre idée. Il y avait en ville un traiteur qui fournissait les buffets de tous les événements, festifs ou de bienfaisance, organisés par l'université. Laura était allée à plusieurs de ces réunions, où elle avait trouvé bons les plats cuisinés mais les desserts médiocres, sinon immangeables. La propriétaire de l'affaire lui avait dit qu'elle se fournissait dans une pâtisserie de Los Angeles. Les desserts étaient, en effet, son point faible et risquaient même de nuire à sa réputation. Laura avait alors passé deux jours dans sa cuisine avant de retourner voir la dame dans son établissement du centre commercial.

— Sans vouloir vous offenser, je savais faire à douze ans des gâteaux meilleurs que celui que vous avez servi la semaine dernière au lunch du Club des femmes de professeurs. Si vous ne me croyez pas sur parole, goûtez donc ceci, avait-elle dit en sortant de son panier un morceau d'une forêt-noire préparée selon la recette de sa grand-mère – mais avec une touche personnelle.

— J'y mets des framboises au lieu de cerises, avait-elle précisé.

En quittant le bureau du traiteur, elle avait la commande ferme de deux forêts-noires aux framboises. Avec le chèque, elle avait acheté une paire d'escarpins roses pour Katie.

Robby gagnait cependant l'essentiel des revenus du ménage. Ce que sa pâtisserie rapportait à Laura ne servait donc que d'appoint pour l'imprévu ou le superflu. Ils réussissaient même à mettre un peu d'argent de côté, au grand soulagement de Laura. Ils avaient aussi un nouveau cercle d'amis, ce qui transformait leur vie quotidienne. Si Laura éprouvait parfois encore le mal du pays en songeant au climat du Nord-Est et de New York, elle se raisonnait en se disant qu'elle était égoïste alors qu'elle édifiait une vraie vie de famille avec Robby et Katie. Robby devait rester en Californie. C'est là qu'il allait passer ses derniers examens, son doctorat et lancer la carrière dont il rêvait depuis l'enfance. Ce rêve comptait plus que sa nostalgie stérile.

Sauf que les choses n'avaient pas aussi bien tourné. Robby avait réussi à passer son oral la deuxième fois, mais son succès n'avait donné lieu ni à des cris de joie ni à des claquements de bouchons de champagne, comme Laura l'espérait. Robby n'était plus le même. Il semblait avoir perdu son optimisme et sa confiance en lui. Avec la mine de chien battu que Laura en était venue à redouter, il lui avait dit avoir été médiocre devant les examinateurs et qu'il aurait encore échoué si Hawkins n'avait pas intercédé en sa faveur auprès de ses collègues – ce que le « grand homme » lui-même lui avait appris. Laura aurait voulu pouvoir lui dire en face qu'il n'était qu'une brute insensible et égocentrique qui aurait mieux fait de se taire, même si c'était vrai, mais Robby croyait fermement à l'altruisme de son mentor. C'est avec crainte et persuadé de son incompétence qu'il avait abordé la rédaction de la thèse qui devait enfin lui conférer le doctorat tant convoité.

De retour au présent dans sa cuisine, Laura continuait à caresser distraitement la toison emmêlée de Molly en évoquant ses souvenirs.

Robby avait commencé à écrire sa thèse sept ans plus tôt et ne l'avait toujours pas terminée. Il s'était arrêté et avait recommencé plus souvent que Laura ne pouvait se le rappeler. Il avait réécrit des chapitres entiers pour les jeter à la corbeille et reprendre la version précédente qu'il jetait à son tour pour recommencer à zéro.

Au cours de ces sept longues années, Laura s'était souvent retenue de lui crier : « *Tu piétines parce que tu as oublié qui tu es ! Souviens-toi du garçon brillant que tu étais ! Ressaisis-toi, redeviens toi-même !* » Mais Robby ne l'écoutait plus depuis longtemps.

Peu à peu, le Pr Hawkins avait cessé de lui parler de son avenir prometteur. Il n'hésitait pas à le surcharger de travail même pendant les week-ends ou les congés. Et Robby disait toujours oui. Parce que, expliquait-il à Laura, où irait-il, que ferait-il ailleurs ? Tant qu'il n'aurait pas terminé sa thèse et obtenu son doctorat, les pontes de l'archéologie ne se précipiteraient pas à sa porte avec des offres mirifiques. Laura savait pourtant que Robby s'efforçait toujours de faire ses preuves auprès de Hawkins, devenu pour lui la figure tutélaire du père qu'il avait toujours désiré avoir. Ce dont il n'avait pas conscience, c'est que Hawkins ne le soutenait ni ne le protégeait plus.

— Il t'exploite, avait-elle fini par lui dire.

— Tu ne comprends rien aux préséances hiérarchiques d'une université, Laura ! Je ne fabrique pas des gâteaux pour les goûters de ces dames, moi. Ma vie est autrement plus compliquée.

L'allusion méprisante à ses gâteaux n'était pas inattendue. Son activité de pâtissière avait valu à Laura une certaine réputation – et des gains assez coquets – jusqu'à ce qu'elle se rende compte que Robby en était vexé. Il paraissait aussi lui en vouloir de se montrer toujours « guillerette », comme il disait. Il ne se doutait apparemment pas qu'il faut parfois un réel effort de volonté pour paraître joyeux et optimiste.

Robby puisait sa seule consolation dans ses rapports avec ses élèves. Tandis qu'il continuait à perdre toute confiance en lui et sombrait dans la dépression, il semblait oublier que c'était par sa connaissance du sujet et la passion avec laquelle il l'enseignait qu'il avait gagné leur estime. Maintenant, il voulait devenir leur ami.

— Je réussis avec ces jeunes parce qu'ils sentent que je suis comme eux, pas un vieil encroûté pontifiant.

Il n'était pas censé être *comme* eux. C'était lui, l'adulte, et son devoir lui imposait de tracer une limite entre lui et ses élèves. Son besoin d'être reconnu et admiré l'avait poussé à piétiner cette limite jusqu'à l'effacer. Comme on pouvait s'y attendre, cela avait tourné à la catastrophe.

Une de ses élèves – une fille aux yeux tristes souffrant déjà de sérieux problèmes émotionnels comme on en conviendrait par la suite – s'était méprise sur la camaraderie de Robby et était tombée désespérément amoureuse de lui. Quand elle avait fini par comprendre que ses sentiments passionnés restaient sans écho, elle avait tenté de se suicider.

Personne n'avait cru que Robby ait eu une liaison avec elle, mais le père de la fille l'avait accusé de l'encourager dans ses illusions. L'homme étant un ancien élève de l'université et un contributeur important de son financement, le Pr Hawkins s'était vu obligé de prendre la défense de Robby et, de ce fait, avait subi à cause de lui de pénibles avanies. Il faut dire à son crédit qu'il n'avait pas laissé tomber son élève mais, une fois la fille éloignée du campus, il lui avait administré une mercuriale incendiaire sur sa conduite irresponsable et son manque de jugement. Au lieu de tenir compte de ces reproches justifiés, Robby s'était buté et avait dit que Laura avait vu juste depuis le début.

— Tu avais raison, Hawkins est d'un égocentrisme effarant ! avait-il fulminé. Il était furieux d'avoir dû prendre ma défense devant le doyen. Et maintenant, au lieu de me soutenir, il m'interdit presque d'avoir de bons rapports avec mes élèves ! Tu te rends compte ? Cette fille était cinglée et c'est à moi qu'on le reproche ! Pourquoi ? Il n'y a pas un professeur, pas un chargé de cours sur ce campus qui ne soit jamais sorti de temps en temps avec ses élèves manger une pizza ou boire une bière. Je n'ai jamais rien fait de plus, tu le sais bien.

Oui, mais je sais aussi que tu as trop souvent franchi les limites.

Comme prévu, l'épisode de la fille aux yeux tristes et à l'instabilité émotionnelle finit par s'effacer de la mémoire de la plupart des gens au bout de quelques semaines. Mais il en resta une tache sur le nom de Robby. Le Pr Hawkins se rendait compte pour la première fois que celui sur qui il comptait pour faire ses corvées à sa place pouvait lui causer du tort. Robby devait donc à tout prix rester sur ses gardes et surveiller son comportement. Plusieurs semaines de suite, il s'était abstenu de sortir le vendredi soir pour boire des bières avec ses élèves dans leur bar préféré, et il ne s'arrêtait plus au passage devant une des pizzerias ou des bistrots qu'ils fréquentaient. Mais Laura savait qu'il en était ulcéré et elle s'en inquiétait. Quand Robby était dans une de ses humeurs sombres, il devenait imprévisible.

Les doigts emmêlés dans les poils de Molly, Laura avait dû tirer trop fort car la chienne protesta par un jappement et s'écarta. Laura se leva pour se faire pardonner en lui donnant un biscuit.

Est-ce son échec au premier oral qui a entraîné tout le reste ? se demanda-t-elle pendant que Molly, couchée à ses pieds, croquait son biscuit avec entrain. *Cela a-t-il suffi à détruire son courage au point de ne jamais pouvoir le retrouver ?*

Non, cela ne tenait pas debout. La vie est pleine d'échecs, et c'est en les surmontant qu'on devient adulte. Une seule chute ne suffit pas à abattre quelqu'un ni à lui faire perdre sa confiance en lui – à moins de vaciller déjà. Il devait donc depuis toujours y avoir en Robby une faille, une faiblesse qu'elle n'avait pas décelée dans le brillant et séduisant jeune homme dont elle était tombée amoureuse et qu'elle avait épousé sans avoir eu l'occasion de le mettre à l'épreuve. Elle l'aimait toujours, certes, mais d'un amour mêlé de pitié. Et ce sentiment-là n'avait rien de bon, ni pour une femme ni pour un mari.

— Je suis contente que Katie et Robby m'accompagnent chez mes parents pour Thanksgiving, dit-elle à Molly. Ce sera bon pour Robby et moi de nous éloigner d'ici quelques jours.

Elle avait à peine fini de parler que le téléphone sonna. En une seconde, le monde bascula de cent quatre-vingts degrés et, quand il s'arrêta de tourner, Laura ne trouva plus que le vide sous ses pieds.

— Peux-tu prendre un vol plus tôt pour venir, Laura ? lui demanda Jimmy d'un ton trop calme, trop maîtrisé. Papa a eu une crise cardiaque.

8

Les heures suivantes passèrent dans un tourbillon d'activité fébrile ponctuée de coups de téléphone. D'abord, une série d'appels à la compagnie aérienne pour changer de vol et annuler les billets de Robby et de Katie, qui ne partaient pas avec Laura car elle ne savait pas combien de temps elle devrait rester à New York. Elle rappela Jimmy et Janet pour se renseigner sur l'évolution de l'état de leur père – « stabilisé », selon eux. Philip lui apprit qu'Iris était en état de choc et qu'il s'inquiétait autant à son sujet qu'à celui de son père. Steven appela pour annoncer qu'il viendrait de Washington avec Christina. Philip rappela ensuite Laura pour l'informer que la venue inattendue de Christina mettait Iris au bord de la crise de nerfs.

— Maman essaie de se dominer, mais elle ne supporte pas Christina, tu le sais bien. Elle n'a vraiment pas besoin de ça en ce moment ! Que diable Steven a-t-il dans le crâne ?

— C'est peut-être *lui* qui a besoin d'elle en ce moment.

— Possible, mais il n'aurait pas dû. Maman va trop mal pour subir une telle contrariété, même si sa réaction est absurde. Quand arrives-tu ?

Steven lui posa la même question vingt minutes plus tard. Jimmy la rappela une heure après pour le demander lui aussi.

Et pendant tout ce temps, entre ses bouffées d'angoisse, les coups de téléphone, les valises à défaire et à refaire – elle n'aurait plus besoin de son encombrant moule à gâteau –, Laura ne pouvait s'empêcher de se dire que Robby avait obtenu en fin de compte ce qu'il voulait : ne pas aller passer les fêtes de Thanksgiving avec sa famille.

Le soir même, Laura s'assit dans l'avion sans même incliner son dossier pour dormir, elle s'en savait incapable. Elle avait une dernière fois appelé Janet d'une cabine téléphonique : son père se « reposait confortablement ». Depuis, Laura s'accrochait à ces mots et bloquait ses craintes de son mieux. Plutôt qu'imaginer Theo gisant sur un étroit lit d'hôpital, elle se forçait à le voir étendu « confortablement » dans une belle chambre ensoleillée, une pile de ses magazines préférés à portée de main sur la table de chevet et son opéra favori de Verdi en fond sonore. Tout au long des six heures de vol, jusqu'à ce que l'appareil amorce sa descente vers l'aéroport Kennedy, elle resta sur ces images idéales.

Atterrissant de bonne heure le matin, elle ne s'attendait pas à ce qu'on soit venu l'accueillir, la famille entière étant sans doute restée au chevet de Theo. Étonnée de s'entendre appeler à sa porte de débarquement, elle se retourna et vit une jeune femme blonde lui faire signe. De grands yeux noisette et une bouche pulpeuse dominaient les traits de son visage menu. Sans être vraiment jolie elle avait du charme, même si son tailleur-pantalon violet aubergine n'était pas du meilleur goût.

— Je suis Christina, lui dit la blonde, la main tendue. J'ai vu des photos de vous dans la maison de vos parents. Steve et moi sommes arrivés il y a quelques heures à peine, alors on s'est dit que vous seriez sans doute contente que quelqu'un vienne vous chercher à l'aéroport.

— Merci, c'est très gentil.

En fait, elle pensait que son frère, qui n'était pas un imbécile, avait constaté dans quel état se trouvait sa mère, et préféré tenir l'élue de son cœur à l'écart, du moins pour le moment.

— C'est la moindre des choses. Allons chercher vos bagages.

Et elle prit les devants à une allure étonnamment rapide sur des talons pointus aussi hauts que des échasses.

Christina se révéla une excellente conductrice qui négociait en virtuose le labyrinthe des voies de sortie de l'aéroport – ce qui dénotait des dispositions similaires pour d'autres tâches prosaïques. Pour sa part, Steven était incapable d'additionner deux chiffres sur son chéquier et se retrouvait régulièrement à la porte de sa voiture ou de chez lui parce qu'il avait oublié ses clefs. Cette découverte incita Laura à reconsidérer les jugements familiaux sur le « choix désastreux » de son frère.

Une fois sorties de l'aéroport, Laura prit une profonde inspiration et posa la question à laquelle elle n'avait cessé de penser dans l'avion.

— Comment a-t-il eu cette crise cardiaque. Vous savez quelque chose ?

— Comme je vous le disais, Steve et moi venons d'arriver, nous n'étions pas là quand ça s'est passé. D'après ce que j'ai compris, vos parents revenaient des courses et rangeaient les choses dans le frigo quand il a ressenti une douleur. Votre mère a tout de suite appelé votre frère James. Il lui a dit ce qu'il fallait faire en attendant l'ambulance qui l'a emmené à l'hôpital de Westchester jusqu'à ce qu'il soit hors de danger. Après, votre frère et votre belle-sœur… Jane, je crois ?

— Janet.

— Oui, c'est ça. Ils ont transféré votre père à Manhattan, à l'hôpital où ils travaillent.

— Et mon père… va bien ?

Pendant que Christina réfléchissait à la manière de répondre, Laura sentit un frisson glacé le long de sa colonne vertébrale. Non, cela ne pouvait pas arriver à son père, à Theo, impossible ! Elle avait envie de pleurer, mais si elle se laissait aller elle ne pourrait plus s'arrêter et cela ne servirait à rien ni à personne.

— Avant de prendre l'avion, j'ai eu Janet au téléphone. Elle m'a dit que papa allait bien. Est-ce que son état a empiré pendant la nuit ?

— Non, non, pas du tout ! Votre père s'en tirera...

— Dieu soit loué !

— Mais il y aura des conséquences, le cardiologue l'a dit ce matin à votre mère et à vos frères. D'abord, il devra s'arrêter de travailler, c'est trop fatigant pour lui. Il devra suivre un régime très strict et prendre des médicaments tous les jours.

— Oui, mais il peut vivre avec cela.

— S'il fait très attention à sa santé.

Laura ne pouvait plus stopper ses larmes. Ce n'était pas un arrêt de mort, des milliers de cardiaques survivaient longtemps en prenant des précautions. Mais pour un homme comme Theo, ce serait dur...

— Merci. Comment maman a-t-elle réagi ?

Il y eut une nouvelle pause.

— Christina ? insista-t-elle.

— Écoutez, cela ne me regarde pas, je sais, mais... Votre père avait demandé d'être informé en détail de ce qui lui était arrivé.

— Cela ne m'étonne pas. Il est médecin lui-même, c'est normal qu'il veuille savoir exactement ce qu'il a.

— Oui, mais... votre mère a dit que personne ne doit lui en parler.

— Quoi ?

— Oui, elle ne veut pas que votre père le sache. Elle l'a répété à tout le monde, y compris aux médecins. Personne ne doit lui en parler.

Pour donner des ordres aussi absurdes, sa mère devait vraiment être dans un triste état !

— Le problème, c'est que votre père veut absolument être tenu au courant, reprit Christina. Il le demande sans arrêt. À mon avis, cela lui ferait du bien de savoir exactement ce qu'il a et ce qu'il doit faire.

— Bien sûr ! Je ne comprends pas comment maman a pu...

Laura éprouva soudain le besoin d'expliquer une conduite aussi aberrante à une personne encore étrangère à la famille :

— Elle ne peut pas imaginer de vivre sans mon père, voyez-vous, alors elle cède à la panique.

— Je comprends. Si cela arrivait à Steve, je deviendrais folle. Ma vie n'a commencé que quand je l'ai rencontré, vous comprenez ?

— Je crois, oui.

Non, Laura ne comprenait pas vraiment. Même au début, lorsqu'elle était amoureuse de Robby, elle n'avait pas besoin de lui comme sa mère avait toujours eu besoin de son père. Ni comme Christina paraissait avoir besoin de Steven.

Elles approchaient du pont George-Washington dans une circulation aussi anarchique que d'habitude, où les conducteurs se faisaient des queues de poisson pour gagner trois centimètres ou trois secondes à une bretelle de sortie. Christina reprit soudain la parole.

— Quand j'ai fait la connaissance de votre mère, elle m'a détestée.

Seigneur ! Il ne manquait plus que ça...

— Sûrement pas, voyons....

— Si, mais c'était entièrement ma faute. Avec elle, je suis partie du mauvais pied. J'avais peur, vous comprenez. Steve ne m'avait pas beaucoup parlé de sa famille avant que nous y allions... Vous savez comment il est, n'est-ce pas ?

Oui, elle savait exactement comment était Steven ! Incapable de préparer cette fille désorientée à l'épreuve d'affronter ses parents.

— Je savais que votre père était médecin et votre mère professeur dans une université, mais moi je n'ai pas reçu beaucoup d'instruction et ils avaient raison de penser que je n'étais pas à la hauteur de Steve. Parce que je ne le suis pas, je le sais bien...

— Beaucoup d'entre nous ne le sommes pas, vous savez.

— Alors, quand j'ai vu ces chandeliers en argent et la bague de votre mère... eh bien, j'ai voulu lui montrer que je n'étais pas une petite paysanne qui ne connaît pas la valeur des choses. J'ai dit que la bague valait au moins vingt mille dollars, c'était ça, mon erreur. Steve m'a dit après que votre mère n'aime pas parler d'argent ni du prix des choses. Je ne pouvais pas le savoir.

— Pourquoi ?

— Il faut être vraiment riche pour ne pas s'intéresser à ces questions-là. Steve ne m'avait jamais dit que votre mère venait d'une famille riche.

— Ce n'est pas du tout le cas. Cette bague que vous avez admirée, mon grand-père avait dû la mettre en gage pendant la dépression. Ma mère adore raconter cette histoire, essayez de la lui faire dire.

— Vous voulez rire ? Je ne parlerai jamais plus de cette bague, j'ai retenu la leçon ! Je voudrais simplement lui faire comprendre que je ne cours pas après Steve pour son argent. N'essayez pas de me dire qu'elle ne le croit pas, parce que c'est exactement ce que je penserais à sa place. J'aime les belles choses, c'est vrai – comme ces chandeliers et tous les beaux tableaux qu'il y a sur les murs. Je voudrais bien avoir les moyens de me les offrir, mais je sais que je ne le pourrai jamais. Surtout si tout marche bien entre Steve et moi. Pour lui, l'argent ne compte pas. Il aime ce qu'il fait et je ne chercherai jamais à le changer.

— Vraiment ? Je crois pourtant qu'il aurait grand besoin de s'améliorer ! dit Laura en riant.

Mais Christina ne rit pas.

— Je ne le crois pas, moi. Steve est un homme formidable. Ce qu'il fait est admirable. Il se dévoue pour les gens qui n'ont rien. En ce qui me concerne, tout le monde devrait en faire autant.

Laura regretta que sa mère ne puisse pas voir Christina en ce moment, la mâchoire serrée, les yeux étincelants. Steven avait peut-être commencé par être son protecteur mais maintenant, aussi longtemps qu'ils seraient ensemble, c'était elle qui le protégerait – et plus encore.

Elles étaient arrivées en ville. Christina s'engagea sur la West Side Highway en évitant un break qui lui faisait une queue de poisson.

— Au fait, reprit Christina, si vous pouviez vous arranger pour que votre mère quitte l'hôpital, cela vaudrait mieux. Elle n'en bouge pas, elle refuse de rentrer chez elle et elle est furieuse chaque fois que quelqu'un essaie de le lui suggérer.

9

Ils voulaient tous qu'elle rentre chez elle. « Il faut dormir, lui répétaient-ils, comme si elle était encore capable de trouver le sommeil. Theo ne voudrait pas que tu t'épuises comme cela. »

Ils entraient dans la salle d'attente où elle restait assise, ils tiraient des chaises – de lourdes chaises de fer qui raclaient le carrelage – et se penchaient vers elle avec des mines affligées en énumérant toutes sortes d'arguments logiques et raisonnables pour qu'elle parte se reposer. Mais ce qui lui arrivait n'avait rien de logique ni de raisonnable. C'était impensable. C'était à hurler en tapant des poings sur les murs. Theo, une crise cardiaque ! Theo pouvait mourir ! Mourir avant elle. Elle savait depuis toujours que l'un des deux mourrait avant l'autre, mais jamais elle n'avait envisagé que ce puisse être lui, même s'il était plus âgé qu'elle. Elle ne pouvait pas, elle ne *savait* pas comment vivre sans lui. Voilà ce qu'elle voulait faire comprendre à ses fils, à sa belle-fille, aux médecins en blouse blanche qui approchaient du sien leurs visages soucieux et dévidaient leur litanie d'arguments raisonnables. *Je ne sais pas comment vivre sans lui ! Allez-vous finir par comprendre ?*

Theo était arrivé dans sa vie quand elle avait vingt-huit ans. Quand elle se croyait trop vieille pour se marier et s'y était résignée. Et puis, un miracle s'était produit et Theo était tombé amoureux d'elle. La vie lui avait infligé d'inguérissables blessures et, malgré tout, il avait vu en elle quelque chose à aimer. Si cet amour était dû en partie au soulagement d'avoir trouvé avec elle un havre de salut, tant mieux. Il l'aimait, c'était l'essentiel. Et il lui avait donné la seule existence à laquelle elle ait jamais aspiré. Il avait fait d'elle sa femme et la mère de ses enfants. Même maintenant, quand elle avait déjà tant par elle-même, une carrière, des enfants et des petits-enfants, elle avait toujours et avant tout besoin d'être sa femme. Elle le savait d'autant mieux qu'à un certain moment elle avait cru le perdre. En le perdant, elle perdrait sa raison de vivre.

Ma mère n'était pas comme cela, pensa-t-elle en regardant la hideuse peinture beigeasse des murs de la salle. *Elle adorait papa, elle lui consacrait sa vie, mais elle gardait toujours quelque chose par-devers elle, comme un secret. Papa le savait. Il était comme moi, il a fini par accepter d'être celui qui donnait un peu plus d'amour...*

Elle entendit derrière elle le bruit de la porte. Quelqu'un allait encore venir s'asseoir à côté d'elle, lui prendre la main, lui parler doucement, comme à une malade. Cette fois, serait-ce Steven, la mine ahurie de découvrir sa mère aussi têtue ? Jimmy, dans sa blouse blanche chiffonnée, qui lui administrerait un sédatif ? Janet, qui dirait la même chose mais avec une blouse blanche amidonnée ? ou encore Philip avec son sourire charmeur, qui essaierait de la persuader de faire la sieste comme s'il parlait à un enfant demeuré ? Peu importait lequel, aucun d'eux n'avait rien à lui dire.

La personne qui entra ne s'assit pas à côté d'elle. Iris sentait sa présence au-dessus d'elle et dut lever les yeux. Un instant, elle crut que c'était Anna qui était revenue. Mais non, sa mère était morte depuis des années. Elle regarda encore ce visage qui ressemblait à celui d'Anna.

— Laura ?

Laura ne lui prit pas la main et parla sans douceur :

— Il faut que tu rentres quelques heures à la maison, maman. Tout le monde perd trop de temps à s'inquiéter de toi. Et ce n'est pas bon pour papa de voir que tu as peur.

— Je ne peux pas le quitter !

— Ce que tu veux ou ce que tu ressens est sans importance. Va dormir pour ne plus avoir cette mine défaite et ne reviens que pour lui montrer un visage reposé et souriant. Tu dois avoir l'air forte, même si tu ne l'es pas. Nous ne te demandons rien de plus.

Une fois, des années auparavant, quand elle désespérait de sauver son couple du naufrage et qu'elle restait des journées entières paralysée par la terreur, sa mère était venue et lui avait donné un ordre : coiffe-toi, mets une jolie robe et sors. « Tu dois apprendre à jouer un rôle, avait dit Anna. Colle un sourire sur tes lèvres, même s'il faut que tu le fixes avec du plâtre. » Iris avait été furieuse, mais elle avait obéi, Theo et elle avaient sauvé leur mariage parce qu'il en valait la peine. Laura dardait sur elle exactement le même regard que celui d'Anna ce jour-là.

Iris respira profondément avant de pouvoir parler.

— Jimmy et le cardiologue disent que le cœur de ton père...

Les mots suivants refusèrent de quitter ses lèvres.

— Que son cœur a subi des lésions, acheva Laura. Je sais.

— Je ne veux pas qu'ils le lui disent.

— Crois-tu qu'il ne s'en doute pas déjà ? Il est médecin lui-même.

— Mais il est inutile de le dire en toutes lettres. Pas encore.

— Pour toi, peut-être. Mais pour lui... A-t-il jamais caché la vérité à un de ses patients, lui ? Il commençait toujours par leur annoncer le pire, parce qu'ils méritaient qu'il les respecte. C'est tout ce dont il a besoin en ce moment. Tu le sais très bien.

Le visage de Laura ressemblait tellement à celui qu'elle avait craint et aimé si fort toute sa vie… Elle disait exactement ce qu'Anna lui aurait dit, et Anna avait raison.

— Oui, c'est vrai. C'est ce qu'il voudrait, je sais.

« Ce que tu ressens ne compte pas, lui aurait dit sa mère. Tu dois faire semblant devant ceux que tu aimes. » Iris n'avait jamais très bien su faire semblant. Il était peut-être temps qu'elle s'y mette.

— Bon, je veux bien rentrer à la maison et me changer, répondit-elle. Mais je ne prendrai pas le temps de dormir. Dis à Jimmy d'attendre mon retour pour parler à Theo, je veux être avec lui quand ils le lui diront. J'ai juste besoin de me changer et de me coiffer. Et je me maquillerai pour ne pas être aussi pâle.

— Bon. Papa aime bien te voir te faire belle.

La voix de Laura se brisa sur les derniers mots et elle se détourna pour ne pas laisser voir les larmes qui lui montaient aux yeux, mais Iris les vit. Sa fille avait aussi peur qu'elle et avait besoin que sa mère prétende au moins être assez brave pour elles deux.

— Laura, dit-elle, quoi qu'il arrive, je ne craquerai jamais plus. Je te le promets. Quelqu'un peut-il me raccompagner à la maison ?

— Oui, je le lui ai déjà demandé.

— Tu as demandé à Christina de conduire ta mère chez elle ? s'exclama Janet. Je ne peux pas y croire !

— Si. Et elles ont l'air de bien s'entendre, n'est-ce pas ?

Iris était revenue à l'hôpital comme promis en portant la robe préférée de Theo. Assises côte à côte dans la salle d'attente, Christina et elle parlaient amicalement.

— Je ne comprends pas ! dit Jimmy. Maman ne pouvait pas la sentir.

— Elles ont pourtant beaucoup de points communs.

— Tu ne parles pas sérieusement, protesta Janet.

— Elles ont tous ceux qui comptent.

— Tu es une magicienne, commenta Jimmy.

— Non, intervint Philip. Elle est simplement plus intelligente que nous autres.

Iris tint parole ce jour-là. Elle assista calmement à l'exposé du cardiologue qui précisait à Theo quelles lésions avait subi son muscle cardiaque et quelles précautions il devrait prendre une fois rentré chez lui. Elle resta sereine car elle savait que sa fille était fière d'elle et que sa mère l'aurait été aussi.

Theo écouta le cardiologue lui dire ce qu'il savait déjà, mais les termes techniques dont son distingué collègue émaillait ses propos – infarctus, myocardite – se résumaient en une simple conclusion : le Dr Theo Stern était un grand malade dont l'état ne s'améliorerait pas – enfin, pas vraiment. Il avait encore une certaine espérance de vie, à condition de prendre toutes les précautions énumérées par le spécialiste, mais il ne redeviendrait jamais l'homme qu'il avait été. Theo se releva un peu – il avait demandé aux infirmières de relever son lit en position assise, n'étant pas homme à rester couché pour écouter ce genre de choses – et observa Iris. Assise droite, aussi raide qu'une planche, les mains jointes sur les genoux, elle hochait de temps en temps la tête et paraissait très calme, mais Theo savait qu'elle se retenait de hurler. Ou, peut-être, de se coucher en chien de fusil comme un enfant qui souffre et de se fermer hermétiquement au monde extérieur ; il l'avait vu réagir de l'une ou l'autre manière dans des situations de crise. Mais quelqu'un, Laura sans doute, lui avait dit qu'elle devait paraître forte et sereine. Alors, elle avait mis une jolie robe et un rouge à lèvres de la nuance assortie, était assise bien droite et écoutait le cardiologue avec attention.

Elle faisait l'effort de se conduire comme se serait conduite sa mère, Theo le savait. En pareille circonstance, Anna aurait été le roc auquel tout le monde se serait appuyé et c'est ce qu'Iris essayait d'être en ce moment. Sa femme avait toujours tenté de se rendre digne des critères de sa mère et avait toujours senti qu'elle échouait, Theo le savait aussi.

Il tourna de nouveau son regard vers elle. *Ah, Iris ! Je me demande ce que tu ferais si tu apprenais que ta mère était une femme infiniment plus compliquée que ce que tu as jamais imaginé. Parce que ta mère avait un secret, ma chérie. Anna Friedman, l'épouse parfaite et la mère exemplaire, avait un sombre secret que je suis sans doute seul à connaître encore. Et je ne cesserai pas de me demander comment tu réagirais si tu l'apprenais...*

Theo secoua la tête avec impatience. Pourquoi diable se mettait-il à penser à tout cela, surtout en un tel moment ? Il devait être en train de perdre la tête ! Iris vit son geste agacé et, pensant que les propos du cardiologue l'importunaient, elle lui caressa la main pour le réconforter. Oh, oui ! Iris devait aujourd'hui être forte pour eux tous. Elle se montrerait enfin digne d'Anna.

Les médecins avaient décrété que Theo devait rester hospitalisé au moins trois semaines. Lorsque la nouvelle de l'accident cardio-vasculaire du Dr Stern se répandit chez ses collègues et amis, les visiteurs se succédèrent dans sa chambre, suggérant avec unanimité qu'Iris et Theo seraient sages d'envisager leur installation dans une résidence. Pas une maison de retraite bien entendu, se hâtait-on de préciser, mais une de ces résidences agréables et confortables où ils auraient leur propre appartement pourvu d'une cuisine où préparer leurs repas, conformément au régime alimentaire que Theo devait suivre désormais. Et surtout, même si personne n'en faisait état, la présence d'un personnel qualifié, entraîné à prendre les mesures d'urgence dans le cas d'une nouvelle attaque si Theo, à Dieu ne plaise, devait en subir une autre.

— Ce serait pour eux la solution la plus sensée, disait Janet. S'ils sont d'accord, bien sûr.

Iris aurait pu s'y résoudre, mais ses enfants savaient que leur père ne l'accepterait jamais. La maison devait donc être adaptée aux besoins d'un grand malade. Elle s'y prêtait d'ailleurs parfaitement. Ils l'avaient achetée à l'époque où Theo, opérant sa reconversion professionnelle et n'ayant pas de gros moyens, avait dû vendre leur belle demeure. Ils avaient donc choisi une petite maison sans prétention, mais commode. Puis, quand Theo avait repris ses activités dans sa nouvelle spécialité, ils avaient envisagé un nouveau déménagement pour une maison plus vaste et plus luxueuse, mais ils s'étaient trop attachés à leur quartier et à leurs voisins pour vouloir les quitter. Dieu merci, pensait maintenant Iris, cela leur évitait de déménager une fois de plus. Il suffirait de quelques aménagements pour adapter leur petite maison aux nouveaux besoins de Theo, qui conserverait ainsi son autonomie. Laura n'aurait jamais pu imaginer d'autre solution pour son père, dont la fierté ne se plierait pas à une existence étriquée.

Le cardiologue ayant recommandé d'éviter les escaliers, au moins pour un bon moment, Iris et lui devraient avoir leur chambre au rez-de-chaussée. Laura avait suggéré d'aménager la véranda, déjà fermée et isolée depuis plusieurs années pour en faire un solarium.

— Donne-moi des idées si tu en as, lui avait dit Iris.

Des idées, Laura n'en manquait pas, bien sûr, elle arrangeait et retapait elle-même sa maison depuis des années. Elle avait donc appelé Robby pour lui demander s'il pouvait s'en sortir seul avec Katie pendant encore un certain temps – mais elle serait de retour pour Noël. Katie et lui décoreraient la maison et Robby achèterait même les cadeaux figurant sur la liste établie par Laura. En y repensant plus tard, elle se rappela qu'il avait un ton bizarre et un peu trop joyeux en lui en répondant qu'elle pouvait rester aussi longtemps qu'elle le voudrait, sachant que Laura et toute la famille se souciaient avant tout de la santé de Theo.

Christina resta elle aussi à New York pendant quinze jours pour aider Laura à repeindre les murs et poncer les parquets. Iris elle-même mit la main à la pâte. Laura savait sa mère incapable de capitonner une tête de lit, mais Iris faisait de son mieux avec bonne humeur. Le travail de la journée terminé, Laura leur préparait le dîner.

— Comment y arrives-tu ? s'était étonnée Christina un soir en s'asseyant à table. Tu as commencé il y a à peine une demi-heure ! Tu devrais écrire un livre de recettes.

— Très bonne idée, avait approuvé Philip.

Il venait de plus en plus souvent donner un coup de main. Une fois, il avait amené des amis et demandé à Laura de leur faire sa fameuse tarte aux marrons.

— Il était même allé en ville m'acheter un moule à cake, avait dit Laura à Robby au téléphone.

— Tu m'as l'air de bien t'amuser, avait-il observé.

C'est vrai, avait-elle pensé avec remords. Maintenant que son père était convalescent, elle profitait pleinement de la joie de revivre dans le cadre de son enfance et, bien sûr, d'être près de Manhattan. Parfois, quand elle allait en ville voir Theo à l'hôpital, elle s'offrait une récréation en arpentant les rues, dans l'espoir d'attraper des bribes de conversations dans une langue inconnue, de humer l'arôme d'une cuisine exotique qu'elle n'avait encore jamais goûtée en passant devant la porte ouverte d'un restaurant. Et elle se rendait compte à quel point elle avait envie de partager ces précieux petits plaisirs avec sa fille.

— Katie et toi me manquez beaucoup, avait-elle dit à Robby. Je regrette que vous ne soyez pas ici avec moi.

Je voudrais tant emmener Katie voir le Lac des cygnes *à l'Opéra, comme ma grand-mère le faisait. Aller déguster un chocolat glacé après la représentation… Je voudrais tant aussi que Katie découvre la neige. C'est surtout ce que je voudrais lui montrer, ce beau manteau blanc qui transfigure tout au point qu'on ne reconnaît même plus son propre jardin. Lui faire entendre ce silence irréel, apaisant…*

La voix de Robby l'avait arrachée à cette évocation :

— Eh bien, reste aussi longtemps que tu voudras. Katie et moi allons très bien, tu n'as pas de raison urgente de rentrer.

C'était la deuxième fois qu'il lui faisait, du même ton trop enjoué, cette alléchante proposition sans qu'elle ait eu besoin de l'en supplier. Cette fois, cependant, elle y prêta attention.

— Es-tu sûr que tout va bien ? Tu n'as vraiment pas besoin de moi ?

— Bon sang, Laura, je maîtrise correctement la langue anglaise ! Si je te dis que tout va bien, c'est que tout va bien !

La pétulance de sa réaction et sa gaieté forcée auraient dû alerter Laura. Mais elle s'amusait trop pour se poser des questions sur ce qui se passait réellement sur la côte ouest. Elle repoussa donc cette conversation à l'arrière-plan de sa mémoire et, pour quelques jours de plus, préféra savourer les compliments sur ses talents de cuisinière et de décoratrice dont les autres la couvraient En arpentant la Cinquième Avenue, elle rêvait d'emmener Katie admirer les vitrines de Saks Fifth Avenue décorées pour Noël. Elle s'imaginait en train de regarder sa fille qui apprenait à patiner. Et elle essayait de ne plus penser à son retour en Californie.

10

Dans une famille unie, frères et sœurs semblent parfois deviner mutuellement leurs pensées avant les intéressés eux-mêmes. Ils vont jusqu'à prévoir une décision de tel d'entre eux qui en est encore à peser le pour et le contre. C'est du moins l'impression qu'eut Laura quand elle repensa à cette froide soirée de décembre, quand elle était avec ses trois frères dans la cuisine de ses parents à Westchester. Le travail dans la chambre du rez-de-chaussée était terminé. Theo devait revenir de l'hôpital le lendemain et Laura partir pour la Californie le surlendemain. La famille s'était donc réunie pour un dîner d'adieux mais, pour une raison ou une autre, Iris, Janet et Christina n'avaient pas pu venir. Laura était donc seule à table avec Steven, Jimmy et Philip.

Ce fut Philip, le premier, qui aborda le sujet :

— Depuis combien de temps Robby travaille sur sa thèse, Laura ?

La question la prit par surprise.

— Excuse-moi ?

— Cela fait sept ans, n'est-ce pas ? enchaîna Philip.

— Tu ne peux pas comprendre. Écrire une thèse prend du temps. Robby ne peut pas se précipiter.

Son jeune frère était connu pour sa ténacité. Il pouvait même se montrer impitoyable.

— Tu appelles sept ans se précipiter ? Il a donc bientôt fini, non ?

— Je ne vois pas en quoi cela te concerne..., commença-t-elle.

Jimmy l'interrompit :

— Tout le monde n'est pas fait pour une carrière universitaire.

— Robby rêve depuis toujours d'avoir son doctorat.

— Nous avons tous des rêves, ce qui ne veut pas dire qu'on puisse toujours les réaliser, dit Philip. Ce qu'il faut, c'est l'accepter et passer à autre chose.

Exactement ce qu'il avait fait. Il parlait donc d'expérience.

— Mais se complaire dans ses échecs et forcer ses proches à les partager est de l'égoïsme, déclara Steven.

Son frère avait dû radicalement changer de vie. Il parlait lui aussi d'expérience.

— Robby aura-t-il terminé cette année ? demanda Jimmy. Ou l'année prochaine ? ou la suivante ?

C'était une question qu'elle se posait elle-même – tout en refusant de l'admettre – depuis des années.

— Il aura fini quand il aura fini. Parlons d'autre chose. Voulez-vous encore du café ?

Quand les garçons Stern voulaient dire quelque chose, ils ne se taisaient pas si on leur disait de se taire, surtout si ce « on » était leur sœur.

— Un nouveau départ vous ferait peut-être du bien à tous les deux, dit Jimmy.

— Peut-être même plus à Robby qu'à toi, Laura, ajouta Steven avec gentillesse. Combien de temps pourra-t-il encore supporter que le Pr Hawkins se débarrasse sur lui de ses corvées pendant que les autres continuent d'avancer ?

Les manifestations de gentillesse étaient si rares de la part de Steven que Laura sentit les larmes lui monter aux yeux.

— Et puis, enchaîna Philip, combien de temps supportera-t-il de passer pour le cancre de sa faculté ? Tu te doutes de ce que les autres disent derrière son dos. Les universités sont des nids de vipères où les mauvaises langues font la loi.

Oui, elle le savait. Robby aussi, ce qui était pire. Ses larmes menaçaient maintenant de couler.

— Écoute, ma chérie, tout ce que nous disons, c'est que la situation a assez duré, dit gentiment Jimmy.

Chez lui, la gentillesse était naturelle.

— La comédie a même trop duré, renchérit Philip qui ne mâchait jamais ses mots. Si Robby ne sait pas comment y mettre fin, c'est à toi de le faire.

Laura parvint à ravaler ses larmes.

— Jamais je ne lui ferai ça ! Allons-nous enfin parler d'autre chose ?

Comprenant qu'ils l'avaient peinée, ses frères n'insistèrent pas et changèrent de conversation. Mais, après leur départ, Laura se força à se demander pourquoi elle avait aussi mal réagi à leurs suggestions. Doutant elle-même depuis longtemps de l'avenir de Robby, elle n'avait pas su ni pu étouffer ses rêves de retourner vivre dans l'Est, ce qui était non seulement déloyal envers son mari mais irréalisable en pratique. Robby n'était sans doute pas vieux à trente-trois ans, mais il n'en avait quand même plus vingt-trois, il avait une femme et un enfant à nourrir. Comment envisager de repartir de zéro dans une nouvelle carrière ? Il n'avait jamais voulu être autre chose qu'archéologue. Et surtout, se résigner à admettre son incapacité à réaliser son rêve lui infligerait un coup mortel. Le rôle de Laura était donc clairement défini : elle devait continuer à croire en lui-même et l'y aider. Des générations de femmes en avaient fait autant, elle le pouvait aussi et elle le devait. Soutenue par cette résolution, elle commença à préparer ses bagages pour son retour en Californie. La veille au soir de son départ, un nouveau coup de téléphone de Robby allait tout remettre en question.

— Ce n'était qu'une petite soirée, Laura, une simple petite soirée, commença-t-il d'une manière embrouillée, sur le ton agressif qui lui venait quand il avait peur. Certains de mes élèves qui fêtaient le début des vacances m'avaient invité, ce qui était gentil de leur part. Alors j'ai appelé la baby-sitter pour s'occuper de Katie et je suis allé passer un moment avec eux. C'était dans un appartement privé, je n'ai enfreint aucune des fichues règles de Hawkins en sortant dans un bar.

— Il ne te défendait pas de sortir dans un bar, Robby. Il te disait seulement de faire preuve de jugement...

— C'est ce que j'ai fait ! Et c'est moi qui suis brimé à cause d'un vieil imbécile de l'association des anciens élèves qui se croit tout permis parce qu'il a plus de fric qu'il n'en mérite et ne veut pas admettre que sa fille chérie est une cinglée qu'il a mal élevée ! C'est ça, le fond du problème !...

— Robby ! l'interrompit-elle. Qu'est-ce qui s'est passé ?

— Rien ! En tout cas, rien dont puisse s'offusquer quelqu'un qui travaille avec les jeunes de cette génération. Si cet enfoiré de Hawkins ne sait pas encore que presque tous ses élèves fument des joints...

— Bon sang ! Il y avait des drogues à cette « petite soirée » ?

— De l'herbe, Laura ! Pas des drogues, comme tu dis d'un air mélodramatique ! Juste un peu de marijuana.

— C'est quand même illégal. Ne me dis pas que tu...

— Bien sûr que non ! Je ne fume pas de joints avec mes élèves, je ne suis pas idiot ! De toute façon, j'ai essayé une fois et je n'aime pas ce truc.

C'est ce qu'il avait dit quand il avait refusé. Pas sur un ton impliquant qu'il désapprouvait, oh, non ! M. MacAllister était trop cool pour cela, il n'était pas professeur de morale. Il avait essayé, comme tout le monde, mais il n'aimait pas le « truc », voilà tout. Il n'était pas non plus question, bien entendu, qu'il fasse devant les autorités la moindre allusion au fait que ses élèves contrevenaient aux lois et aux règlements de l'université, encore moins qu'il aurait déjà dû quitter leur innocente « petite soirée » parce que son devoir d'enseignant lui dictait de dénoncer les comportements illégaux. Il était resté, il leur avait dit avec l'aimable sourire qu'il savait parfois prendre : « Ne m'appelez donc pas monsieur MacAllister, c'est réservé à mon père. Pour vous, je suis Robby. » Telle était sa méthode pour tracer des limites, comme on le lui avait ordonné.

La peur noua l'estomac de Laura. Elle se doutait déjà de la manière dont la soirée s'était terminée.

— Alors, que s'est-il passé ensuite ?

— Eh bien, c'est devenu bruyant. Vraiment bruyant...

Il marqua une pause. Quand il reprit la parole, il avait perdu son ton agressif, commençant à s'apitoyer sur son sort.

— C'est ma seule erreur, Laura. La seule. J'aurais dû leur dire de faire moins de bruit. Mais si tu veux savoir la vérité, je m'amusais moi aussi, plus que depuis longtemps. Alors, j'ai laissé faire. Et puis, bien entendu, un voisin a fini par appeler la police...

— Je vois.

Elle imaginait la scène comme si elle y était.

— Il n'a appelé que la brigade du campus, une forme de courtoisie je suppose. C'était donc moins grave que la vraie police.

— Mais c'était grave quand même ?

— Ils ont vu les sachets d'herbe et ont fait leur rapport. Mais seulement à l'université et l'université ne veut envoyer personne en prison...

Son ton devenait geignard. Il devait commencer à pleurer.

— En fin de compte, trois élèves ont été suspendus, celui chez qui ça se passait a été renvoyé et... et à la fin du semestre ton mari ne sera plus chargé de cours. Cet hypocrite de Hawkins me flanque à la porte.

Voilà, tout était dit. Laura sentit son estomac se dénouer. Le pire s'était produit.

— Il m'a dit qu'il me gardait jusqu'à la fin du semestre pour que personne ne dise qu'il se débarrassait de moi à cause de cet incident, poursuivit Robby. Il semble penser que je devrais lui en être reconnaissant. En fait, il protège ses arrières, voilà tout ! Il a peur que le problème éclabousse sa précieuse réputation, alors il l'enterre. Il ne veut même pas lever le petit doigt pour me défendre.

— Tu pouvais t'y attendre, non ?

— Pourquoi ? Je suis un bon prof ! Un des meilleurs, Laura ! Tout le monde le dit. Hawkins n'était pas obligé de laisser faire ça !

— Et ta thèse ?

— Je suis libre de continuer où je voudrai. Et c'est ce que je ferai, mais pas avec lui comme directeur.

Robby avait finalement réussi à perdre son seul appui précaire à l'université. Comment en trouver ailleurs un autre qui veuille bien le prendre en charge sans un mot de recommandation de Hawkins ? En fait, son rêve s'évanouissait. Ce rêve que Laura avait elle-même épousé pendant sept ans.

Le silence dura.

— Laura, tu es encore là ? Écoute, cela ne sert peut-être à rien de le dire, mais je sais que tout est ma faute. Je ne reproche pas à Hawkins de n'avoir rien fait pour moi, il a fait ce qu'il pouvait à l'époque. Je le savais et j'aurais dû être plus prudent. Tu dois m'en vouloir…

Laura entendit sa voix se briser, mais ne s'en émut pas. Elle n'avait pas envie de le consoler ni même de chercher des paroles réconfortantes. Elle avait décroché le téléphone de la cuisine et regardait les placards au-dessus de l'évier en se demandant si elle aurait le temps de les retaper avant de retourner en Californie – de retourner vers… quoi ?

— Et la maison, Robby ?

— Elle appartient à l'université. Il faudra la quitter à la fin de l'année scolaire.

Il n'aurait plus droit non plus à son salaire. Un salaire qui n'avait rien d'un pactole mais, maintenant qu'il n'existerait plus, lui paraissait presque fastueux. *Où irons-nous ? Avec une petite fille, un gros chien et pas de salaire, comment et de quoi vivrons-nous ?*

— Tu ne pourrais pas aller voir Hawkins, lui expliquer ?

— Tu perds la tête ? Tu me demandes de ramper devant ce type ? Pas question ! Pas question non plus de retourner à Blair Falls.

Enfin l'ombre d'une bonne nouvelle ! Laura était allée voir sa bourgade natale dont elle était revenue accablée. En plus, ses beaux-parents lui vouaient autant d'affection qu'elle en avait pour eux.

— Mon salaud de père serait ravi de me voir revenir la queue entre les jambes, il attend depuis toujours que je me casse la figure. Et si je me résignais à lui faire ce plaisir, ma mère en aurait le cœur brisé. Je ne peux quand même pas lui faire ça, non ? Je ne pourrais jamais…

Cette fois, Robby sanglotait et Laura eut pitié de lui.

— Ça ne fait rien, Robby, ce n'est pas grave…

— Si, c'est grave ! Si tu étais furieuse contre moi, je ne te le reprocherais pas. Je ne te reprocherais pas non plus que tu me laisses tomber.

— Je ne le ferai jamais, tu le sais bien.

Parce que si je me dérobais à mes vœux de mariage, c'est le cœur de ma mère qui se briserait. Je préfère moi aussi ne pas mêler mes parents à toute cette histoire.

Mais les autres membres de sa famille seraient contents, eux aussi, d'apprendre que Robby ne courait enfin plus derrière son rêve de doctorat. Et seraient tous prêts à faire leur possible pour aider.

À l'autre bout du fil, Robby s'était ressaisi.

— Je suis désolé, je n'aurais pas dû me laisser aller… L'idée de retourner à Blair Falls m'était juste passée par la tête, mais j'ai trop travaillé pour me sortir de ce trou… Jamais je ne voudrai y retourner…

— Nous n'irons pas là-bas, je te le promets.

L'esprit de Laura tournait à toute vitesse. Par son travail bénévole, Steven avait des contacts politiques tout au long de la côte est, Philip connaissait beaucoup de monde dans les milieux financiers de Wall Street, Jimmy et Janet avaient un vaste cercle d'amis influents. L'un d'eux pourrait sûrement aider Robby à trouver un poste d'enseignant. Un poste ici, à New York ou à proximité.

— Il faut que je te quitte, Robby, j'ai des coups de téléphone à passer. Et ne t'inquiète pas, tout s'arrangera pour nous.

Lorsqu'elle s'embarqua dans l'avion le lendemain, les trois frères Stern avaient déjà commencé à prendre des contacts pour faire savoir que leur sœur voulait revenir près de New York et que leur beau-frère cherchait un job dans la région.

Et l'année prochaine, je montrerai la neige à Katie, pensa Laura pendant que l'avion prenait son envol.

11

Ce fut Steven qui trouva un job à Robby. Il téléphona à Laura en Californie pour lui apprendre la nouvelle.

— Ce n'est pas dans l'enseignement, précisa-t-il. S'il tient à y rester, il lui faudra au moins un mot de recommandation de Hawkins et je n'ai pas l'impression qu'il soit disposé à le faire…

Laura n'avait pas avoué à son frère l'étendue du désastre que Robby avait provoqué en Californie, simplement que son mari s'était brouillé avec son mentor. Ne voulant pas accabler sa sœur davantage, Steven usait donc de diplomatie :

— De plus, il vaudrait peut-être mieux pour lui qu'il sorte un moment des milieux universitaires. Je connais un petit musée dans la vallée de l'Hudson à environ une heure de Manhattan. Il s'agit du musée Barker, spécialisé dans la culture des tribus amérindiennes qui vivaient dans la région avant l'arrivée des colons européens, principalement les Mohawks, les Mahopacs et les Mohegans. J'ai fait un petit travail pour eux il y a deux ou trois ans, son responsable m'aime bien. Il s'appelle Leland Barker et il a monté son musée pour ainsi dire seul. Leland est un homme richissime, passionné d'archéologie, qui a rassemblé une belle collection d'objets culturels et religieux utilisés par ces tribus au cours des siècles. Il a payé la construction du musée, c'est lui qui en finance le fonctionnement et il en a été le conservateur pendant des années. Il a maintenant quatre-vingts ans et il lui faut passer la main à un autre.

— Alors, tu lui as suggéré Robby.

— Je serai franc avec toi, répondit Steven après une brève pause. Robby est trop qualifié pour le job, mais il lui offre une chance de construire quelque chose sur cette base. Leland a de l'argent, beaucoup de relations et d'amis influents qu'il est tout disposé à mettre à contribution. Il estime aussi que ce musée constitue un vrai patrimoine qu'il voudrait léguer à quelqu'un qui s'en montre digne. Si Robby trouve le moyen de développer le musée en une institution sérieuse qui fasse autorité dans son domaine, Leland le soutiendra jusqu'au bout. Robby peut donc faire de ce point de départ le maximum de ce qu'il voudra.

Steven s'abstint d'ajouter « ou de ce dont il sera capable ».

Selon Laura, si un des garçons Stern devait relever ce défi, il ne mettrait pas de limites à ses ambitions. Mais Robby n'était pas un fils de Theo Stern. C'était quand même un bon job – et près de New York.

— Merci, Steven. Je ne sais pas comment t'exprimer...

— Tu ne me remercieras peut-être pas autant quand tu sauras combien gagnera ton mari. Le budget du musée Barker est plus que limité.

Mais Laura avait décidé que Robby ne subviendrait plus seul aux besoins de sa famille, ce serait trop risqué. Elle avait déjà une autre idée en tête.

— Peu importe. L'essentiel est que Robby ait un job qui lui plaise.

Le même soir, quand ils s'assirent à table pour dîner, elle exposa à son mari la proposition de Steven.

— Je me fiche de savoir si le job paie ou pas, tout ce que je veux c'est partir le plus loin possible d'ici.

Laura appela donc son frère pour lui dire que Robby acceptait.

Puis, ayant calculé que ses économies suffiraient à verser un acompte sur l'achat d'un logement, elle vida son compte d'épargne – elle ne voulait plus être locataire –, et repartit vers la côte est chercher un nouveau foyer pour sa famille. Elle voulait rester à Westchester ou à distance raisonnable de New York.

— Pourquoi pas un appartement ? lui suggéra l'agent immobilier. Il y a de très beaux immeubles neufs dans vos prix.

Mais ce qu'il lui fallait pour réaliser son projet, c'était une maison et elle trouva ce qu'elle voulait au bout d'une quinzaine de jours. En allant en voiture à Manhattan avec Iris – Laura logeait temporairement chez ses parents –, elles s'étaient arrêtées pour prendre de l'essence dans une station-service et Laura avait repéré la maison idéale.

— Il y a en effet encore des affaires à réaliser dans le secteur, dit l'agent quand elle lui en parla. Beaucoup de belles demeures anciennes avaient été divisées en appartements dans les années 50 et 60. Les gens commencent à les racheter pour les restaurer. La propriété dont vous me parlez serait une bonne occasion, mais elle a besoin d'une rénovation complète. Pour ne rien vous cacher, elle est sur le marché depuis plus d'un an… les acheteurs éventuels sont effrayés par l'ampleur des travaux. Vous êtes sûre de ne pas en vouloir une en meilleur état ?

Laura en était tout à fait sûre.

De près, la maison était encore plus parfaite qu'elle ne l'avait pensé en la voyant de la route. Bâtie au sommet d'une petite éminence, on y accédait par une longue allée en mauvais état bordée de vieux arbres dont les branchages formaient une voûte de verdure à la belle saison. Derrière les deux rangées d'arbres, des haies retombées à l'état sauvage et des massifs de fleurs à l'abandon mais qui, remis en état, promettaient de belles floraisons. La terre paraissait assez riche pour permettre la culture des herbes aromatiques dont Laura aurait besoin.

Si l'intérieur paraissait aussi délabré que l'avait dit l'agent immobilier, la structure était saine. La plomberie et l'électricité avaient été mises aux normes par le dernier propriétaire peu avant son départ, la toiture était relativement neuve, mais toutes les finitions étaient à revoir, peintures écaillées, papiers peints en lambeaux, boiseries à décaper et à revernir, parquets à poncer et à cirer. Le plâtre des superbes moulures des plafonds n'avait besoin que de retouches et les lambris étaient de toute beauté sous leur couche de crasse. Les lustres et les appliques d'origine, remplacés par d'affreux appareils modernes, étaient encore emballés dans des caisses entreposées dans l'ancienne salle de bal.

— Quelle pièce merveilleuse ! s'exclama Laura en la découvrant. Elle ouvre sur la terrasse et sur la pelouse. Idéal pour les réceptions d'été !

C'était surtout la cuisine dont elle se souciait. Elle attendait avec anxiété que l'agent immobilier ouvre la double porte avant de pousser un soupir de soulagement :

— Tous ces plans de travail ! Et cet immense vieil évier ! Il faudra installer des appareils neufs et refaire les placards, bien sûr, mais le carrelage ancien est superbe et facile à nettoyer. Et il y a largement la place pour une grande table au milieu. Cette maison est exactement ce que je veux, affirma-t-elle à l'agent.

Elle n'avait plus qu'à mettre son plan en application.

Elle alla à la bibliothèque municipale – comment vivre sans les bibliothèques publiques ? – consulter la réglementation en vigueur sur les entreprises artisanales. Elle calcula et recalcula le coût des réparations indispensables et, en comparant avec ce qu'elle avait effectué dans sa petite maison de Californie, arriva à une estimation exacte. Elle demanda ensuite à l'agent immobilier les clefs de la maison pour la montrer à quelqu'un, passa les deux jours suivants à faire des courses et la cuisine. Une fois prête, elle appela son frère Philip et l'emmena le lendemain soir à la maison de ses rêves.

— Je suis contente que tu aies bien voulu venir, lui dit-elle lorsqu'ils eurent fini de rouler en cahotant dans les ornières de l'allée.

Philip examinait la façade du trésor de sa sœur.

— Quand tu m'as invité à pique-niquer au coucher du soleil, je ne me doutais pas que ce serait dans un monument historique en péril.

— Elle n'est pas en si mauvais état, voyons !

— Vraiment ?

— Les problèmes sont superficiels, cette maison est l'affaire du siècle.

— Puisque tu le dis…

— Promets-moi seulement de garder un esprit ouvert.

Ils sortirent de la voiture le panier de victuailles qu'elle avait préparé et entrèrent à l'intérieur. Laura avait choisi de pique-niquer dans l'ancienne salle de bal, que les rayons du soleil couchant baignaient de lumière par les hautes fenêtres. Elle déplia une nappe à carreaux sur le parquet, disposa les assiettes et les couverts.

— Que veut dire tout ce mystère ? s'enquit Philip. J'espère que nous ne sommes pas entrés ici par effraction…

— Pas du tout, la personne qui m'a confié les clefs est au courant de notre présence.

Elle déboucha un thermos, versa dans deux grands bols rouges une soupe fumante, de sa propre confection, où se mêlaient des arômes appétissants de vin, d'herbes et de champignons. Elle découpa un pain croustillant, fait par elle le matin même, et déposa sur un plat des tranches d'une tarte aux oignons de sa recette personnelle.

— Vas-tu enfin me dire ce qui se passe au juste ? insista Philip.

— Goûte d'abord ma soupe, je te le dirai après. C'est bon ?

— Délicieux, bien entendu. Maintenant, veux-tu enfin… ?

— Je suis contente qu'elle te plaise, parce que je compte en faire une des préparations vedettes de ma nouvelle affaire de traiteur.

— Tu parles sérieusement ?

— Le plus sérieusement du monde. Écoute mon idée.

Elle y pensait depuis des années sans avoir jamais cru pouvoir la réaliser. Maintenant qu'il fallait en parler, les mots se pressaient si vite qu'elle en bafouillait presque.

— La plupart des gens font appel à un traiteur pour les grandes réceptions, du moins en Californie. Je crois que dans notre région les femmes auraient envie de quelque chose de plus simple, de plus… décontracté. Elles travaillent en dehors de chez elles, beaucoup font tous les jours la navette pour aller en ville. Elles n'ont pas le temps de préparer un bon dîner pour un petit groupe d'amis ou un pique-nique quand la famille va à la plage. Avant, les femmes restaient chez elles et avaient le temps de le faire. Les femmes modernes sont trop occupées, mais elles veulent toujours avoir une vie sociale, recevoir, sauf qu'elles n'ont personne pour les aider ou s'en occuper à leur place. À celles qui veulent un dîner romantique en tête à tête avec leur mari, je le livrerai tout prêt, avec le vin approprié et des fleurs de mon jardin. Celles qui veulent un simple mariage en famille, je leur fournirai le repas et même le linge de table assorti aux couleurs des robes des demoiselles d'honneur. Le gâteau de mariage sera une pièce unique, parce que je l'aurai fait moi-même sur commande…

Elle se leva, montra d'un geste large les murs de la salle :

— Un jour, quand je l'aurai restaurée, je leur proposerai cette pièce avec son superbe décor de corniches et de moulures du XIXe siècle pour y recevoir jusqu'à deux cents personnes. Alors, qu'en penses-tu ? demanda-t-elle, hors d'haleine.

— Il est évident que tu y réfléchis depuis un certain temps.

— J'y pense depuis que j'ai travaillé pour un traiteur en Californie.

— En quoi puis-je t'être utile ?

— Je veux acheter cette maison pour y établir mon affaire. Robby et Katie viendront vivre ici avec moi, il y a largement la place. On en demande un prix très raisonnable, j'ai un peu d'argent de côté, de quoi payer l'acompte. Mais j'aurai besoin de capitaux pour tout remettre en état et lancer l'affaire. J'ai fait des comptes prévisionnels, dit-elle en prenant un dossier qu'elle lui tendit. Tu les regarderas, je pense commencer à dégager un bénéfice six mois après le démarrage. J'y arriverai grâce aux faibles frais généraux que j'aurai. Je sais que tu travailles avec des investisseurs et... et il me faudra des investisseurs fiables. Alors, si tu en connais que tu puisses convaincre...

— Un seul suffit. Tu l'as déjà.

— Je ne comprends pas.

— Si, moi. Je serai ton investisseur.

— Mais, je ne voulais pas... je ne te demandais pas de...

— Je parie sur toi, Laura, et je crois que ce placement me rapportera une fortune. Parce que je sais que si tu tiens réellement à monter cette affaire, tu réussiras. Ce que tu fais... Laura, ne pleure pas, voyons ! On ne fond pas en larmes au milieu d'une discussion d'affaires. Allons, arrête, tu vas tremper ma chemise.

Ce soir-là, en se retournant dans son lit sans pouvoir trouver le sommeil, elle repensa aux événements de la journée. *C'est le début d'un vrai nouveau départ pour Robby et moi, un départ radicalement différent. Il sera heureux de travailler dans un musée archéologique. C'est même le job idéal pour lui, avec son amour des contacts humains. Il oubliera vite Hawkins et la Californie.*

Et moi, j'aurai enfin mon affaire ! Phil pense que je peux réussir. Moi aussi. Et en plus, ce sera amusant ! Oui, c'est un nouveau départ.

Mes ancêtres, les membres de ma famille ont toujours cru en eux-mêmes. C'est cet esprit, cette confiance dans l'avenir qui les a amenés dans ce pays, qui leur a permis de traverser des guerres et des tragédies. Je viens d'une race solide et forte.

Et cette pensée avait un pouvoir incroyablement réconfortant.

VOYAGE

Commence dès maintenant à faire ce que tu veux.
Nous ne vivons pas éternellement.
Nous n'avons que cet instant, qui brille comme une étoile
au creux de notre main et fond comme un flocon de neige.

Marie BEYON RAY

12

— Maman, tu ne m'écoutes pas ! s'écria Katie en s'arrêtant net au milieu du trottoir. Je te parle et tu ne fais pas attention à ce que je dis. Ce n'est pas poli !

À douze ans, Katie avait des idées bien arrêtées sur les conduites louables ou répréhensibles. Selon un code qu'elle tenait de sa grand-mère, l'impolitesse figurait en tête de sa liste d'interdits. Iris se serait fait couper un bras plutôt que passer outre à ce qu'on lui disait.

Depuis le début, Katie éprouvait de l'adoration pour sa grand-mère. Lorsque Katie, Robby et Laura s'étaient installés dans la région trois ans auparavant, Laura espérait que sa fille s'entendrait bien avec ses parents. Katie leur avait immédiatement voué une profonde affection et, de plus, un lien très particulier s'était formé entre la fillette et Iris. Robby et Theo en avaient déjà conscience quand Katie était encore au berceau. Maintenant, les conversations de Katie étaient émaillées de la phrase « C'est bonne-maman qui le dit ».

Ma mère et ma fille sont vraiment pareilles. Je suis une copie de ma grand-mère et Katie de la sienne, mais Katie est plus solide que maman, je le vois déjà. Et c'est très bien ainsi. La nouvelle génération se tient sur les épaules de l'ancienne, c'est vrai dans toutes les familles.

Plantée d'un air buté sur le trottoir de Madison Avenue, sa fille la fusillait du regard.

— Excuse-moi, ma chérie, tu as raison, dit Laura. Je pensais à autre chose et je n'ai pas été polie avec toi. Tu me pardonnes ?

Katie réfléchit avant de répondre.

— Oui, je veux bien, admit-elle enfin.

L'harmonie restaurée, elles se remirent à marcher côte à côte.

— Bonne-maman dit que tu te dépêches toujours, parce qu'elle a peur que papa ne soit pas content quand tu n'es pas à la maison pour faire le dîner et d'autres choses. Mais j'ai expliqué à bonne-maman que papa n'aime pas travailler et toi si.

— Voyons, Katie, ce n'est pas vrai ! Papa va travailler tous les jours.

— Oui, mais il n'aime pas ce qu'il fait et il ne comprend pas pourquoi toi tu aimes autant ton travail.

Ma fille comprend trop de choses trop vite...

— Et qu'a dit bonne-maman quand tu le lui as dit ?

— Que je dois toujours respecter mon père. C'est ce que je fais.

— Bien sûr, ma chérie. Mais je me dépêche toujours trop, je le sais.

— Peut-être, mais tu n'as pas envie de t'arrêter.

Elle me connaît décidément trop bien...

En réalité, Laura adorait se surmener. Au bout d'à peine trois ans, son affaire était florissante et elle avait encore du mal à s'y habituer. Comme il fallait plusieurs mois pour effectuer les travaux de rénovation de la maison, elle était restée à New York pendant que Robby et Katie étaient en Californie jusqu'à la fin de l'année scolaire. Quand ils arrivèrent avec Molly, les travaux n'étaient qu'à moitié terminés. Laura avait commencé par restaurer et décorer la chambre de Katie avant de s'occuper de ses locaux de travail. Deux mois durant, avec l'aide d'une poignée d'ouvriers, elle avait refait la cuisine de fond en comble pour y installer les équipements professionnels réglementaires. Elle avait défriché le jardin et planté les légumes, les herbes aromatiques et les fleurs dont elle comptait se servir pour la préparation des plats qu'elle livrerait à ses clients et pour la décoration de leurs tables. Elle avait peint d'une nuance de jaune ensoleillée la cuisine, l'office, la lingerie et l'entrée de service où elle rangeait ses outils de jardinage, habillé les fenêtres de rideaux bleu et blanc. Les hideux papiers peints du salon et de la salle à manger avaient été arrachés et les murs repeints d'un gris perle reposant. Les anciens lustres et appliques avaient retrouvé leur place, et les bow-windows avaient été drapés d'une soie crème dénichée en coupon chez un soldeur de l'East Side. Dans un coin du vaste salon, elle s'était aménagé un bureau où elle pouvait téléphoner et enregistrer les commandes. Aussi, une fois parée pour faire face à l'essentiel, elle avait mis de côté le reste des travaux. La salle de bal était encore en l'état, comme les autres pièces, sauf la chambre de Katie. Robby récriminait régulièrement contre le plâtre qui s'effritait et la peinture qui s'écaillait dans leur chambre, mais Laura ne paraissait jamais trouver le temps d'y mettre bon ordre. Avec le recul, elle prendrait conscience d'avoir négligé la pièce essentielle à l'harmonie d'un couple, mais il serait trop tard. Elle se disait simplement qu'elle s'y mettrait si rien de plus urgent ou de plus important ne survenait entre-temps.

Son entreprise, simplement baptisée Laura Traiteur, avait connu presque dès le début un succès éclatant. Comme prévu, elle avait commencé à dégager un bénéfice au bout de six mois et, deux ans et demi plus tard, elle était en mesure de rembourser le prêt complémentaire de son frère et de lui verser des dividendes sur sa participation au capital. Avec cet argent, Philip avait d'ailleurs aussitôt ouvert un compte d'épargne au nom de Katie pour financer ses études. En plus de ses talents de cuisinière, Laura paraissait donc douée d'un bon sens des affaires.

Au début, bien entendu, elle avait commis des erreurs. On ne raisonne pas de la même manière dans une banlieue résidentielle de la métropole la plus vaste et la plus active du monde et dans une petite ville universitaire endormie dans la routine. Tout allait trop vite pour s'imposer sur un marché où la concurrence était rude. Après quelques tentatives infructueuses, elle avait donc suivi les conseils de Philip et investi une grande partie de son précieux capital dans une campagne publicitaire orchestrée par une agence réputée. En peu de temps, Laura Traiteur avait pris son essor. Laura avait vu juste en misant sur les femmes débordées qui avaient besoin de se décharger de leurs tâches domestiques.

— Maman, tu as vu ça ?

Katie s'arrêta net sur le trottoir en montrant du doigt la devanture d'une boutique de brocante qu'elles venaient de dépasser. Sous l'enseigne, un écriteau annonçait que les articles exposés provenaient de dons et que le produit des ventes était destiné à deux hôpitaux.

— Quoi, ma chérie ?

— Il y a un tableau dans la vitrine, c'est vraiment bizarre. Viens voir, dit Katie en l'entraînant par la main.

Si elles voulaient rentrer par le prochain train, elles n'avaient pas le temps de regarder des tableaux, bizarres ou non. Laura avait accompagné Katie en ville pour l'anniversaire de sa cousine Rebecca – les deux fillettes ne s'aimaient pas, mais la famille était quand même la famille – et elle avait encore du travail qui l'attendait à la maison. Manquer ce train lui ferait perdre un temps précieux, mais sa fille l'avait déjà réprimandée une fois, alors...

— Bon, montre-moi ce tableau bizarre.

Un portrait à l'huile dans un cadre doré et sculpté trônait au milieu du capharnaüm de la vitrine. Il représentait une femme en robe d'époque 1900, avec un collier de perles qui retombait sur un jabot de dentelle. Devant le visage de cette femme, Laura ne put retenir un cri de surprise : ces grands yeux noirs, ce long nez fin, cette bouche, elle les aurait reconnus entre mille.

— Tu vois, maman ? dit Katie. C'est vraiment bizarre. Pourquoi ils ont un portrait de bonne-maman Iris dans cette boutique ?

13

Le portrait pouvait être celui d'Iris mais, à l'évidence, c'était impossible ! Pourtant… ces yeux noirs, cette bouche, ce nez…

— C'est forcément bonne-maman, affirma Katie. Elle n'est pas de ces gens qui ressemblent à des tas d'autres, elle est unique. C'est elle, j'en suis sûre.

— Ce portrait lui ressemble, c'est vrai… La ressemblance est même frappante… Mais c'est impossible, Katie.

— Entrons, on va demander.

Laura lança un coup d'œil à sa montre. Le lendemain matin, elle devait livrer de bonne heure sept plateaux de petit déjeuner à une nouvelle auberge qui commençait à faire appel à ses services. Si elle manquait ce train, elle devrait une fois de plus travailler tard après le dîner. Toutefois, le portrait ressemblait tellement à Iris que…

— Entrons, dit-elle en prenant la main de Katie.

Une dame à cheveux gris, arborant un badge où le mot « BÉNÉVOLE » était écrit en grosses lettres, les accueillit avec le sourire.

— C'est un beau portrait, n'est-ce pas ? Malheureusement, je n'en sais pas grand-chose. Le directeur de cette boutique connaît l'histoire de tous les dons que nous vendons, mais il vient de partir.

Elle prit le tableau et le posa sur une table afin que les clientes l'admirent de près. Le visage d'Iris – non, pas celui d'Iris, mais d'une femme qui pourrait être son double – les toisa d'un air hautain.

Elle ressemble à maman, c'est vrai ; mais maman n'a jamais eu de sa vie cet air hautain...

La ressemblance était cependant si troublante que Laura regretta d'être entrée dans la boutique. Ce portrait la mettait mal à l'aise.

— Je ne crois pas que ce soit l'œuvre d'un peintre très connu, déclara la dame, parce que nous l'aurions réservé pour la vente aux enchères d'œuvres d'art que nous organisons à la fin de l'année. Attendez, je peux au moins vous dire qui nous l'a donné.

— Ne vous dérangez pas..., commença Laura.

Mais la dame s'affairait déjà derrière le comptoir, d'où elle exhuma un épais registre à couverture noire.

— Nous y voilà, dit-elle au bout de quelques instants. C'est intéressant. Le tableau a été donné par une certaine Lea Sherman, l'ancienne propriétaire de cette boutique, un endroit très chic, à l'époque. Mme Sherman vendait de la couture européenne, des toilettes comme on n'en voit plus. Je m'en souviens, voyez-vous, parce que ma mère a acheté ici ma première robe habillée. La boutique s'appelait Lea ou quelque chose comme cela...

— Chez Lea, précisa Laura, dont le malaise s'accroissait. Ma mère faisait elle aussi des achats ici et ma grand-mère avant elle.

— Quelle coïncidence ! Ce n'en est peut-être pas une, d'ailleurs. Beaucoup de dames élégantes s'habillaient Chez Lea, à l'époque.

— Sans doute, dit Laura qui n'écoutait qu'à moitié.

Elle ne pouvait pas détacher son regard du portrait. La voix de Katie l'arracha à sa contemplation :

— On peut l'acheter, maman ? Il est à vendre, n'est-ce pas ?

— Oui, bien sûr, répondit la dame. Je vais regarder le prix.

— On le donnera à bonne-maman, déclara la jeune fille. Elle sera sûrement contente de le voir.

Un très vague souvenir remonta alors à la mémoire de Laura. Elle n'avait pas vingt ans, sa mère et elle étaient seules ensemble un samedi et Iris lui avait dit sans raison : « Quand j'étais petite, je me sentais comme une étrangère dans la famille. »

Laura n'y avait pas prêté attention sur le moment. Timide, effacée, Iris avait toujours eu du mal à accepter le charme et la beauté de sa mère. Laura avait pris ces paroles sibyllines pour une plainte de plus que sa mère exhalait souvent sur son enfance. Mais, maintenant qu'elle étudiait le portrait en se remémorant cette remarque, elle eut – pour des raisons qu'elle était incapable d'exprimer de façon cohérente – la certitude qu'Iris ne prendrait aucun plaisir à voir le portrait de la dame aux yeux noirs qui lui ressemblait tellement. Et surtout, Laura n'avait aucune envie de le lui montrer.

— On ne peut pas porter ce tableau dans les rues, Katie, il est trop grand et trop lourd. Le cadre est vieux et fragile, nous risquerions de l'abîmer. Je regrette, madame, dit-elle à la vendeuse.

— Je peux vous montrer d'autres choses. Nous avons quelques très jolies aquarelles…

— Non, pas aujourd'hui, merci.

— Voulez-vous signer notre livre d'or ? Nous vous mettrons sur notre liste pour vous informer de nos prochaines ventes.

C'était bien la dernière chose dont avait envie Laura, mais la dame avait l'air si déçue qu'elle signa.

— Vous êtes sûre de ne pas… ?

— Nous devons vraiment nous dépêcher pour prendre notre train.

Elle ouvrit la porte, poussa Katie dehors et lança par-dessus l'épaule à la vendeuse bénévole ébahie :

— Bonne chance pour la vente du tableau.

Theo ne les avait pas accompagnées à Manhattan pour l'anniversaire de sa petite-fille. Il en avait eu l'intention mais, à la dernière minute, il s'était senti trop fatigué. Assis au soleil dans la véranda – ce qu'il ne faisait jamais avant d'être malade, en tout cas sûrement pas au milieu de la journée –, il regardait distraitement trois petites filles qui jouaient à saute-mouton sur le trottoir devant la maison et laissait ses pensées vagabonder à leur gré. Comme elles le faisaient souvent depuis quelque temps, celles-ci le ramenèrent vers Anna, sa défunte belle-mère. Anna et le secret qu'elle avait emporté dans la tombe et que maintenant Theo allait emporter dans la sienne. Il avait juré de ne jamais le révéler et n'était pas homme à revenir sur sa parole. Il trouvait cependant que ce secret était un fardeau plus lourd à porter qu'il ne l'avait cru. Il ne le pensait pas au moment où il l'avait découvert, peut-être parce que les perspectives changent quand on a frôlé la mort de près et pris conscience d'être soi-même mortel.

Savoir ce qu'il savait ne lui inspirait ni regrets ni amertume, il n'était pas de ceux qui perdent leur temps en jérémiades stériles. Il aurait pourtant voulu en savoir plus sur des moments essentiels de la vie d'Anna qu'il avait toujours ignorés. Assis au soleil, en écoutant les cris joyeux des petites-filles qui s'amusaient à un jeu passé de mode, il attendait le retour de sa femme en souhaitant rester dans cette bienfaisante ignorance.

Laura et Katie avaient bien entendu manqué leur train, de sorte que Laura avait pris du retard, comme prévu. C'est pourquoi il était déjà une heure du matin lorsque Robby s'éveilla en se rendant compte que Laura n'était pas venue se coucher, se leva pour la chercher dans la maison et la retrouva dans la salle de bal.

— Qu'est-ce que tu fabriques à cette heure-ci ? demanda-t-il en se frottant les yeux.

— Les brioches pour demain matin sont encore au four, j'en profite pour commencer à décaper les lambris.

— Superman au féminin !

Il était en meilleure forme physique qu'en Californie. Ses bajoues avaient fondu, son tour de taille avait retrouvé sa minceur, mais son caractère s'était aigri et il en voulait au monde entier. Et Katie elle-même disait qu'il n'aimait pas son travail au musée…

Es-tu heureux, Robby ? Est-ce que notre nouveau départ fonctionne pour toi aussi bien que pour moi ? Laura s'abstint de le lui demander car elle avait peur de sa réponse. Parce que, s'il était malheureux, elle ne savait pas ce qu'elle pourrait faire pour y remédier et elle ne voulait pas se sentir coupable à cause de lui. Peut-être était-ce égoïste de sa part, mais elle n'y pouvait rien. Pour elle, tout marchait à merveille, elle aimait sa maison, sa réussite professionnelle la comblait. Et si elle était encore en train de cuire des brioches et de décaper des boiseries à une heure du matin, quelle importance ? *Je suis trop heureuse pour être fatiguée, Robby. Et j'espère que tu es heureux toi aussi.*

La voix de Robby l'arracha à ses réflexions :

— Je te proposerais bien de t'aider, mais nous savons toi et moi ce qui s'est passé quand j'ai essayé de décoller le papier peint.

— La décolleuse à vapeur est délicate à manier.

— Je suis surtout très maladroit.

— Tout le monde n'est pas doué pour le bricolage. Tu es le cerveau de l'opération, c'est le plus important. Veux-tu une tasse de thé ou de chocolat chaud ?

J'ai horreur de me sentir obligée de me déprécier comme je le fais maintenant ! Je cherche seulement à te rendre plus fort en me faisant passer pour plus faible que toi. Et cela m'exaspère de te voir ce genre de sourires suffisants !

— Non, merci. Tu es peut-être capable de rester debout toute la nuit, mais je ne suis qu'un simple mortel et je vais me recoucher.

Il se dirigea vers la porte, s'arrêta, se retourna.

— Laura, ne crois surtout pas que j'ignore combien tu es admirable.

Elle eut l'impression d'avoir été surprise à mentir.

— Mais non, je ne suis pas…

— Si. Accorde-moi au moins assez de lucidité pour reconnaître la valeur de ce que j'ai sous les yeux.

— Bien sûr… Merci.

L'ennui, c'est qu'elle ignorait si le fait de la complimenter lui plaisait, à lui. S'il était sincère ou se croyait obligé d'être aimable… Il devenait de plus en plus indéchiffrable.

— Tout ce que tu fais a toujours l'air si facile, reprit-il.

— Parce que je ne fais que des choses faciles. Coudre une housse ou faire cuire un cake n'a rien d'une opération de neurochirurgie.

— Voilà qui résume l'esprit de la grande Laura MacAllister, quand on veut on peut ! dit-il en riant. Un jour, on devrait écrire ton histoire. D'ailleurs, pourquoi ne pas l'écrire toi-même ? Appelle le journal, ils ont une rubrique féminine. Ça leur ferait de la bonne copie.

— Tu ne voudrais quand même pas que j'appelle le journal pour vanter mes propres mérites ! De toute façon, ça n'intéresse personne.

— L'illustration vivante du principe « Quand on veut on peut ? » Allons donc ! Tu incarnes le rêve américain, Laura. Tu en es l'exemple type. Ne te sous-estime pas. Fais-toi la publicité que tu mérites. Tu vendras comme cela des milliers de paniers repas.

Il rit encore mais, comme il ne la regardait pas, elle ne pouvait pas voir si son rire était réel ou factice.

— Je ne crois pas…

— Si, ton histoire intéressera beaucoup de monde. Tu fais partie de cette élite qui n'échoue jamais dans ce qu'elle entreprend. Les gens adorent lire l'histoire des vainqueurs. Et maintenant, conclut-il en bâillant, je vais me coucher.

Une fois seule, elle se demanda ce qu'il pensait vraiment – de la maison, de son travail, de leur vie. D'elle-même.

Si notre mariage était parfait, je ne me poserais pas de questions sur ses sentiments réels. Je les connaîtrais parce que nous nous parlerions. Mais je ne sais plus si le mariage parfait existe encore. Et je pense parfois que moins on se parle, mieux cela vaut.

Elle se remit à décaper les lambris. Quelques minutes plus tard, Molly la rejoignit à son tour. Laura l'installa sur une pile de vieux draps, la pauvre chienne commençait à souffrir d'arthritisme.

— Nous voilà encore seules toutes les deux, ma vieille, lui murmura-t-elle en se remettant au travail.

14

L'idée lancée par Robby comme une boutade ironique germa néanmoins dans l'esprit de Laura : un article dans la presse locale ne pourrait faire que du bien à son affaire. Et quand bien même elle était gênée de l'admettre, voir son nom imprimé noir sur blanc ne lui déplairait pas, au contraire. La petite-fille d'Anna ne cultivait pas son ego. Qu'en aurait-elle dit, Anna, elle qui prenait toujours soin de rester à l'arrière-plan pour laisser son mari occuper le devant de la scène ?

J'ai essayé, bonne-maman, mais ça n'a pas marché...

Laura s'efforçait quand même de faire plaisir à Robby. Elle lui préparait des dîners raffinés, avec du bon vin et des bougies sur la table. Mais une fois Katie couchée et Molly promenée, il était presque toujours trop tard pour qu'ils aient le temps ou l'envie de s'attarder en un tendre tête-à-tête. En plus, Robby lui disait parfois que ses recettes élaborées étaient difficiles à digérer.

Elle lui dit que, d'accord avec lui, il était temps de remédier à l'état déplorable de leur chambre. Robby jura qu'il était prêt à peindre, planter des clous, scier des planches et faire n'importe quoi pour se débarrasser de l'horrible papier peint. Ils en avaient ri de bon cœur, mais il ne fallut pas longtemps à Robby pour s'en lasser.

— On ponce ce fichu parquet depuis des semaines !

— Seulement deux jours, voyons.

— J'ai l'impression que ça fait une éternité. On ne peut pas payer quelqu'un pour le finir ?

— Le faire nous-mêmes est beaucoup plus satisfaisant.

— Pour toi, peut-être, moi, j'ai mieux à faire.

Ce qu'il disait avoir à faire de mieux n'incluait malheureusement pas son travail au musée.

— Pour ne rien te cacher, Laura, lui avait dit son frère Steven lors d'un de ses passages à New York, Leland est très déçu par Robby. Il s'attendait à ce qu'il agisse plus énergiquement pour faire connaître et développer son musée.

Katie avait donc raison de dire que Robby n'aimait pas son travail. Et, bien entendu, il ne faisait aucun effort pour quelque chose qu'il n'aimait pas – un job qui lui avait été offert sur un plateau après qu'il avait lui-même gâché sa carrière universitaire par son entêtement et son immaturité. Mais une bonne épouse ne pouvait admettre devant personne, pas même son frère aîné, qu'elle puisse juger son mari buté et immature. Une bonne épouse devait le défendre quoi qu'il arrive.

— Je suis sûre que Robby fait tout ce qu'il peut pour établir la réputation du musée, mais cela prend du temps.

— Il y est depuis trois ans sans avoir organisé la moindre exposition. Un musée du Massachusetts avait proposé un échange de leurs collections, il ne s'est pas même donné la peine de lui répondre.

— Le poste qu'il occupe est très mal défini. Il ne sait peut-être pas ce qu'on attend au juste de lui.

— Si c'est le cas, il n'aura plus à s'en soucier. Comme il semble incapable de prendre des initiatives, Leland va nommer des administrateurs qui superviseront ses activités. Ils resterons discrets au début pour ne pas le vexer, parce qu'il est mon beau-frère, mais ils lui définiront des objectifs qu'il devra atteindre.

Laura se prépara à subir une explosion lorsque Robby apprendrait la nouvelle, mais il n'y fit pas même allusion. À ce moment-là, de toute façon, elle était débordée de travail. Une des auberges qui se fournissaient chez elle en plateaux de petits déjeuners organisait un grand cocktail de bienfaisance au bénéfice d'une fondation pour la formation artistique de jeunes des milieux défavorisés.

— Et tu as accepté, bien entendu, dit Robby quand elle lui en parla.

— Tu devrais m'en remercier. Je n'aurai plus le temps de poncer le parquet, tu peux engager quelqu'un pour le finir à notre place.

— Quelle joie d'avoir une femme qui réussit !

Laura se trouva du jour au lendemain plongée dans un nouveau monde. Il lui fallait préparer une dégustation pour le comité qui allait choisir les petits-fours salés et sucrés. Elle devait prévoir d'engager des serveurs, de louer des tentes, des tables et des chaises, d'acheter des nappes et des serviettes, ainsi que des corbeilles pour les décorations florales. Elle devait surtout calculer le prix de revient par invité.

— Es-tu sûre de vouloir te charger de quelque chose d'aussi compliqué ? lui demanda sa mère.

Katie et Laura étaient allées le dimanche déjeuner chez Theo et Iris. Laura et sa mère étaient seules à la cuisine après avoir débarrassé la table.

Ce déjeuner était devenu un rituel hebdomadaire instauré depuis l'arrivée de Katie à New York. Laura voulait que sa fille ait des contacts aussi fréquents que possible avec ses parents, surtout avec Theo – pour des raisons évidentes mais qu'elle refusait d'admettre. S'il avait récupéré de manière qualifiée de « satisfaisante » par les médecins, il n'était pas en bonne santé. Outre les médicaments qu'il devait toujours porter sur lui, il avait une bouteille d'oxygène discrètement rangée à portée de main dans un coin de sa chambre. Il avait horreur de s'en servir, surtout quand ses enfants et ses petits-enfants étaient là, mais le fait d'en avoir besoin s'était imposé à lui. Si Iris évitait d'en parler pour ne pas le peiner, Laura remarquait que chaque fois que sa mère s'inquiétait de la santé de Theo, elle s'inquiétait en même temps de l'état du mariage de sa fille.

— Es-tu sûre de vouloir accepter cette commande ? répéta Iris.

— Il faut que j'essaie. Ce ne sera pas un vrai repas, juste un buffet avec des canapés et des petits-fours. C'est relativement simple, même si je n'ai encore jamais rien eu d'aussi important. Et puis, ce sera une bonne référence et un point de départ pour l'expansion de mon affaire.

Iris rinçait pensivement une assiette.

— Robby et toi ne gagnez pas déjà assez bien votre vie ? Pourquoi veux-tu te développer davantage ?

— J'aime relever des défis, voir jusqu'où je peux aller. Comme toi, quand tu as repris tes études pour avoir ton doctorat.

Iris reposa l'assiette, se tourna vers Laura avec un regard sérieux :

— J'ai attendu que mon mari soit prêt pour cela, déclara-t-elle.

J'en étais sûre ! C'est la réaction de Robby qui l'inquiète, se dit Laura.

— Robby ne serait pas prêt ? Il te l'a dit ?

— Bien sûr que non !

Pas exactement, non, mais de manière plus subtile, par des sous-entendus, des allusions à peine voilées – Laura se surmène trop, nous n'avons plus le temps d'être ensemble…

— Nous sommes en 1982, maman. Les femmes ne se sentent plus obligées de mettre leurs vies en sourdine en attendant le bon plaisir des autres, y compris celui de leurs maris.

— Je le sais bien. Je sais aussi que ce que je dis est démodé, mais… Tu as un brave garçon, Laura. C'est un bon père. Un bon mari…

Vraiment ? Comment le sais-tu ?

— Il n'a jamais jeté les yeux sur d'autres femmes, conclut Iris.

C'était donc cela, l'argument massue, le critère selon lequel sa mère jugeait la valeur d'un mari ? Peut-être souffrait-elle encore des infidélités passées de Theo, ce qui expliquait qu'une femme aussi peu sûre d'elle-même place la fidélité conjugale au-dessus de toutes les autres vertus.

— Finalement, reprit Iris, le mariage est à mon avis un compromis à cinquante-cinquante ou, plutôt, à soixante-dix trente – au mieux. C'est à la femme de donner soixante-dix pour cent. Et je me moque bien de savoir ou non si les temps ont changé.

Laura sentit sans raison des larmes lui piquer les yeux. Sa mère ne l'avait jamais critiquée comme cela, encore moins sur un sujet aussi grave. Elle n'aurait pas dû y attacher autant d'importance, mais elle se sentit quand même blessée.

— C'est moi qui donne cent pour cent ! lança-t-elle. En permanence. Et Robby le sait. Il n'y a pas de problème entre nous.

— Tant mieux. C'est tout ce que je voulais t'entendre dire, répondit Iris en se penchant pour lui donner un baiser sur la joue. Le mariage n'est jamais facile, mais quand ça marche bien, il procure une des plus grandes joies que je connaisse.

Cette nuit-là, Laura eut du mal à s'endormir. À côté d'elle, Robby dormait déjà. Elle avait beau garder les yeux fermés, sa conversation avec Iris revenait la hanter. Si sa mère était moderne à bien des égards, elle n'appartenait pas à sa génération quand il s'agissait des rapports entre les hommes et les femmes. S'en tenant mordicus à des principes centenaires, elle estimait qu'une femme qui n'était pas mariée ne vivait qu'à moitié et que la responsabilité de faire régner l'harmonie dans son ménage incombait à celle-ci. Si elle souffrait que son mari la trompe, elle avait l'obligation de lui pardonner ses écarts parce que les hommes seront toujours les hommes. Elle n'éprouvait pas la même indulgence envers les femmes infidèles, Laura en était sûre.

La somnolence la gagna enfin et son esprit se mit à vagabonder, comme l'esprit le fait souvent à la frontière de l'éveil et du sommeil. Dans sa semi-conscience, elle voyait une image floue d'Iris. Ses yeux noirs avaient une expression triste et déçue qu'elle reconnut pour l'avoir vue dès son enfance. Elle s'était promis alors de ne jamais rien faire pour en provoquer l'apparition. Mais alors qu'elle sombrait dans le sommeil, elle se sentit responsable de ce reproche muet et voulut protester qu'elle n'avait jamais rien fait qui le justifie. Et puis, comme cela arrive dans les rêves ou les cauchemars, le regard de sa mère devint celui du portrait qu'elle avait vu avec Katie et elle éprouva encore le même sentiment de malaise que dans la boutique. Heureusement, le tableau s'effaça et elle s'endormit.

Theo respirait calmement et Iris, couchée à côté de lui, se détendit enfin. Mais elle était trop troublée pour s'endormir. *Pourquoi ai-je été si dure avec ma fille cet après-midi ?* se demandait-elle, les yeux grands ouverts. *Je ne suis pas une de ces radoteuses vieux jeu qui pensent qu'une femme n'a pas le droit d'avoir une vie en dehors de celle de son mari. J'ai voulu ma propre carrière, j'ai voulu satisfaire mes aspirations et je l'ai fait… Oui, mais pas aux dépens de mon mari, voilà la différence.*

Robby avait l'air perdu les dernières fois où je l'ai vu. Il ne dit jamais un mot de son travail, Quand il était encore étudiant, il débordait de projets d'avenir, parlait toujours de ce qu'il voulait faire. Il avait tant de rêves ! Maintenant, c'est Laura qui a des rêves. Elle est heureuse, mais lui ne l'est pas, je le vois bien. Ce n'est pas bon pour un couple.

Je voudrais que le ménage de Laura marche bien. Ce n'a pas toujours été le cas pour le mien, Theo et moi nous nous sommes toujours aimés, mais nous nous sommes fait du mal. Ce n'est pas dans cette ambiance-là que j'ai grandi, mes parents faisaient toujours tout pour ne pas se faire du mal et bien agir l'un envers l'autre. Voilà ce que je veux pour eux. Qu'ils soient l'un pour l'autre comme mon père et ma mère, pas comme Theo et moi.

Pourtant, alors même qu'elle le pensait, de lointains souvenirs des disputes entre Anna et Joseph revenaient à la surface de sa mémoire. Ils n'en avaient pas eu beaucoup ni souvent, mais elles étaient dures et extrêmement pénibles. C'était toujours son père qui commençait – par jalousie. Une ou deux fois, il avait même été sur le point d'accuser formellement Anna d'aimer un autre homme. C'était injuste de sa part, il avait tort, mais il est vrai qu'Anna donnait toujours l'impression de lui cacher quelque chose... Non, en réalité, son père qui paraissait un roc aux yeux d'Iris avait toujours douté de lui-même vis-à-vis de sa femme. Et ce sentiment d'insécurité affecte l'esprit des gens les mieux équilibrés.

Mais je ne veux pas penser à ça maintenant. Je ne veux pas me rappeler le temps où il la soupçonnait d'agissements qu'il n'aurait jamais pu pardonner. Elle était innocente, il le savait et ils ont été heureux. Comme je veux que le soit ma fille. Ma fille qui ressemble tant à ma mère.

À côté d'elle, Theo dormait toujours paisiblement. Elle l'écouta un instant respirer. Ces temps-ci, elle attendait qu'il soit endormi avant de se laisser elle-même gagner par le sommeil. Theo allait bien, compte tenu des circonstances et de la gravité de sa crise cardiaque, mais il lui avait quand même causé deux légères alertes en pleine nuit. D'où la bouteille d'oxygène, rangée dans le coin de la chambre. Iris s'efforçait de se rassurer en y pensant, mais cet appareil lui faisait peur malgré tout. Seul le bruit de la respiration paisible de son mari la rassurait vraiment. Alors elle tendait toujours l'oreille. Ce n'était sans doute qu'une précaution inutile, mais elle en avait besoin.

Theo attendit qu'Iris soit endormie avant d'ouvrir les yeux. Il savait qu'elle écoutait sa respiration pour se rassurer avant de s'endormir, mais elle ne se doutait pas qu'il l'avait remarqué. Naguère encore, ce genre de vigilance l'aurait exaspéré. Maintenant, il trouvait touchante cette preuve d'amour, surtout après toutes les tempêtes que leur couple avait essuyées. Il tourna la tête, très légèrement pour ne pas risquer de la réveiller, assez cependant pour regarder son visage qui reposait sur l'oreiller à côté de lui. Iris. Sa femme. Sa bien-aimée.

Quel chemin nous avons fait ensemble, ma chérie. Je voudrais trouver comment te remercier de l'avoir parcouru avec moi, mais je sais que tout ce que je pourrais te dire te ferait peur. Maintenant, du moins. Plus tard, peut-être, quand je serai plus près de… Oh, après tout, je trouverai sans doute le bon moment un peu plus tard.

15

— Je vérifie juste l'état de mon investissement, dit Philip.

Trois jours avant le grand cocktail de la fondation, il téléphona à Laura pour prendre de ses nouvelles.

— Il y a une grande différence entre dix plateaux de petits déjeuners et des feuilletés au fromage pour un buffet de trois cents personnes. Et les feuilletés doivent être au fromage, pas au crabe parce que le crabe coûte plus cher. La fondation veut récolter le plus d'argent possible.

— Normal. Tu les fais aussi bien les uns que les autres.

— J'ai fini par convaincre le président de la fondation que la sangria serait préférable au punch que sa mère servait toujours à son club de jardinage. On n'aura pas besoin de grands bols en argent, et les serveurs passeront avec des pichets. Il n'y a pas de petites économies.

— Je te reconnais bien là.

— Je prévois aussi des ronds de serviette en fleurs séchées que les invités pourront garder en souvenir, et les élèves des cours d'art écriront les noms sur les badges.

— Chapeau ! Tout ce travail incombe au traiteur ?

— Non, mais aucun autre ne penserait à des petits détails de ce genre qui font toute la différence.

Il y eut un silence à l'autre bout du fil.

— Toi, tu aimes vraiment ce que tu fais, n'est-ce pas ?

— Aurais-je des raisons de ne pas l'aimer ? Je fais les courses, la cuisine, la décoration, tout ce que j'aime… et puis, quand vient le moment de tout nettoyer, ce qui est nettement moins agréable, je me fais aider par un gentil garçon qui économise pour ses études quand il ira à la faculté. On ne peut pas souhaiter mieux.

— Je t'envie.

— Tu veux faire des ronds de serviette et des feuilletés au fromage ?

— Non, mais…

— Mais quoi ?

— J'aimerais faire quelque chose qui me passionne.

Elle sentait depuis un long moment que Philip n'était plus heureux dans son travail, et maintenant qu'il en laissait échapper l'aveu, elle ne savait que lui dire.

— Ah… Philip, je…

— Excuse-moi, je ne devrais pas pleurnicher. Je fais bien ce que je fais et cela me rapporte beaucoup d'argent.

Sauf que dans notre famille nous ne travaillons pas que pour gagner de l'argent. Nous voulons gagner notre vie, bien sûr, mais nous voulons surtout être passionnés par ce que nous faisons. Mais elle ne pouvait pas le lui dire, à lui qui avait dû tourner le dos à sa passion.

— Mets-leur-en plein la vue à ce cocktail, Laura.

— Tu peux y compter.

Le cocktail remporta un énorme succès. Tout le monde apprécia la charmante idée des ronds de serviette et personne ne crut le président de l'association qui déclarait que l'idée de la sangria venait de lui. Une semaine plus tard, la fondation envoya son chèque à Laura et une galerie de la vallée de l'Hudson la consulta pour le cocktail de son prochain vernissage. Reprenant l'idée lancée par Robby, Laura prit contact avec le journal local qui non seulement lui consacra un article, mais l'invita à tenir une rubrique.

— Elle paraîtra dans les pages féminines, expliqua-t-elle à Robby. Je donnerai des conseils pratiques et je répondrai aux questions des lectrices sur des recettes de cuisine ou la manière de réparer des portes de placard en leur expliquant comment s'y prendre.

— Te voilà maintenant journaliste, dit-il d'un ton bizarre.

— L'idée est de toi, Robby, se hâta-t-elle de répondre. Sans toi, je n'y aurais jamais pensé.

Tu vois, maman ? Je fais ce que je peux pour lui faire plaisir et lui en attribuer tout le mérite. Je suis la digne petite-fille de bonne-maman.

Mais Robby ne se donna même pas la peine de sourire.

— Allons-nous-en ! dit Robby. Nous avons besoin de vacances.

— Cela tombe mal pour moi. J'ai des articles à écrire et on vient de m'offrir mon premier mariage. Je dois m'occuper de tout, le repas, les fleurs, la décoration et la musique.

— Refuse.

— Impossible, j'ai déjà accepté.

— Eh bien, dis-leur que tu as trop de travail, dis n'importe quoi. De toute façon, tu travailles trop, nous n'avons plus une minute à nous.

Mais ce n'était pas la vraie raison, celle pour laquelle il voulait partir. *Il cherche à me détourner de mon travail. Mon affaire grandit trop vite pour lui, il essaie de me ralentir.* Et cela, c'était nouveau.

— Allons, reprit-il. Laisse un autre s'occuper de cette réception pour une petite chipie d'enfant gâtée. Dieu sait qu'il y en aura toujours qui voudront se marier.

— M'introduire sur le marché des mariages sera pour moi un grand pas en avant – pas seulement pour moi, pour n'importe quel traiteur. Et c'est ma première occasion de prouver ce que je sais faire.

— OK… moi, de toute façon, je m'en vais. Je ne suis pas retourné dans l'Ohio depuis plus de six mois et toi plus encore.

— Je sais.

— Ma mère est toute seule. Elle n'a personne d'autre.

— Oui, Robby, je sais.

L'ironie du sort avait voulu que le père de Robby meure quelques mois après leur installation à New York. Du jour au lendemain, semblait-il, Robby avait changé d'avis sur sa ville natale. Il adorait désormais aller à Blair Falls et paraissait oublier de l'avoir traitée de « trou perdu ».

— Je vois tout le temps tes parents, moi ! dit-il rageusement.

— Oui, et je t'en suis reconnaissante.

— J'estime que ma mère mérite quelques égards, elle aussi.

— Écoute, Robby… J'ai tant travaillé, j'ai besoin de récolter les fruits de mon travail. Pourquoi n'y vas-tu pas sans moi ? reprit-elle en désespoir de cause. Dis-lui que nous viendrons tous ensemble cet été, c'est ma basse saison.

— Si j'y vais, je veux emmener Katie. Elle est à la veille de ses vacances de printemps et ma mère demande à la voir.

— Bien sûr. Emmène-la.

Si la date de ses vacances convenait à Robby, son employeur n'était pas du tout du même avis.

— Robby disparaît quinze jours ! fulmina Steven au téléphone. Juste au moment où les enfants sont en vacances et où leurs parents cherchent un moyen de les occuper, comme une visite au musée !

Quoi qu'il arrive, une bonne épouse doit défendre son mari.

— C'est le seul moment où Katie peut aller voir sa grand-mère.

— Robby ne s'est même pas donné la peine de demander un congé ! Il a déclaré qu'il partait et il est parti ! Les désinvoltures de ce genre sont difficiles à faire avaler à des administrateurs, encore plus à Leland, qui se demande depuis un bon bout de temps pourquoi il paie Robby ! Dis-lui qu'il serait grand temps de se reprendre en main, je n'aurai plus beaucoup d'occasions de sauver sa tête.

Dès son retour, Laura lui répéta cette conversation, mais Robby ne trouva rien de mieux à répondre que :

— Ce voyage en valait la peine, Laura. Si tu avais vu le sourire de ma mère ! Elle était si heureuse de voir Katie. Notre visite lui a fait énormément de bien.

La version de Katie fut quelque peu différente :

— Grand-maman Mac... Je déteste ce nom, maman.

— C'est comme cela qu'elle t'a demandé de l'appeler. Alors ?

— Elle a pleuré, pleuré, pleuré quand papa et moi sommes partis. Elle disait que papa lui manque comme si on lui avait coupé le bras droit.

— Ça devait être dur à entendre pour ton papa.

— Oui, très. Il l'aime beaucoup. Mais, maman...

— Oui ?

— Il faut que je te dise quelque chose de... pas bien. Sur moi...

— Sur toi ? Ce n'est sûrement pas si grave.

— Si, très. Quelquefois, eh bien... Je n'aime pas grand-maman Mac. Je suis censée aimer mes aînés, je sais, j'essaie, mais... elle est tout le temps en train de se plaindre à papa, de lui faire des reproches qui lui font de la peine... Et elle dit aussi que tu es égoïste.

Laura fut trop stupéfaite pour se fâcher.

— Égoïste, moi ? Pourquoi ?

— Parce que tu as voulu revenir à New York pour être près de ta famille et qu'elle ne voit plus jamais papa et moi.

Cette fois, la surprise s'effaça devant la colère.

— C'est ton père qui a voulu venir ici ! Et sans attendre !

— Mais grand-maman Mac dit que…

— Je ne veux pas entendre ce que dit grand-maman Mac !

— Tu ne l'aimes pas, toi non plus, n'est-ce pas ?

Laura prit une profonde inspiration. Si elle avait eu tort d'éclater, cela lui avait fait du bien. Mais mieux valait ne pas aggraver les choses.

— Ta grand-mère MacAllister et moi sommes des femmes très différentes. Il nous est difficile de nous aimer, mais nous devons nous y efforcer. Et la plupart du temps, nous y arrivons à peu près.

— Tu ne l'aimes quand même pas.

Pour Katie, à l'évidence, la cause était entendue, et Laura préféra ne pas insister. Ce soir-là, pourtant, quand elle alla la border dans son lit, le voyage dans l'Ohio trottait encore dans la tête de sa fille.

— J'aime bien l'oncle Donald.

— Il est très sympathique.

— Il se fait beaucoup de souci parce que personne ne pourra prendre sa suite pour diriger le magasin quand il s'en ira.

— Quand t'a-t-il dit cela ?

— Je l'ai entendu qui parlait à papa. Ils ne savaient pas que j'écoutais, dit Katie en bâillant. Je suis bien contente que nous ne vivions pas à Blair Falls. Je suis très bien ici.

— Moi aussi.

— Si papa est triste de se sentir seul parce qu'il vit ici avec ta famille au lieu de la sienne, comme dit grand-maman Mac, nous nous occuperons bien de lui, n'est-ce pas, maman ?

— Oui, ma chérie, répondit Laura en essayant de sourire.

— Comment as-tu pu laisser ta mère dire de moi des choses pareilles ? voulut savoir Laura quand elle fut seule avec Robby.

— Ne l'accable pas, Laura. Elle ne rajeunit pas et elle voudrait mieux connaître sa petite-fille.

— C'est en disant des horreurs sur moi qu'elle croit y parvenir ?

— Elle se sent très seule, voilà tout. Elle voudrait seulement que je revienne près d'elle avec ma famille.

— Tu n'as jamais voulu retourner là-bas ! Tu n'avais qu'une hâte, t'en évader.

— Je sais. Mais je ne pouvais pas le lui dire, si ?

— Elle a osé dire à ma fille que je suis une égoïste !

— Parce qu'elle est jalouse. Elle voudrait que Katie connaisse aussi la famille de mon côté.

— Depuis quand avons-nous chacun notre « côté » ?

— Tu sais ce que je veux dire. Katie est beaucoup plus proche de ta famille que de la mienne, et ma mère en est ulcérée. Je sais que ce n'est pas ta faute, je ne te reproche rien. Mais ne me reproche pas non plus ce que dit ma mère. Laisse tomber, veux-tu ?

Elle avait le choix : « laisser tomber », comme il disait, ou lui montrer à quel point elle était blessée et furieuse. Elle pourrait crier, faire une scène. Dans les films et les romans, une bonne querelle dans un couple chasse les nuages et ils s'aiment encore plus après. Ses parents en avaient eu, bien sûr. Sauf que… ses parents étaient des passionnés qui, peut-être, sentaient plus ou moins consciemment qu'ils pouvaient se permettre de prendre le risque de se battre. Robby et elle devaient rester en paix, ils ne pouvaient pas prendre ce risque.

Laura laissa donc tomber et alla se coucher.

16

— Je déjeune en ville avec une journaliste, celle qui a écrit l'article sur moi dans le magazine *Woman's Life*, dit Laura. Elle veut discuter avec moi d'un projet.

L'article avait paru un mois plus tôt, mais Robby avait « oublié » de le lire…

— Quel genre de projet ? demanda-t-il.

— Je n'en ai aucune idée, Lillian – elle s'appelle Lillian Anderson – est très mystérieuse à ce sujet. Nous devons déjeuner tard, je ne serai donc pas rentrée avant six heures. Je laisserai un poulet rôti dans le four pour Katie et toi, il sera prêt pour le dîner.

— Je veux écrire une série Laura MacAllister, annonça Lillian à travers un nuage de fumée.

Elle tenait un long fume-cigarette, noir comme les montures de ses lunettes XXL et le bandeau qui retenait ses cheveux blonds. Elle s'exprimait aussi sur un ton parfois déclamatoire.

— Vous voulez écrire un livre sur moi ? demanda Laura.

— Je veux en écrire un *avec* vous – il y en aura beaucoup ! Ce que je cherche *essentiellement*, c'est à développer votre rubrique de conseils pratiques, mais pour un lectorat haut de gamme. Ces livres seront *reliés*, pas brochés, avec toutes sortes d'enjolivures y compris des *tonnes* de superbes photos illustrant vos explications sur la manière de préparer des sandwiches aussi bien que de rejointoyer un carrelage de salle de bains ou de faire n'importe quoi d'autre. Je collaborerai avec vous sur les textes.

— Mais je ne suis pas experte dans ce genre de choses ! J'écris mes articles pour quelques centaines de lectrices qui savent que je ne suis pas une professionnelle. Je ne fais que leur suggérer des trucs qui marchent bien pour moi ou me rendent service.

— C'est *exactement* cela, ma chère ! Vous êtes Mme Tout-le-Monde ! Vous n'avez jamais suivi les cours d'un institut culinaire, et pourtant vous savez organiser une réception de mariage, y compris la décoration des tables et du gâteau ! Vous n'êtes pas jardinière ni décoratrice de profession, mais vous le faites aussi bien que les spécialistes ! Et vous êtes capable de l'expliquer avec assez de simplicité pour que d'autres femmes puissent le faire elles aussi, déclara Lillian en éteignant sa cigarette d'un geste théâtral. Selon l'angle sous lequel je le vois, Laura, ce livre démontrera un véritable *style* de vie ! Un style chargé d'un charme que l'évolution de la société menace de faire disparaître. Les gens qui veulent quelque chose aujourd'hui doivent payer un spécialiste et, pour la plupart, ils n'en ont pas les moyens. Mais vous, vous leur offrez la possibilité de le recréer en partie pour en profiter eux-mêmes.

La maison de sa grand-mère revint à la mémoire de Laura.

— Une maison pleine de générosité, d'attentions aux détails, dit-elle comme pour elle-même. C'est ce dont nous nous souvenons tous…

— Une maison comme celles que tenaient nos mères ? C'est ce que vous voulez dire ?

— Nos mères et nos grand-mères. Elles montraient qu'elles nous aimaient par les repas qu'elles préparaient, la décoration des chambres, les potagers qu'elles cultivaient.

— Jardinage et générosité… Je n'y avais jamais pensé !

— Moi non plus jusqu'à cette minute.

— Alors, ai-je l'impression que vous voulez bien travailler avec moi sur ce projet ?

— Oui, sans aucun doute.

— Dieu merci ! Parce que j'en ai déjà vendu l'idée à Crescent Publishing.

— Crescent Publishing ? Ils ont édité un livre du professeur de mon mari à l'université.

— C'est une maison sérieuse et réputée, qui cherche maintenant à s'introduire sur un marché plus large, à prendre position dans un créneau moins... intellectuel. Vous les intéressez au plus haut point.

— Le premier livre sera intitulé *Les Mariages de Laura*, annonça-t-elle à Philip. J'apprendrai à mes lectrices – *mes* lectrices ! N'est-ce pas impressionnant à dire ?

— Très impressionnant. Continue.

— Je leur apprendrai tout ce qu'elles doivent savoir pour organiser chez elles un mariage dans l'intimité. Je leur montrerai comment réaliser elles-mêmes les invitations, composer les bouquets de fleurs. Il y aura des chapitres sur les menus et les recettes. Je dessinerai même le patron du petit sac pour les grains de riz à jeter sur les jeunes mariés.

— Pourquoi commences-tu par un livre sur les mariages ?

— Parce que j'organise celui de Steven et de Christina. Elle a eu de la patience, mais il le lui a enfin proposé. Ils se marieront dans la deuxième semaine de juin, ce qui tombera à pic pour la sortie du livre. Toutes les photos des illustrations seront prises chez moi, parce que la cérémonie et la réception auront lieu dans la salle de bal. J'ai aménagé au sous-sol une cuisine toute neuve pour la partie traiteur de mon affaire, de sorte que...

— Pas si vite ! Veux-tu dire que tu as réussi à convaincre Steven de te laisser parler de son mariage dans ton livre ?

— Il ne s'agira en réalité que de moi et de ce que je fais.

— C'est quand même de Steven qu'il sera question. Il a mis une éternité à se décider à épouser Christina parce qu'il a horreur de tout le tralala des cérémonies.

— Oui, mais je lui ai promis que la publicité du lancement mentionnera qu'il travaille pour un organisme à but non lucratif qui a toujours besoin de donations. Alors, il a accepté.

— Tu es la reine de la manipulation.

— Je préfère le mot « persuasion ».

— Tu as pourtant soudoyé ton frère.

— Il le fallait bien, dit-elle en riant, j'avais besoin de son accord. D'après Lillian, la préparation d'un événement familial donnera au livre une touche personnelle beaucoup plus attrayante.

— Je comprends. Mais tu es quand même une manipulatrice.

Laura ne s'était jamais doutée de la quantité de détails entourant la préparation d'un livre. Elle avait l'impression que Lillian l'inondait tous les jours ou presque de notes et de mémos concernant aussi bien des intitulés de chapitres que l'orthographe correcte de certains termes techniques. Mais le vrai travail de réalisation de « l'opération Laura », comme tout le monde l'appelait maintenant, ne pouvait débuter qu'avec le choix d'un photographe.

— J'ai trouvé l'homme qu'il faut ! lui annonça Lillian. Il est *extraordinaire* ! Vous l'*adorerez* ! Ses photos de vous et du mariage seront *somptueuses* ! J'organiserai un déjeuner pour vous présenter.

— D'accord. J'attends votre appel.

Elle attendit quinze jours. Plus un mot de Lillian.

— Ce livre n'existe peut-être que dans mon imagination, dit-elle à Robby en plaisantant.

— Si c'était vrai, Crescent Publishing remonterait dans mon estime.

Il ne plaisantait pas, lui.

— Vraiment ? demanda-t-elle en s'efforçant de ne pas laisser paraître son agacement.

— Enfin, Laura ! Ils éditent des ouvrages scientifiques et éducatifs, pas des conseils pratiques à l'usage des bonnes ménagères. Mais je suppose que même des éditeurs sérieux comme Crescent sont prêts à faire n'importe quoi pour gagner du fric.

— Si j'en crois le ton que tu prends, j'espère que tu ne le penses pas sérieusement.

Il eut au moins la bonne grâce d'avoir honte.

— Excuse-moi. Je ne peux pas m'empêcher de me rappeler le temps où c'était moi qui voulais écrire des livres importants sur l'évolution des civilisations, l'histoire de l'humanité... Quel idiot j'étais !

— Tu as encore le temps de...

— De faire quoi ? Je suis à l'écart de mon vrai travail depuis si longtemps que je ne me rappelle même plus qui j'étais.

— Tu peux reprendre tes études. Ce serait plus facile maintenant, tu n'as plus autant de pression. Et puis, je gagne assez d'argent pour subvenir à nos besoins.

Pourquoi est-ce que je m'entête à essayer ? Parce que j'ai pitié de lui ? J'en ai assez d'avoir pitié de l'homme de ma vie...

— Oh, oui ! Bien sûr. Ce serait l'ultime humiliation, n'est-ce pas ? Tu nous entretiens déjà, ma chérie. Je n'aurais jamais eu les moyens, par exemple, d'acheter ta belle voiture.

— J'en ai besoin pour mon affaire. Quand je vais chez les clients...

— Précisément, dit-il sur le ton dont on parlerait à un enfant. Avec mon salaire de misère – et ne va surtout pas croire que j'oublie un instant que je le dois à la charité de ton frère –, je ne pourrai jamais jouer dans la même ligue que toi.

— Nous sommes un couple, Robby. Il n'y a pas de compétition entre nous.

C'était un mensonge, il le savait autant qu'elle. Robby se détourna.

— Tout ce que je voulais dire, c'est de ne pas t'étonner si les têtes pensantes de chez Crescent ont fini par avoir le denier mot. C'est sans doute pour cela que tu n'as plus de nouvelles de cette journaliste farfelue ou du photographe que tu n'as jamais vu. Les patrons ont dû décider que ce genre de livres n'était décidément pas digne de leur réputation, et ils en abandonnent l'idée, voilà tout.

Laura avait beau savoir qu'il se montrait sciemment désagréable, elle se sentit vexée. Elle essaya d'appeler Lillian Anderson, mais sa messagerie vocale répétait qu'elle n'était pas disponible pour le moment. Elle était sur le point d'appeler l'éditeur quand elle se ravisa. Inutile de leur montrer qu'elle était inquiète – ce qu'elle était réellement, mais mieux valait le garder pour elle. Elle avait d'ailleurs un autre sujet d'inquiétude plus important que son livre.

— « Démissionné » ? Qu'est-ce que tu veux dire ? Que tu as quitté ton job au musée ?

Deux jours après leur conversation sur Crescent Publishing, Robby était revenu à la maison au milieu de la journée.

— Oui ! Je n'en pouvais plus, d'accord ? J'en avais par-dessus la tête de subir les ordres de la poignée de vieux richards pontifiants que Leland Barker m'a collés sur le dos !

— Et tu as claqué la porte ?

— Parce qu'ils ont réussi à amasser de l'argent, ils se croient qualifiés pour me dire ce que je dois faire. Eh bien, non ! L'archéologue, c'est moi ! Je suis un professionnel, moi ! Pas eux !

Il croyait se justifier en vociférant, mais sa voix tremblait ; sous la colère, il avait peur. Et il était atteint dans sa fierté.

Je suis si lasse d'avoir tout le temps pitié de lui...

Et pourtant, elle ne pouvait pas s'en empêcher.

— Alors, que comptes-tu faire ? demanda-t-elle d'un ton radouci.

Son visage s'éclaira :

— J'ai une idée. En réalité, c'est toi qui me l'as donnée.

— Moi ? Laquelle ?

— Tu m'as dit que tu pourrais subvenir à nos besoins si je reprenais mes études, et ça, c'est hors de question. J'en ai fini avec la vie universitaire, elle est trop politisée, c'est un coupe-gorge. Mais je suis encore capable d'écrire ce livre dont je rêve depuis toujours.

— Tu veux te mettre à écrire ?

— Je ne suis pas toujours allé au bout de ce que je disais que je ferais, je sais. Je n'ai sans doute pas non plus fait tout ce qu'il fallait pour plaire à Leland Barker, mais je n'ai jamais voulu travailler dans ce musée, c'était l'idée de ton frère – et la tienne. Ce n'est plus pareil maintenant, Laura. Je parle de quelque chose que j'ai vraiment envie de faire. Je te demande six mois, c'est tout. Si au bout de ce délai je n'ai pas au moins une moitié de manuscrit que je puisse soumettre à un éditeur, je te jure que je prendrai le premier job que tu voudras.

Si elle refusait, il serait malheureux – et lui rendrait la vie impossible. Il traînerait à longueur de journée dans la maison avec une mine de chien battu pendant qu'elle s'escrimerait à faire marcher son affaire, à préparer le mariage de Steven et Christina et à continuer à travailler avec Lillian – si Lillian se donnait la peine de répondre à ses messages.

— OK, Robby, répondit-elle finalement. Prends tout le temps qu'il te faudra.

Robby se loua un petit bureau en ville. Il ne pouvait pas travailler à la maison parce que, disait-il, l'activité professionnelle de Laura causait trop de bruit et d'agitation. Tous les matins à huit heures, il était déjà parti. Quand il allait au musée, il attendait Katie pour l'emmener à l'école. Désormais, c'était à Laura de s'en charger.

Un matin, elle se réveilla avec une demi-heure de retard. Elle attrapa une vieille jupe de velours côtelé, enfila un sweat-shirt fatigué et, au lieu de mettre des bas comme elle le faisait toujours, glissa ses pieds dans des mocassins avant de dévaler l'escalier pour préparer le petit déjeuner de Katie et la conduire à l'école. Quand elle revint, elle alla directement à la cuisine. Normalement, lorsqu'elle travaillait chez elle, elle portait toujours un survêtement. Elle s'en était fait plusieurs de couleurs claires et gaies, coupés pour mettre en valeur ses longues jambes et sa taille fine, car elle aimait se sentir belle en travaillant.

Ayant pris du retard ce matin-là, elle ne se donna pas la peine de se changer et s'attela aussitôt à une pâte brisée pour un cocktail prévu quelques jours plus tard. Mais elle commençait à peine à rouler la pâte que Molly lui gratta le genou pour demander à sortir. La pauvre était si vieille qu'elle commençait à ne plus voir correctement, il lui arrivait même de se perdre et elle ne voulait plus sortir seule.

— Bon, d'accord, je sors avec toi, dit Laura en remettant la pâte au réfrigérateur.

Il faisait une de ces belles matinées de printemps qui vous font monter les larmes aux yeux. Quelques petits nuages blancs, légers comme du coton, parsemaient le ciel d'un turquoise profond et translucide. Le soleil avait déjà assez réchauffé la terre pour que des pousses vertes pointent à travers le tapis marron de feuilles mortes, derniers vestiges de l'hiver. Sous les vieux chênes bordant l'allée, violettes et muguet s'apprêtaient à éclore et, dans le jardin de Laura, crocus et jonquilles précoces montraient leurs premiers bourgeons.

Laura aida Molly à descendre les quelques marches de la véranda avant de la lâcher sur la pelouse. La vieille chienne huma l'air avec un grognement d'appréciation et partit tout à coup. La maison était très en retrait de la route, Molly se fatiguerait avant d'y parvenir, mais Laura se déchaussa d'un coup de pied et partit en courant derrière elle. L'herbe rase du gazon piquait ses pieds nus, ses cheveux volaient, sa jupe aussi. L'espace d'un instant, elle eut de nouveau seize ans, lorsque son unique souci consistait à choisir entre trois soupirants qui voulaient l'escorter au bal du printemps.

— Molly, tu es insupportable ! cria-t-elle en riant. Arrête !

Fatigue ou docilité, la chienne s'arrêta net et se coucha, haletante. Laura la rejoignit en deux enjambées, se laissa tomber dans l'herbe à côté d'elle et Molly roula sur le dos, visiblement ravie de sentir sous elle la terre tiède.

— Oh ! c'est bon, n'est-ce pas ? lui dit Laura. Si je le pouvais, je ferais bien comme toi.

— Moi aussi, fit une voix d'homme derrière elle.

Elle se retourna et distingua une silhouette masculine se découpant contre le soleil.

— Bonjour, reprit-il. Je suis Nicolas Sargent, votre photographe.

17

Il avait des cheveux bruns bouclés, dont quelques mèches folles lui tombaient sur le front. Ce fut la première chose que remarqua Laura. Ses yeux, aussi. Ils n'étaient pas foncés, comme on s'y attend chez quelqu'un qui a les cheveux noirs, mais d'un ton clair entre le bleu et le vert, soulignés de cils presque trop longs pour un homme. Il avait les traits trop accusés et la bouche trop grande pour être beau au sens classique du terme, mais le regard de ses yeux vert-bleu débordait d'intelligence. En blue-jean, tee-shirt et bottines, un blouson de cuir nonchalamment accroché à l'épaule, il s'habillait comme un jeune homme.

Une main en visière pour s'abriter du soleil, il la regardait fixement. Laura se demanda depuis combien de temps il l'observait ainsi. D'un geste machinal, elle rabattit sa jupe sur ses jambes nues. Il secoua légèrement la tête, comme s'il s'ébrouait.

— Lillian ne vous a pas dit que je venais ce matin ? demanda-t-il.

Sa voix était grave, légèrement voilée.

— Non.

— J'aurais dû m'en douter. Elle devait réécrire un de ses articles et, quand elle travaille, elle se coupe du monde extérieur. Vous n'arrivez pas à la joindre vous non plus, n'est-ce pas ?

— Non.

— Lillian a du talent, mais elle est parfois un peu... évaporée.

— Je vois.

Je suis une femme adulte, avec un mari, un enfant et une activité professionnelle. Me trouver muette comme cela est absurde !

— Je regrette de n'avoir pas été avertie de votre visite. Je ne suis pas précisément habillée comme il faut pour un rendez-vous d'affaires... Je veux dire, quand je dois rencontrer quelqu'un pour parler de travail...

Espèce d'idiote.

— J'espérais vous voir en survêtement, c'est vrai. Comme celui que Lillian m'a dit que vous mettez quand vous poncez les parquets pendant que vous faites cuire du pain. Elle m'a dit aussi que vous aviez le pouvoir de séparer les eaux de la mer, comme Moïse.

— Non, je me contente de marcher dessus.

Et voilà qu'elle se mettait à flirter comme une collégienne ! Comme si ce n'était pas déjà assez affligeant d'être assise par terre, affublée de vieilles nippes, les cheveux au vent et les pieds nus ! Pourtant, il souriait et ses yeux vert-bleu pétillaient. Il prenait visiblement plaisir à être là, à la regarder. Il y avait si longtemps qu'un homme ne l'avait pas...

Non, arrête !

— Lillian brode beaucoup trop sur ce que je fais, reprit-elle.

Il cessa de sourire, redevint sérieux.

— Laissez-moi en juger par moi-même.

Quand il avait l'air sérieux, ses yeux bleu-vert – ou vert-bleu ? – lançaient des ondes à vous secouer jusqu'à la moelle... Elle se leva.

— Il faut que je rentre Molly.

Elle prit la chienne par son collier et remonta la pente avec Nicolas, en marquant une brève pause pour remettre ses mocassins. Quand ils arrivèrent à la maison, il lui ouvrit la porte de la cuisine et Laura entra avant lui, en prenant bien soin – réflexe ridicule ! – de ne pas l'effleurer.

Laura lui prépara du thé, boisson typique des vieilles dames, et emporta le plateau dans le coin bureau du salon. Le servir à la cuisine aurait été trop cavalier.

— Combien de temps allons-nous travailler ensemble ? demanda-t-elle en reprenant son ton de femme d'affaires.

— Cela dépend de vous. Selon Lillian, je dois documenter chaque phase de votre travail sur le mariage, des premiers préparatifs à la fin de la réception.

— Il y a toujours des détails de dernière minute à régler, jusqu'au jour du mariage.

— Dans ce cas, j'entrerai dans votre vie pour trois mois.

Trois mois... Pendant trois mois, il allait venir chez elle et « entrer dans sa vie », comme il disait. Trois mois...

Après cette première rencontre, Laura ne revit pas Nicolas pendant plusieurs jours. Il avait des reportages à terminer, et elle d'autres travaux à finir avant de se consacrer au mariage de Steven et Christina. Quand il revint, ils étaient convenus de commencer par des photos de la salle de bal et de la terrasse encore vides. Les cocktails devant être servis sur la terrasse et le dîner dans la salle, Nick, comme il lui avait demandé de l'appeler, devait ensuite photographier ces lieux à mesure que Laura les décorerait, disposerait les tables et les chaises, dresserait les buffets et les bars. Lillian, enfin sortie de sa retraite et qui recommençait à travailler avec Laura, avait planifié et expliqué le déroulement de l'opération.

Bien qu'elle ne doive pas apparaître sur les photos que Nick allait prendre le premier jour, Laura s'était coiffée de manière à laisser ses cheveux cascader dans son dos et avait mis le plus joli de ses survêtements-combinaisons-salopettes, du ton rose soutenu qu'elle préférait.

Nick arriva en voiture suivi de deux assistants – un garçon et une fille – dans une camionnette bourrée de matériel. Laura n'avait pas pensé qu'il ne viendrait pas seul. Elle aurait pourtant dû s'en douter, pensa-t-elle avec un peu de dépit.

Ils entreprirent de décharger de grandes boîtes, en bois et en métal, contenant un assortiment d'appareils photo, de trépieds, de projecteurs, de câbles, de filtres, de boîtes à outils, d'écrans réfléchissants et de parapluies utilisés, expliqua Nick devant la mine perplexe de Laura, pour réaliser des effets d'ombre et de profondeur. Ces paroles, aussi mystérieuses pour elle que les objets eux-mêmes, furent les seules qu'il lui adressa de la matinée. Il se mit aussitôt au travail et s'y absorba complètement.

Il prit bientôt possession de la salle de bal, montant sur des échelles, répartissant spots et projecteurs, déterminant des angles de prise de vue selon une vision qu'il était seul à concevoir. Ses assistants – qui s'étaient finalement présentés, Diana et Jeff – le suivaient pas à pas en exécutant ses instructions avec promptitude et habileté. Ils semblaient savoir ce qu'il voulait avant même qu'il le leur demande. Diana, surtout, paraissait lire dans les pensées de Nick. Laura l'observait en se demandant si elle était pour lui plus qu'une simple assistante. Sans être jolie, son sourire l'embellissait et Nick comptait visiblement sur elle plus que sur Jeff. Finissant par se dire que tout cela ne la regardait pas, Laura se retira dans son coin bureau. Elle avait, après tout, son propre travail à effectuer.

Lillian lui avait demandé une description de la décoration qu'elle prévoyait pour la salle de bal. Laura avait donc esquissé des croquis d'arrangements floraux qu'elle comptait disposer autour de la pièce. Pour elle, les fleurs constituaient le point de départ de la décoration d'un local où un mariage devait prendre place. Quand on savait quelles étaient les fleurs préférées de la mariée, le choix du thème général, des coloris et même de la musique et du menu devenait facile. Christina raffolant des marguerites, cette préférence avait suggéré à Laura d'orner les paniers de nœuds d'organdi jaunes et de composer un menu printanier.

Elle entreprit de dessiner des croquis plus précis, mais elle avait du mal à se concentrer en entendant les voix et les rires provenant de la salle de bal. À la fin de la matinée, elle n'avait réussi à terminer que deux dessins quand une ombre sur son bureau occulta la lumière.

— Venez donc déjeuner avec moi, fit une voix qu'elle reconnaissait déjà entre mille. Au fait, votre tenue mérite amplement sa réputation. Sa couleur sera superbe quand nous vous photographierons.

Le regard des yeux vert-bleu trahissait de l'admiration.

Elle offrit de leur préparer des sandwiches au lieu de sortir, ce que Nick accepta aussitôt. Jeff et Diana étaient déjà partis manger un hamburger quelque part à proximité. Laura était donc seule avec lui dans la maison, et si elle avait eu tort de le proposer, il était trop tard pour se dédire. D'ailleurs, quel mal y avait-il à offrir un simple croque-monsieur à un visiteur ? Le fait qu'elle choisisse son meilleur gruyère suisse et son plus fin jambon de Mayence n'avait rien non plus de particulièrement significatif, elle ne se servait jamais que du meilleur dans ses préparations. De toute façon, Jeff et Diana seraient de retour dans moins d'une heure. Ses mains n'avaient donc aucune raison de trembler en déposant les deux sandwiches dans la poêle beurrée. Pourtant, elles tremblaient. Laura espéra qu'il ne l'avait pas remarqué.

— Diana et Jeff ont l'air très compétents, dit-elle pour meubler le silence. Ils travaillent avec vous depuis longtemps ?

— Jeff sort tout droit de l'école de photographie, il est en stage chez moi pour encore six mois. Gentil garçon, mais je ne suis pas sûr qu'il ait l'œil qu'il faut dans notre métier. Diana travaille avec moi depuis dix ans, je ne sais pas ce que je ferais sans elle.

Laura ne voulait pas en savoir plus – elle n'aurait même pas dû en avoir l'envie, même fugitive. Pourtant, elle ne put pas s'en empêcher :

— Dix ans ? C'est long, s'entendit-elle dire d'un ton pointu.

— Oui. Ce sera dur pour moi quand elle me quittera.

— Ah bon ? Elle doit vous quitter bientôt ?

Voyons, je meuble simplement la conversation, c'est tout. Une conversation courtoise, banale, insignifiante...

— Sans doute à la fin des prises de vue pour ce livre. Sa petite amie et elle veulent aller s'installer à San Francisco.

— Ah ?...

Diana avait une petite amie. Ce n'était pas du tout ce à quoi Laura s'attendait et elle se sentit tout à coup vieux jeu et collet monté. Elle vivait dans un monde jeune, sophistiqué, où nul ne s'étonnait plus que les filles aient des amies ou les garçons des amis. Elle avait beau ne pas avoir de préjugés dans ce domaine, elle s'en étonnait chaque fois. Les gens que connaissait Nick devaient être au courant des dernières tendances, eux. Ils sortaient dans les bars et les endroits branchés, les femmes se coiffaient et s'habillaient à la dernière mode. Elle, elle portait une salopette rose et passait ses journées à fabriquer des nœuds en organdi pour décorer des paniers de marguerites. Son cas était désespéré. Malgré tout, Diana n'était pas la petite amie de Nick. Elle n'avait donc aucune raison d'en éprouver du soulagement...

Une odeur de brûlé lui chatouilla soudain les narines.

— Oh, non !... gémit-elle en voyant les croque-monsieur calcinés collés au fond de la poêle. C'est invraisemblable ! Le premier imbécile venu sait en faire...

Elle jeta la poêle dans l'évier, ouvrit le congélateur.

— Qu'est-ce que vous faites ? demanda Nick.

— Je cherche quelque chose à décongeler rapidement. Je n'ai plus de gruyère, je ne peux pas refaire de croque-monsieur. Je ne vais quand même pas vous offrir des tartines de confiture au beurre de cacahuètes !

— S'agit-il de cacahuètes moulues par vous-même selon une recette secrète et de confiture de fruits de votre propre jardin ?

— Non, les deux sortent de pots achetés au supermarché. Ma fille amène quelquefois des amies, elles n'aiment pas les choses compliquées.

— Moi non plus. Je parie, dit-il en riant, que je suis la seule personne pour laquelle vous aurez fait des tartines de cacahuètes à la confiture.

— La seule personne de plus de douze ans, oui, répondit-elle en riant à son tour.

Ils accompagnèrent les tartines d'un verre de lait suivi, comme dessert, de fondants au chocolat avec un glaçage au coulis de framboise qui restaient d'un goûter d'anniversaire.

— Ce qui vous arrive, dit Nick une fois terminé leur pique-nique improvisé, ce livre à écrire avec Lillian, l'attention qu'on vous porte, tout cela vous trouble, n'est-ce pas ? Je veux dire, cela vous plaît, bien sûr, mais la situation est si soudaine que ne savez pas trop comment la gérer.

— Je, euh… Ça se voit tant que cela ?

— Vous réussissez très bien à le cacher, mais je me crois un assez bon observateur.

— C'est que… je n'ai jamais eu de réel talent pour rien, la musique, la peinture, les arts en général. Je ne suis même pas très intelligente, pas autant en tout cas que mes frères et mes parents…

Ou mon mari, aurait-elle pu ajouter. Mais elle n'avait pas envie de parler de Robby.

— Ma mère a un doctorat, reprit-elle, mon père est un brillant médecin. Mon frère Steven, celui qui va se marier, est un avocat qui sillonne tout le pays pour sauver les gens dans des situations dramatiques. Jimmy est médecin lui aussi et Philip un génie de la finance. Et puis, il y a moi…

— La belle de la famille.

— Non, l'heureuse. C'est mon rôle. Toujours contente, toujours censée dominer la situation. Quoi qu'il arrive.

Qu'est-ce qu'elle racontait ? Elle n'allait quand même pas lui faire croire qu'elle s'apitoyait sur son sort ! Il ne comprendrait pas.

Apparemment, il comprenait.

— Un rôle difficile.

— Parfois, oui…

Jamais elle ne s'était autant confiée à quelqu'un. Pas parce qu'elle se sentait détendue avec lui, elle ne l'était pas le moins du monde et son pouls aurait présenté un rythme inquiétant si on l'avait tâté. Plutôt parce qu'elle voulait – non, parce qu'elle avait *besoin* qu'il la connaisse, qu'il la comprenne. Parce que dans vingt minutes ses assistants allaient revenir et que, dans trois mois, il se serait retiré de sa vie pour toujours.

— Tout cela parce que je ressemble à ma grand-mère, commença-t-elle avant de lui expliquer qu'elle tenait véritablement son caractère et sa personnalité de sa bonne-maman qui avait su rendre la vie belle et agréable à son mari et ses enfants.

Tout en parlant, elle était allée à l'évier laver la poêle brûlée. Sans l'interrompre, il s'était levé et l'avait essuyée. Ils prenaient l'un et l'autre soin – du moins, *elle* prenait soin – de ne pas effleurer ses mains.

— Et maintenant, conclut-elle, je fais la même chose qu'elle. Sauf qu'elle le faisait pour sa famille et moi pour mon affaire.

— Une affaire florissante, commenta-t-il.

Une fois encore, elle vit dans ses yeux une lueur admirative. C'était merveilleux. Exaltant ! Et tout à coup, elle eut honte d'elle-même. Pourquoi s'emballait-elle à ce point de faire bonne impression à un inconnu ? Qu'est-ce que Robby lui avait dit ? Qu'elle travaillait pour que des gens riches donnent de belles réceptions...

— Ce que je fais ne contribue pas spécialement à résoudre le problème de la paix dans le monde, dit-elle.

— Un pareil lieu commun m'étonne de vous.

— C'est tout moi. L'image même de l'insignifiance.

Ils rirent tous deux de sa boutade, mais Nick redevint sérieux.

— Dans ma famille, c'est moi l'image de l'insignifiance...

L'air rêveur, il regardait dans le vague. Elle comprit qu'il allait lui parler de lui-même car il avait besoin qu'elle le connaisse autant qu'elle avait besoin qu'il la connaisse.

— Mon père est mort, reprit-il, mais de son vivant il était professeur de littérature classique à Harvard, parmi d'autres endroits prestigieux. Ma mère était cantatrice, avec une carrière prometteuse jusqu'à son mariage et à ma naissance et celle de mon jeune frère, Sam. Lui, il fait des trucs mathématiques d'un ésotérisme auquel je ne comprendrai jamais rien. Il a enseigné à Harvard, lui aussi.

Ce qu'il cherche à me dire, c'est que nous sommes de la même espèce, lui et moi. Malgré le monde brillant dans lequel il évolue, nous sommes pareils...

— Vous pouvez sûrement imaginer que mes parents n'étaient pas enchantés quand leur fils aîné, celui qui porte le prénom de son père, a laissé tomber ses études pour apprendre la photographie, métier honteusement commercial. C'est cela qui les choquait. Si j'avais voulu être photographe d'art, si j'avais sillonné le pays pour prendre des photos invendables mais porteuses d'un « message », si j'avais eu des expositions dans des petites galeries si confidentielles que personne n'y met jamais les pieds, ils n'y auraient pas vu d'inconvénient. Pour eux, mourir de faim dans un galetas aurait été noble. Mais j'ai eu mon premier job dans une agence de publicité. Je photographiais des paquets de café et des boîtes de soupe.

J'ai toujours eu envie de gagner de l'argent, voyez-vous, dit-il avec un sourire un peu désabusé. Et j'en ai gagné. Ce qui me fait vraiment plaisir, c'est de chercher et de réussir un bon éclairage, de faire en sorte qu'une tasse de café ait vraiment l'air de fumer quand l'image est imprimée sur une page de magazine. Et j'adore ce que je fais.

Je sais, je vous ai observé aujourd'hui. Je vous ai vu travailler plus que Jeff et Diana, j'ai compris que vous aimez ce que vous faites. Je sais au moins cela de vous.

— Maintenant, des gens comme Lillian me demandent de travailler pour eux, avec eux. En fait, ils se battent même pour m'avoir. Je suis très demandé, ajouta-t-il en rougissant, gêné de paraître se vanter. Mon père dirait que je perds mon temps.

Oubliant sa réserve, elle lui prit la main.

— Non, vous ne perdez pas votre temps...

Il avait la main chaude, les doigts longs et musclés. Laura retira la sienne, il cligna des yeux.

— Moi aussi, j'aime ce que je fais, acheva-t-elle.

— Je sais.

Ils se dévisagèrent un long moment sans mot dire. Il venait d'un monde dont elle ignorait tout. Et elle était mariée...

— Bon, il faut que je me remette au travail, dit-elle. Ma fille va rentrer dans moins de deux heures.

Parler de Katie rompit le charme – comme elle l'espérait. Pourtant, elle le regrettait déjà.

— Et moi, il faut que je finisse de régler les éclairages, déclara-t-il en quittant la cuisine.

Le lendemain, ils ne déjeunèrent pas ensemble. Et les jours suivants, Nick sortit déjeuner avec Jeff et Diana.

Pour bref qu'il ait été, ce moment d'intimité dans la cuisine ne fut toutefois pas sans conséquences pour Laura. À partir de ce jour-là, il lui fut de plus en plus difficile de ne pas critiquer Robby, qui se plaignait continuellement de tout. Parfois, quand elle l'écoutait – ce qui n'était pas souvent le cas –, elle revoyait Nick en train de rire de ce qu'elle avait dit et s'empressait d'en chasser l'image. Elle ne pouvait pas, elle ne *devait* pas comparer les deux hommes. Si elle avait partagé une tartine de confiture avec un homme qui lui souriait et riait de ses plaisanteries, Robby n'y était pour rien. Ce n'était pas lui qui avait changé, mais elle.

Alors, quand elle s'endormait, elle s'interdisait de penser au regard de certains yeux vert-bleu et ainsi elle rêvait à ceux de sa mère, de grands yeux noirs chargés de reproches. Et puis, au moment de sombrer dans le sommeil, ces yeux-là se confondaient avec ceux du portrait qu'elle avait vu avec Katie dans la boutique de Madison Avenue.

18

Katie devant être demoiselle d'honneur au mariage de Steven, Theo et Iris vinrent chez Laura admirer la robe de leur petite-fille, qui voulait la leur montrer elle-même. Ils déjeunèrent à la cuisine en attendant que Katie ait fini de se préparer et sorte de sa chambre.

— Que pense ce pauvre Robby de tous ces gens qui photographient partout chez lui ? demanda Iris. Ils sont ici depuis une éternité !

Laura leva les yeux vers sa mère et se revit assise à la même place en face de Nick.

— Ils ne sont restés que trois mois, répondit-elle. Le photographe a terminé ses prises de vue pour le moment, il ne reviendra que le jour de la cérémonie, c'est tout.

Et moi, je ne reverrai plus Nick...

— Je dois dire que je n'en suis pas fâchée. Il est très désagréable d'être envahi comme cela. Tu devrais peut-être y réfléchir à deux fois avant de proposer ta maison pour des réceptions.

— C'est quand même bien pour cela que Laura et Robby ont acheté la maison, fit observer Theo. Je croyais qu'il avait toujours été convenu que Laura s'en servirait pour son affaire.

— C'est vrai, maman, nous avons toujours été d'accord pour vivre sur notre lieu de travail, confirma Laura.

Par la porte ouverte, Iris regardait la salle à manger d'un air désapprobateur. Laura savait qu'elle n'était pas du goût de sa mère qui n'aimait que les meubles modernes aux lignes épurées. C'était Anna qui avait une belle maison avec des meubles de style victorien.

— Vous l'aviez peut-être envisagé, dit Iris, mais tout le monde peut changer d'avis. Vivre là où on travaille ne doit pas être aussi facile pour Robby qu'il l'avait cru au début.

— Si c'est ce que pense Robby, il le dira lui-même à Laura, déclara Theo. Un homme n'a pas besoin de sa belle-mère pour plaider sa cause auprès de sa femme.

D'après son ton agacé, Laura comprit qu'il avait entendu Robby se plaindre à Iris. *Pourquoi n'irait-il pas se lamenter sur l'épaule de sa belle-mère ? Il en fait autant tous les soirs en téléphonant à sa mère*, se dit-elle.

— Me voilà ! annonça une petite voix derrière eux.

Et Katie fit son entrée.

Theo regarda sa petite-fille qui s'avançait vers eux. Fillette sur le point de devenir une jeune fille, encore un peu gauche, elle arborait fièrement sa première belle robe de fête. Devant la photo d'Iris au même âge, tout le monde se récriait sur leur ressemblance. Pourtant, quelle différence entre elles ! Même aussi jeune, Iris avait toujours peur de ne pas être jolie, crainte qui, à l'évidence, ne troublait pas Katie le moins du monde. La tête droite, les yeux brillants, elle s'efforçait de montrer l'aplomb d'un mannequin sur le podium.

— Katie, tu es belle comme une image ! s'exclama Iris.

Et c'était vrai, elle paraissait sortir d'un livre de contes de fées. Sa robe ne comportait ni ruchés ni dentelles ni autres fanfreluches pouvant alourdir sa silhouette gracile. Coupée dans deux étoffes, l'une soyeuse et lisse sous l'autre, vaporeuse, la longue jupe tombant jusqu'à ses pieds donnait à Katie cette allure irréelle et féerique. Sa flatteuse couleur d'or pâle accentuait la personnalité unique de Katie. Theo admira l'habileté de Laura qui avait su choisir un modèle capable de mettre sa fille en valeur. Cela dit, Laura faisait toujours tout à merveille…

Theo la regarda en fronçant les sourcils, soucieux. Ces temps-ci, Laura n'était pas heureuse. Elle feignait d'être toujours aussi épanouie et de bonne humeur, bien sûr, mais il sentait que ce n'était qu'une façade et il était presque certain de savoir pourquoi. Quelque chose avait changé en elle, parce qu'elle prenait conscience de ne plus aimer son mari et que, trop femme de devoir pour le quitter, elle se trouvait prise dans un piège dont elle ne savait pas comment sortir. Au cours de sa carrière, il avait connu nombre de femmes dans le même cas. Il en avait même consolé plusieurs d'une manière qu'un homme marié aurait dû s'interdire, mais en déplorant qu'elles soient victimes d'une si triste situation. Surtout si le mari était un égocentrique toujours à se plaindre de tout et s'apitoyer sur son propre sort, comme l'était devenu son gendre.

Iris, elle, voyait toujours Robby MacAllister comme le brillant jeune homme à l'avenir plein de promesses qui avait épousé Laura. Certains, hélas, ne tiennent pas leurs promesses, c'est triste mais c'est un fait. D'autres, comme Laura, dépassent les espérances qu'on plaçait en eux, c'est aussi un fait et Robby était jaloux de sa réussite. Theo avait vu à quel point sa fille s'efforçait de lui remonter le moral en dépréciant ses propres réussites. Fallait-il vraiment qu'elle en arrive là pour sauver le fragile amour-propre de son mari ? N'aurait-elle pas dû plutôt être fière d'elle-même et le dire sans vanité mal placée ?

Mais leur mariage, leur couple ? crut-il entendre s'exclamer Iris. Comment tiendra-t-il si Laura continue à réussir mieux que Robby ? Quand Theo avait l'âge de Robby, il ne l'aurait pas supporté, c'est vrai. Mais les temps avaient changé. Et Laura était sa fille, bon sang !

Son cœur mutilé palpita désagréablement pour lui rappeler qu'il ne devait pas s'énerver. Ma foi, il ne pouvait pas s'en empêcher – pas plus que s'offrir de temps en temps une pâtisserie prohibée ou une pincée de sel sur un plat insipide. Un homme a droit à quelques petits plaisirs, même si ses proches veulent le protéger en les lui interdisant !

Il devait cependant s'avouer qu'il était épuisé. Ces coups de fatigue survenaient de plus en plus souvent, depuis peu. Il n'avait plus beaucoup de temps devant lui, il le savait sans pouvoir en parler à Iris, qui semblait déterminée à le conserver éternellement. Le médecin qu'il était ne pouvait cependant pas s'illusionner. Depuis son infarctus, il avait eu deux alertes bénignes et une autre plus sérieuse quelques semaines plus tôt. Iris et lui avaient été d'accord pour ne pas en parler à leurs enfants, il était inutile de les effrayer à la veille d'un heureux moment. Il n'empêche, une journée comme celle d'aujourd'hui le fatiguait à un point tel que ce n'était pas bon signe.

Theo ne savait pas trop ce que cela devait lui inspirer. Il ne voulait pas mourir, bien entendu, personne ne le souhaitait. Mais il avait déjà trompé deux fois la mort, une fois en survivant à son infarctus et la première, il y avait bien longtemps, en échappant – seul de toute sa famille – à la tuerie de l'Holocauste qui avait ensanglanté l'Europe pendant près de deux décennies. Il n'aurait pas droit à une troisième chance.

Il avait ensuite eu la chance de pouvoir fonder une deuxième famille, une belle et forte famille d'Américains jouissant dès la naissance du droit d'être aussi heureux que leur nature le leur permettait. Un droit accordé à tous, semblait-il, sauf à Laura. Anna disait toujours qu'elle était la seule de la famille pour laquelle il était inutile de s'inquiéter, mais Anna se trompait. Les garçons pouvaient prendre soin d'eux-mêmes. Grâce à l'instinct de conservation égoïste inhérent à la nature masculine, ils trouvaient toujours ce dont ils avaient besoin. Alors que Laura, la belle et souriante Laura, se brisait le cœur à vouloir faire plaisir à tout le monde. Rien de plus injuste.

Il faudrait qu'il le lui dise un jour. Bientôt. Avant qu'il ne soit trop tard…

Les palpitations de son cœur devenaient angoissantes. Theo plongea la main dans sa poche afin d'y prendre une pilule. Iris vit son geste et se leva d'un bond pour lui tendre un verre d'eau.

— Theo, tu te sens mal ? C'est ma faute, je n'aurais pas dû te laisser te fatiguer aussi longtemps.

— Je ne suis plus un gamin, grommela-t-il.

Mais il prit le verre d'eau et se laissa dorloter sans plus protester. Soulagé qu'Iris décide d'écourter leur visite, il marcha à pas lents avec Laura jusqu'à la voiture dont Iris prenait déjà le volant.

— Ta mère et moi sommes fiers de toi, ma chérie, lui dit-il.

Il ne pouvait rien faire de mieux.

Ses parents partis, Laura regagna la maison. Comme elle l'avait expliqué à sa mère, la participation de Nick à la préparation du livre était presque terminée. Il avait photographié tous les préparatifs à mesure qu'elle les effectuait, il ne lui restait qu'à prendre les dernières vues le jour même de la cérémonie. Une journée. Une dizaine d'heures, au plus.

Non qu'ils aient pu passer beaucoup de temps ensemble. Ils n'avaient plus eu de conversation sérieuse depuis leur seul pique-nique en tête à tête, mais ils n'en avaient pas eu besoin, comme si le contact était déjà établi entre eux. Il leur suffisait d'être dans la même pièce pour en ressentir la force. Laura ne pouvait ni ne voulait se l'expliquer, elle savait seulement que ce sentiment lui était devenu aussi indispensable que boire et manger. Chaque jour, elle attendait avec impatience les quelques moments où il s'accordait une pause pour en faire autant elle aussi. Ils buvaient un verre d'eau ou de thé glacé en échangeant des banalités. Des mots insignifiants mais qui prendraient de l'importance plus tard, quand elle y repenserait, ou quand elle reverrait par l'imagination la manière dont Nick chassait de ses yeux une mèche rebelle, ou encore celle dont il tenait le verre entre ses doigts. Ils riaient beaucoup pendant ces rares instants de détente, et elle se souvenait de leurs rires, sans d'ailleurs se rappeler leur cause. Peut-être était-ce parce que le monde lui paraissait plus gai quand ils étaient côte à côte, un verre à la main. Le plus curieux, c'est qu'elle était sûre qu'il éprouvait les mêmes sentiments qu'elle aux mêmes moments.

Elle aimait le regarder travailler. Il préparait une prise de vue avec une patience méticuleuse, et un sourire radieux lui venait aux lèvres quand il avait obtenu exactement l'effet recherché. Elle aimait aussi la manière dont il la photographiait, le soin qu'il prenait à trouver le meilleur angle et à régler l'éclairage, comme si elle était un objet d'art aussi rare que précieux. Une fois, pendant que Jeff et Diana étaient occupés dans une autre partie de la maison, il lui avait demandé de s'asseoir à la table de la cuisine et de parler de son enfance. Pendant qu'il la mitraillait, son appareil à la main, elle avait égrené des souvenirs de sa famille, de la maison de sa grand-mère, des chats et des chiens qu'elle avait aimés.

— Ces photos seront horribles, avait-elle dit en riant quand il eut terminé un rouleau de film entier. Je n'ai même pas mis de rouge à lèvres.

— Elles seront exactement celles que je voulais. Vous seule en train de parler de choses et de gens que vous avez aimés.

La manière dont il l'avait dit avait éveillé en elle quelque chose d'assez effrayant.

— Comment pourrez-vous vous en servir dans le livre ? avait-elle murmuré.

— Je ne les ai pas prises pour illustrer le livre, mais pour moi.

Après cela, Laura levait parfois les yeux de ce qu'elle faisait pour surprendre Nick qui la regardait. Entre eux, l'air se chargeait d'électricité au point qu'elle aurait voulu fuir. Nick lâchait alors une plaisanterie et la tension s'évanouissait – jusqu'à la fois suivante.

C'est ainsi que les trois mois s'étaient écoulés sans que Laura s'en aperçoive. Et puis, un après-midi, elle avait vu Nick debout sur le pas de la porte, prêt à partir.

— J'aurai terminé demain, Laura. Je reviendrai seulement le jour du mariage.

Un instant, elle ne comprit pas ce qu'il disait, comme s'il s'exprimait dans une langue étrangère.

— Que voulez-vous dire ?

— Mon travail est fini. Après la journée de demain, je ne reviendrai plus. Jusqu'au jour du mariage. Pour une journée.

Ils s'étaient regardés dans les yeux, elle avait senti quelque chose se briser en elle. Mais, avant qu'elle ait pu dire quoi que ce soit, il s'était déjà éloigné.

Le lendemain, chacun d'eux avait travaillé de son côté, vite et en silence. Ils n'avaient pas bu de thé glacé, échangé de plaisanteries ni bavardé de choses et d'autres. Il avait réalisé ses dernières prises de vue, demandé à Jeff et Diana de rassembler le matériel et de le rejoindre au studio. Il avait pris congé de Laura en hâte et était parti sans un regard en arrière.

Avant d'entrer, Laura regarda autour d'elle. Le soleil brillait, l'été serait superbe, tout le monde le disait. Elle le savait et, pourtant, cette beauté ne l'atteignait pas. Depuis qu'elle avait vu pour la dernière fois les feux stop de la voiture de Nick disparaître au bas de l'allée, un brouillard gris l'enveloppait qui occultait tout le reste.

19

Quels que soient les sentiments qu'elle éprouvait, Laura avait à préparer une réception de mariage. Il y avait le gâteau à confectionner et à décorer, les tables à installer et à dresser dans la grande salle de bal, les corbeilles de fleurs à répartir – ces jolies corbeilles conçues pour créer une ambiance printanière et romantique. Il y avait aussi les guirlandes de fleurs qui devaient festonner les balustrades de la terrasse où les jeunes mariés accueilleraient leurs invités pendant le cocktail. Pour elle, il était cruellement ironique de devoir organiser une fête d'amour et de joie en étant elle-même enveloppée d'une triste grisaille. Elle s'intima donc l'ordre de réagir. Tôt ou tard, son obsession pour Nick finirait par s'estomper. L'absence la ferait dépérir. Ou alors, Laura finirait elle-même par s'accoutumer à cette douleur sourde. Il le fallait. Elle le devait.

Trois jours avant le mariage, une fois Katie partie à l'école et Robby à son travail solitaire, Laura, coiffée de son vieux chapeau de paille pour s'abriter du soleil, se munit de sa liste et prit le chemin du jardin. Dans les grandes occasions, elle engageait toujours quelques extras pour l'aider au dernier moment. Elle voulait donc noter avec précision ce que son équipe devrait faire afin de ne pas perdre un temps précieux.

Elle alla d'abord inspecter le kiosque qu'elle avait fait réparer et repeindre au début du printemps. La cérémonie devant y avoir lieu, elle voulait vérifier si le travail avait été bien fait et s'il n'y avait pas de retouches à effectuer avant d'y installer les chaises pliantes.

Il n'était pas encore neuf heures du matin, mais il faisait déjà chaud. Les massifs de roses qui entouraient la pelouse étaient en pleine floraison. L'humeur sombre de Laura s'éclaircit un peu quand elle eut monté les trois marches du kiosque en humant le parfum des fleurs, les yeux clos. Que lui rappelait donc cette fragrance ? Une épice, peut-être, mais elle ne se souvenait pas de laquelle. Il fallait le demander à Nick... Elle rouvrit les yeux. Non, elle devait absolument cesser de penser à lui comme cela. Nick était sorti de sa vie – il n'y reparaîtrait qu'une seule journée –, et il fallait qu'elle s'y résigne.

Hélas, elle ne pouvait pas encore s'y résigner. Parce que Nick était là. Devant elle.

Elle arracha en hâte son vilain chapeau de paille informe.

— Je ne... je croyais..., bredouilla-t-elle. Je croyais que... vous ne reviendriez pas avant le jour du mariage.

— Je n'étais pas censé revenir.

Il escalada les marches, s'approcha d'elle. Elle ressentit la même impression que lorsqu'il l'avait découverte la première fois en train de jouer dans l'herbe avec Molly. Il faisait également chaud ce jour-là. Quand était-ce, déjà ? Quelques semaines ou un million d'années plus tôt ? L'air tiède et parfumé lui donnait une sorte de vertige. *J'étais si malheureuse*, aurait-elle voulu lui dire. *Votre présence me manquait si cruellement.* Mais la lourdeur de l'air et sa tête qui tournait l'empêchaient de parler.

Il paraissait aussi troublé qu'elle.

— Laura, parvint-il à dire enfin. Je suis venu parce que... Parce que je voulais...

Elle avait déjà le dos appuyé à un pilier du kiosque, ses lèvres contre les siennes en un baiser ferme et doux à la fois. Un soupir échappa à l'un d'eux, aux deux peut-être, elle ne pouvait pas le savoir exactement. Et puis elle sentit sa bouche, ferme et douce, aller de son visage à son cou tandis qu'elle s'accrochait à lui pour ne pas tomber, parce que ses jambes n'avaient plus la force de la soutenir. Elle sentait la force et la chaleur de son corps contre le sien, elle voyait briller ses yeux vert-bleu. Et quand ils s'écartèrent enfin, ils haletaient l'un et l'autre comme s'ils venaient de courir un marathon.

— Il fallait que je vienne, murmura-t-il.

Elle aurait dû lui dire tout de suite des choses sensées, malgré le parfum de roses qui les enveloppait, et malgré la griserie encore présente de sa bouche sur la sienne et de ses mains sur son corps. Mais il lui caressait les cheveux, elle frémissait sous le courant électrique de ses doigts... et rien de sensé ne pouvait lui venir à l'esprit.

— J'ai perdu mon chapeau...

Elle ne trouva rien de mieux à dire.

— C'était pourtant un objet d'art.

Et ils pouffèrent de rire à l'unisson. Ils riaient parce qu'ils ne savaient pas quoi faire d'autre. Ils riaient parce qu'ils aimaient rire autant l'un que l'autre. Un moment, leur rire seul troubla le silence.

Nick l'attira de nouveau contre lui.

— Ne nous le cachons plus, chuchota-t-il. C'est désormais évident.

Ces mots lui redonnèrent un peu – très peu – de lucidité.

— Voyons, Nick, je ne vous connais même pas...

— Mais si ! De quoi parlez-vous, au juste ? De mes lectures favorites ? Je dévore de mauvais romans policiers, des biographies et, pour me donner l'impression d'être intellectuel, je feuillette un peu Shakespeare. De musique ? J'écoute des opéras parce que ma mère les chantait mais, au fond, j'aime tout ce qui a du rythme. De cuisine ? Tout ce que vous préparez vous-même.

— Je ne parlais pas de cela.

— Le reste, vous l'apprendrez. Nous avons le temps.

— Mais non ! C'est impossible...

— Si, l'interrompit-il. Cela *devait* nous arriver. Nous ne l'avions pas prémédité, mais c'était écrit. Et vous le savez aussi, ma chérie.

Oui, elle le savait. Quand il la reprit dans ses bras, tout parut facile, évident. Mais ça ne l'était pas, bien sûr – ou l'était-ce, en fin de compte ?

Ils se retournèrent en entendant un bruit de moteur dans l'allée.. Une voiture s'approchait, suivie d'une autre. La première les salua d'un coup d'avertisseur en s'arrêtant. Deux membres de l'équipe de Laura, Angie et Marina, descendirent des voitures et se dirigèrent vers la cuisine en bavardant. La journée de travail commençait.

— Elles tombent mal, commenta Nick. Ou peut-être arrivent-elles au bon moment ? Dois-je être content d'avoir été interrompu ?

— Je ne sais pas...

— Bon. Je ferais mieux de m'en aller.

— Oui.

Il partit vers sa voiture, s'arrêta, se retourna :

— Je me suis senti très seul sans vous.

— Je sais.

— Nous nous reverrons le jour du mariage.

— Oui, au mariage.

— Mais rappelez-vous que je... Oh, Seigneur, je vous aime, Laura ! Je ne le voulais pas, mais je vous aime.

— Merci du compliment.

Elle avait voulu plaisanter parce qu'elle avait envie de fondre en larmes et que ses employés ne devaient pas la voir pleurer. Mais lui, cette fois, n'avait pas envie de rire.

— Vous savez ce que je veux dire.

— Oui, je le sais.

Il se détourna, fit deux pas, s'arrêta de nouveau.

— Je vous aime, tout peut s'arranger si nous le voulons.

Et il la laissa seule sous un rayon de soleil.

Oui, peut-être y arriveraient-ils...

Laura retourna à pas lents vers la maison. Le brouillard gris s'était dissipé. Autour d'elle les couleurs revenaient, presque trop éclatantes.

Il m'aime… Nick m'aime…

Mais une douleur aiguë, poignante, la stoppa.

J'ai une fille, un mari. J'ai une famille que je ne peux pas décevoir… Une mère que je ne peux pas décevoir…

Elle se remit en marche.

Non, bon sang, c'est ridicule ! Je ne suis plus une gamine. Une femme de mon âge ne devrait pas se soucier de l'opinion de sa mère. C'est absurde !…

Elle réussit presque à s'en convaincre et, le reste de la matinée, se sentit plus libre qu'elle ne l'avait jamais été. Jusqu'à l'arrivée du courrier. Dans la pile habituelle des factures et des prospectus, il y avait une carte postale de la boutique de Madison Avenue, celle où Katie et elle avaient vu le portrait de la femme aux grands yeux noirs. Les yeux d'Iris.

Laura jeta la carte à la corbeille. *Je ne suis pas superstitieuse, je ne crois pas aux signes et aux présages. La boutique m'envoie une publicité pour une vente et je suis sur la liste, voilà tout…* Mais le mal était fait. Elle se rappela le portrait. Et le portrait lui rappela sa mère.

Je vous aime, lui avait dit Nick.

Je t'aime, ne me déçois pas, lui avait dit Iris toute sa vie.

Tout peut s'arranger si nous le voulons, avait affirmé Nick.

Tu es ma fille chérie, mon rayon de soleil, ne me fais pas de peine, la suppliait Iris avec le regard tragique de ses grands yeux noirs.

20

Il n'aurait pu y avoir journée plus idéalement belle pour un mariage. Incapable de dormir, Laura s'était levée à l'aurore. Elle vérifia les tables dans la grande salle de bal, les flûtes à champagne scintillantes, alignées sur le bar pour être remplies. Elle ouvrit les réfrigérateurs, inspecta les plateaux d'amuse-bouches et de petits-fours qui seraient réchauffés avant d'être passés à la ronde. Mais la vraie raison de son réveil matinal n'était pas cette ultime revue de détail.

Nick serait là. Elle allait le revoir. Elle avait le cœur en fête comme une jouvencelle la veille de son premier rendez-vous, même si elle ne se rappelait pas avoir jamais éprouvé dans sa jeunesse de bonheur aussi intense. Une émotion d'une telle puissance ne pouvait être ressentie que par des adultes auxquels la vie en avait durement appris la valeur, aussi rare que précieuse. Et pourtant...

Il y a tant de gens que je ne peux pas, que je ne dois pas décevoir...

Et pourtant...

Mon cœur bat la chamade à la seule idée de le revoir...

Il arriva enfin, vêtu d'un élégant costume.

— C'est la première fois que vous vois si bien habillé, lui dit-elle.

— Je vous retourne le compliment.

Si elle ne faisait pas officiellement partie des invités, puisqu'elle devait surveiller de bout en bout le déroulement de la réception, Laura s'était quand même habillée pour la circonstance. Sa robe de dentelle et de soie jaune d'or, de la même nuance que celles des demoiselles d'honneur, était flatteuse pour ses cheveux aux reflets auburn.

Nick et elle se dévisagèrent gauchement, comme deux adolescents intimidés à l'idée de s'enlacer pour leur première danse.

— La dernière fois que je me suis sentie aussi empruntée, murmura-t-elle, je tenais un petit bouquet.

— Et moi, j'avais une fleur à la boutonnière.

Derrière lui, Diana et Jeff entraient, chargés de matériel. Puis le personnel se rassemblait pour recevoir ses dernières instructions. Le mariage devait commencer dans une vingtaine de minutes.

— Je vais d'abord installer l'équipement dans la salle de bal pour la photographier toute prête mais encore vide, dit Nick.

— Vous devriez peut-être prendre une photo quand nous placerons le dernier étage sur le gâteau.

Mais aucun d'eux ne fit un geste.

— Nous parlerons plus tard, dit-il enfin.

— Oui, plus tard.

Le mariage était prononcé par un juge, aucun des deux mariés ne voulant de cérémonie religieuse. Quand le magistrat prit la parole, Laura regarda Robby, assis à côté de ses parents. Elle le vit chuchoter quelques mots à l'oreille d'Iris, qui lui répondit par un sourire. *C'est un moment difficile pour elle*, pensa Laura. Certes, elle était contente que Steven se marie enfin, elle approuvait son choix, mais il était dur pour la fille de Joseph Friedman de voir encore un de ses enfants se marier sans rabbin ni rituel religieux. Laura avait été la première de la famille Stern à briser la tradition, et Iris en avait souffert la journée entière. Maintenant, alors même qu'elle souriait à

Robby, elle avait l'air soucieuse. *Nous finissons tous par nous habituer à tout*, pensa Laura. *Un peu, du moins...*

Pourtant, les vœux que prononçait le couple étaient les mêmes que lors d'une cérémonie religieuse. *Nous en faisons tous autant, avec ou sans référence à Dieu. Nous nous promettons de rester fidèles quoi qu'il arrive. De nous aimer, de nous faire confiance. Moi aussi, j'ai fait ces promesses...*

La brève cérémonie se termina. En face de Laura, Nick photographiait Steven et Christina qui s'embrassaient comme s'ils étaient seuls au monde. Dans les rangs de la famille, Robby serra la main d'Iris alors que tout le monde applaudissait les nouveaux mariés. L'assistance se levait et commençait à se diriger vers la terrasse. Tout se déroulait à la perfection. Laura tourna son regard vers Steven et Christina qui se souriaient. *J'ai fait les mêmes promesses*, pensa Laura *Prononcé les mêmes vœux...*

Le petit orchestre jouait sur la terrasse où les invités papotaient gaiement :

— Quelle merveilleuse journée...

— Ce cadre est divin...

— Idéal pour une réception de mariage...

— Qui aurait cru que Steven Stern finirait par se marier ?

Les serveurs passaient les plateaux de petits-fours et de verres d'apéritifs. D'un côté de la terrasse, Robby remplissait une assiette pour Katie. De l'autre, Nick photographiait les guirlandes de fleurs et les groupes d'invités. Laura sentait un début de migraine lui marteler la tête. Depuis que Nick lui avait dit « Je vous aime », son univers de grisaille avait retrouvé de brillantes couleurs, mais celles-ci perdaient peu à peu de leur éclat. L'heure de servir le lunch approchait. Laura pria les invités de se rendre dans la grande salle.

Tout le monde avait pris place, les entrées succédaient aux hors-d'œuvre, le service se déroulait avec la régularité d'une horloge bien huilée. Une agréable musique de fond s'entendait au milieu du tintement de l'argenterie et du brouhaha des conversations de près de cent cinquante personnes. Jimmy, témoin du marié, prononça un speech salué de rires unanimes. Philip parla ensuite et reçut le même accueil. Quand Theo se leva à son tour, il n'y eut plus un œil sec dans l'assistance. Et pendant ce temps, les serveurs continuaient à apporter des plats plus délicieux et appétissants les uns que les autres.

Les nouveaux mariés ouvrirent le bal. La mariée dansa ensuite avec Philip, qui lui avait tenu le bras au début de la cérémonie à la place de son père, décédé depuis de longues années, avant de danser avec Jimmy. Nick sillonnait la salle pour photographier les danseurs en veillant toujours à choisir le meilleur angle. Assis à côté de Laura, Robby l'invita à danser. Quand il l'entraîna sur la piste, Nick ne prit plus de photos.

Iris voulut une photo de famille. Les Stern s'alignèrent donc au complet, Laura entre Iris et Robby avec Katie devant elle. Nick leur demanda de sourire. En le regardant la photographier entourée de son mari, de sa fille et de sa mère, elle comprit qu'il voyait lui aussi ce qu'elle se répétait depuis le début de la cérémonie : qu'elle avait elle aussi prononcé les vœux de son mariage et qu'elle n'était pas de ces écervelées qui renient leurs promesses solennelles.

La réception suivit son cours. Le gâteau fut apporté en grande pompe et cérémonieusement découpé. Les danseurs se remirent à danser, les vœux de bonheur à pleuvoir sur les mariés. La mariée finit par s'éclipser pour reparaître en tenue de voyage. Elle lança son bouquet qu'une jeune fille attrapa au milieu des rires et des acclamations. Le nouveau couple partit en courant vers sa voiture sous les jets traditionnels de grains de riz. Et la fête prit fin. Les mois de préparation, les semaines de dur travail en vue de cette journée, tout était fini ; les invités commencèrent peu à peu à prendre congé.

— Quelle merveilleuse réception, Iris !

— Vous pouvez être fier, Theo !

— Beau travail, Laura ! Je n'ai jamais assisté à un mariage plus réussi.

Le calme et le silence revinrent. Au salon, la famille se reposait en faisant les commentaires d'usage. Dans la salle de bal, Nick remballait le matériel que Jeff et Diana chargeaient à mesure dans la camionnette.

Laura alla dans la salle. Nick lui tournait le dos, mais il avait dû l'entendre entrer, car il se redressa et se retourna. Elle s'approcha, il lui prit les mains. Ils avaient tous deux les mains froides – très froides.

— Je ne peux pas, murmura-t-elle.

— Je sais.

Elle raccompagna Nick à la porte de derrière, où la camionnette était garée. Ils passèrent devant la porte du salon où étaient assis ses frères, sa belle-sœur, sa nièce, son père, sa mère et son mari. Si, du salon, on ne voyait pas la porte de derrière, on entendait de la porte les voix venant du salon – donc, ils pouvaient aussi entendre les leurs.

Ils restèrent un instant debout, face à face. Laura n'allait pas pleurer.

— Ça ira, dit-il à mi-voix.

Elle essaya en vain de le prendre à la plaisanterie.

— Parlez pour vous…

Ils réussirent cependant à sourire, le meilleur adieu qu'ils puissent se dire. Le seul, sans doute. Nick monta dans la camionnette, Laura alla rejoindre sa famille qui l'attendait. Et les promesses qu'elle devait tenir.

— Je suis si heureuse d'avoir vu Laura et Robby danser ensemble. Quel beau couple ils font, n'est-ce pas, Theo ? demanda Iris en rabattant la couverture de son côté du lit.

La longue journée du mariage terminée, son mari et elle étaient rentrés chez eux et s'apprêtaient à se coucher.

— Tu ne trouves pas, Theo ? insista-t-elle.

Elle souhaitait qu'il l'approuve, bien sûr. C'était moins une exigence que le besoin d'être rassurée. De son côté du lit, Theo soupira.

Pour sa part, il n'était plus convaincu de la solidité du couple. L'entente entre un homme et une femme ne se définit pas. Elle se sent, se perçoit comme une vibration invisible mais bien réelle dans l'air qui les entoure. Comme des courants d'ondes qu'ils émettent. Theo remonta dans le lit, s'adossa aux oreillers, ferma les yeux.. Ce « quelque chose » entre un homme et une femme n'avait rien d'un phénomène nouveau, il était aussi ancien que l'humanité elle-même. S'il restait inexplicable, il n'en régissait pas moins le monde depuis la nuit des temps. Et si l'attraction sexuelle en constituait le fondement, il comportait un autre élément plus puissant qui inspirait parfois le meilleur à la nature humaine, comme les histoires légendaires de Tristan et Iseult ou Roméo et Juliette. Mais l'instinct sexuel non tempéré par l'amour pouvait aussi provoquer le pire, jusqu'au désastre ou à la mort. Au fil des siècles, poètes, dramaturges, peintres, tous les artistes s'étaient inspirés de l'un ou de l'autre pour en décrire les merveilles ou les maléfices. Cette force mystérieuse avait toujours été l'une des plus essentielles que l'humanité ait connues. De même que le feu, auquel elle était souvent comparée, elle était presque impossible à juguler une fois déchaînée. Et, une fois éteinte, la ranimer était tout aussi improbable.

Iris attendait toujours sa réponse. Theo rouvrit les yeux.

— Que penses-tu de ce jeune homme ? demanda-t-il. Celui qui prenait les photographies.

— Franchement, je n'y ai pas fait très attention.

Pourtant si, Theo en était presque certain. Iris était trop instinctive, trop attentive aux autres pour ne pas avoir ressenti l'attraction magnétique qui existait entre sa fille et le photographe. Iris ne voudrait pas l'admettre, devant quiconque du moins, mais elle n'était pas aveugle.

— J'ai trouvé ce garçon plutôt nigaud de se démener pour prendre des photos comme s'il n'y avait rien de plus important au monde.

Ma chère Iris, tu as donc bien prêté à ce photographe beaucoup plus d'attention que tu ne le prétends, pensa Theo.

— Steven et Christina y accorderont de l'importance quand ils regarderont l'album de leurs photos de mariage, se borna-t-il à répondre. De plus, ces photos serviront en grande partie à illustrer le livre de Laura.

— Ah, ce maudit livre ! C'est un honneur pour elle, je le sais, et je suis fière d'elle. Mais plus vite ce sera fini, mieux cela vaudra. Ce livre lui a trop pris de son temps et de ses forces, et Robby en souffre.

— J'aimerais que Robby ait mieux à faire de son temps qu'aller se lamenter sur ton épaule.

— Tu ne comprends pas ! Robby a plus que jamais besoin d'être soutenu, encouragé. Rien de tout cela n'a été facile pour lui. Il est soumis à trop de pressions, tout le monde attend trop de lui. Je n'aime pas dire du mal d'un mort, mais son père… bref, tu l'as rencontré, tu te doutes du mal qu'un père comme celui-là peut faire à un pauvre garçon…

Elle usait de la même psychologie mal digérée pour excuser Steven quand il se mettait dans des situations qui leur causaient de graves soucis.

— Un homme de plus de trente ans n'est plus un pauvre petit garçon perdu, Iris.

Un silence répondit à son observation.

— Il s'en sortira, dit enfin Iris d'une voix altérée. Il lui faut un peu plus de temps qu'à d'autres, voilà tout. Laura doit faire preuve de patience. Elle doit être là pour lui.

Être là pour lui… Encore un des lieux communs de la psychologie rudimentaire dont Theo avait horreur. Et si sa fille était à bout de patience ? Si elle ne pouvait plus supporter *d'être là pour lui* ? Si elle voulait retrouver enfin sa joie de vivre ? Si elle voulait un homme qui soit au moins son égal, qui soit digne d'elle, au lieu d'un vieux gamin toujours en train de lécher les plaies de son enfance et de gémir sur ses échecs ?

Comment réagirait-il à un divorce dans sa famille ? se demanda Theo. Autant qu'il s'en souvienne, il n'y en avait encore jamais eu. Les infidélités ne manquaient pas, certes, surtout dans le vieux pays – c'était chose courante en Europe. Dans les familles d'une certaine classe sociale, c'était presque toujours les hommes qui se le permettaient – coutume européenne elle aussi, mais passée de mode.

Mais on n'était plus en Europe ni dans l'ancien temps. En Amérique, les femmes se considéraient comme aussi libres que les hommes de trouver l'amour et de satisfaire leur sensualité quand elles en avaient envie.

Qu'éprouverais-tu, alors, si Laura avait une liaison ? Dieu sait si tu en as eu toi-même ! Steven et Jimmy n'étaient pas vierges à leur mariage et si Philip est toujours célibataire, il ne l'est pas davantage. Pour être tout à fait franc, moi, leur père, je ne le leur souhaiterais pas. Mais Laura, ma belle, ma douce Laura ?

Theo referma les yeux. Si la lassitude menaçait de reprendre possession de son corps, son esprit continuait à fonctionner.

Iris voudrait que Laura soit une sainte, comme elle imagine que l'était sa propre mère. Mais Anna ne l'était pas, je le sais. Alors que ressentirais-je si Laura tenait plus de sa grand-mère qu'on ne le croit ?

Il rouvrit les yeux. Dans sa tête, les pensées poursuivaient leur ronde.

Je n'en sais rien, après tout. Nous vivons des temps nouveaux auxquels je ne comprends plus rien. C'est une nouvelle génération qui dicte les règles, prend les décisions. Et contrairement à ce que veut Iris pour Laura, je ne désire pas contrôler tout ce qui arrive. Je n'en ai ni l'envie ni le pouvoir.

Pourquoi est-ce que je me sens aussi seule ? songea Iris en éteignant sa lampe de chevet. *C'est normal, diraient la plupart des gens, en mariant mon fils je l'ai perdu. Mais ce n'est pas vrai, au contraire, Steven fera désormais doublement partie de ma vie puisque Christina est ma belle-fille. Je l'adore, cette fille !*

Ce n'est donc pas de Steven qu'il est question, mais de Laura et cela, je le savais déjà. En la regardant aujourd'hui, j'avais l'impression d'être redevenue l'enfant qui observait sa mère. Je me rappelais tous mes vieux sentiments, mes soupçons qu'elle cachait toujours quelque chose. Je n'avais jamais encore ressenti la même chose avec Laura. Nous avions toujours été si proches, si ouvertes. J'en étais fière, mais ce n'est plus pareil entre nous depuis quelque temps. Si elle et moi sommes comme ma mère et moi nous l'étions, je ne le supporterai sans doute pas.

Robby ferait bien de prêter plus d'attention à son ménage. Je le défends contre tout le monde, parce que je garde le souvenir du garçon brillant qu'il était et je sais qu'il n'a pas perdu ses qualités. Et puis, il est le mari de ma fille et le père de ma petite-fille. Mais il se passe avec Laura quelque chose dont il n'a pas conscience.

— Ce photographe devrait faire quelque chose pour ses cheveux, dit-elle à haute voix. Il se coiffe comme un écolier, avec ces mèches qui lui retombent sur la figure.

Mais son mari n'entendit pas. Il dormait déjà.

Robby était encore en bas et Katie dormait dans sa chambre, après avoir accroché sa belle robe couleur de soleil à la porte de sa penderie pour la voir en s'endormant et la revoir en se réveillant. Laura avait elle aussi pendu sa robe à la porte de sa penderie, mais elle ne voulait pas la voir. Elle ne pourrait même jamais plus la regarder, car elle l'avait portée en disant adieu à Nick. Sa douleur prenait peu à peu racine au plus profond d'elle-même. Pendant la journée, elle avait été trop occupée à maîtriser ses émotions pour les éprouver. Or, maintenant que les membres de sa famille avaient regagné leurs domiciles respectifs, que son équipe avait fait le plus gros du nettoyage et reviendrait le terminer le lendemain, elle était seule devant sa coiffeuse et elle pouvait donner libre cours à sa douleur. Tout ce qu'elle voulait, c'était rester là, tranquille et en silence, pour tenter d'assimiler l'inéluctable et d'en faire son deuil.

Mais Robby était entré dans la chambre et lui parlait.

— Je viens d'avoir ma mère au téléphone et j'ai décidé d'aller la voir. Elle ne se sent pas bien depuis quelque temps et, franchement, j'ai besoin de changer d'air. Tu n'as rien remarqué, je sais, mais je viens de vivre des moments difficiles. Tes frères estiment tous que je n'aurais pas dû quitter mon job. J'ai eu droit à un sermon de chacun, l'un après l'autre...

Sa voix parvint finalement aux oreilles de Laura à travers l'épais brouillard de chagrin qui l'isolait du monde extérieur.

— Excuse-moi. Qu'est-ce que tu disais ?

— Je me demande comment j'aurais pu parler plus clairement ! Ne me dis pas qu'un membre de la géniale famille Stern ne comprend pas la langue anglaise.

— Robby, je t'en prie...

— Je te disais que j'allais rendre visite à ma mère. Je veux la voir et j'ai besoin de changer d'air.

Au prix d'un effort, Laura parvint à se concentrer et à mettre sa peine temporairement de côté.

— Et le livre que tu écris ?

— J'étais sûr que tu mettrais cela sur le tapis ! Tu es comme tes frères. Vous croyez tous que je devrais travailler comme un forçat parce que j'ai laissé tomber le job minable dont Steven m'avait fait cadeau comme prix de consolation pour avoir bien voulu venir ici.

— Ce n'est pas ce que je te demandais et ce n'est pas ce qu'a fait Steven.

— Bon, d'accord, c'était par pure charité. Un joli cadeau pour occuper le petit bonhomme pendant que sa sœur se rendait célèbre. J'ai sans doute de la chance que tu daignes encore te servir du nom de MacAllister, au fait. Merci de me faire connaître par raccroc.

— Ce que tu dis est tellement injuste à tous points de vue que je ne sais pas par où commencer. Steven n'a pas...

— Ton frère n'éprouve pour moi que du mépris ! Comme tout le reste de ta famille. D'ailleurs, pourquoi ne me mépriseraient-ils pas ? Je me laisse traiter comme un paillasson.

— Mes frères ne te méprisent pas, mes parents non plus.

— Ne me sers pas ce genre de sornettes, Laura !

Il braillait maintenant. Comme son père.

Oh, Nick ! Je vous ai abandonné pour ça...

— Je t'ai laissée me piétiner ! poursuivait Robby sur le même ton. Je n'aurais jamais dû te permettre de me pousser à venir ici !

— Je ne t'ai pas poussé. C'est toi qui voulais quitter la Californie.

— Ne me dis pas ce que je veux ou ce que je voulais ! Ne me fais pas dire ce que je n'ai pas dit ! C'est pour toi que je suis venu ici et que j'ai accepté le misérable job dont ton frère m'avait fait l'aumône ! Je t'ai laissée porter la culotte ! Résultat, je suis devenu une lavette. Un moins que rien !

Elle en avait plus qu'assez d'être gentille et compréhensive. Plus qu'assez de faire des efforts pour lui.

— Tu as de quoi être fier de toi, Robby ? Qu'est-ce que tu as fait, veux-tu me le dire ? Tu t'es fait renvoyer de ton premier job parce que tu ne voulais pas faire ce qu'on te disait et tu as abandonné le deuxième parce que tu le jugeais indigne du grand Robby MacAllister ! Tes prétendus malheurs, tu ne les dois qu'à toi-même ! Comment oses-tu m'en rendre responsable ?

Il en sursauta, stupéfait. Jamais Laura ne lui avait parlé sur ce ton.

— Tu travailles tout le temps. Tes affaires passent toujours avant moi. Quel effet crois-tu que cela me fait ?

— Je m'en moque ! Tes précieux sentiments, je m'en fiche comme d'une guigne !

Dans le silence qui suivit, ses paroles résonnèrent en écho dans la chambre. Sans être entièrement vraies, elles étaient les plus franches que tout ce qu'elle lui avait dit jusqu'alors. Le problème, c'est qu'une telle franchise était impossible à effacer. Laura tenta pourtant de l'adoucir.

— Ce n'est pas ce que je voulais dire, Robby.

Il avait perdu d'un seul coup son attitude belliqueuse.

— Si, c'est exactement ce que tu as voulu dire, murmura-t-il enfin.

— Mais non, j'étais en colère...

— Non. Cela va beaucoup plus loin que la colère, le comprends-tu ? Tu as perdu tout respect pour moi, c'est ce que j'essayais de te dire.

C'est vrai, mais pas pour les raisons que tu crois...

Cela, elle ne pouvait hélas pas le lui dire. Risquer de nouveau la franchise irait trop loin.

— J'ai besoin de regagner ton respect, Laura. J'ai besoin de regagner mon amour-propre...

Il avait recouvré son calme et même un peu de l'enthousiasme avec lequel il exposait ses projets, ses ambitions, ses rêves. Elle se rappela leur jeunesse à la faculté, quand il lui lisait un poème d'Emily Dickinson qu'il savait devoir lui plaire, lui faisait écouter une nouvelle chanson. Elle se rappela son regard lorsqu'il avait fait monter Molly à l'arrière de la voiture en quittant le site archéologique, parce qu'il savait qu'elle aimait cette chienne et ne supporterait pas de l'abandonner dans le désert. Il avait voulu la rendre heureuse et, à sa manière, il essayait encore. Conscient de ses erreurs, il cherchait à les rattraper. Elle eut envie de pleurer.

— Laisse-moi m'éloigner un moment, je prends cet endroit en grippe, dit-il. Laisse-moi remettre mes idées en place, et quand je reviendrai nous prendrons un nouveau départ.

Elle n'eut plus envie de pleurer, elle était trop lasse. Lasse de lui répéter qu'ils avaient déjà pris de nouveaux départs sans arriver nulle part, ou qu'il avait déjà voulu remettre ses idées en place sans jamais y parvenir. Mais sans doute, après tout, prendre un peu le large lui ferait-il du bien. Un miracle surviendrait peut-être. Et tant qu'il serait dans l'Ohio, elle pourrait au moins finir le travail sur son livre sans qu'il lui demande de s'arrêter pour préparer le dîner ou aller quelque part et se mettre à bouder si elle ne stoppait pas tout sur-le-champ.

Elle se retint de soupirer.

— Quand comptes-tu partir ?

Robby s'en alla la semaine suivante. Il l'embrassa avant de monter en voiture, elle resta sur le pas de la porte en agitant la main. Quand il eut disparu, elle referma la porte, rentra, se prépara une tasse de café et resta assise dans sa cuisine, dont le ronronnement du réfrigérateur troublait seul le silence. Robby et elle s'étaient déjà séparés, bien sûr. Mais cette fois-ci, elle se demanda s'il lui manquerait.

21

— Robby est parti pour Blair Falls et Laura ne sait même pas quand il reviendra. Ce n'est pas normal, fit observer Iris.

Le front barré de rides soucieuses, elle se mordait les lèvres.

— Ils ne se sont pas séparés, voyons, il est simplement allé voir sa mère, répondit Theo d'un ton rassurant.

Les rides s'effacèrent un peu.

— J'aurais préféré que Laura l'accompagne.

— Elle a trop de travail en ce moment, avec la préparation du grand cocktail de la pianiste. Pour la première fois, elle organise une réception en ville, c'est très important pour elle.

La réception devait avoir lieu à Manhattan en l'honneur d'une jeune pianiste en passe de devenir une star de la musique classique. Un événement aussi prestigieux représentait un coup d'éclat pour Laura.

— Pas plus important que de sauver son mariage, répliqua Iris.

Et voilà, elle revenait à son idée fixe qui tournait à l'obsession : le mariage de Laura ! Mais ses motivations n'étaient pas aussi pures qu'elle voulait bien le croire. Iris ne pouvait pas imaginer qu'une femme mène une vie pleine et heureuse sans être mariée, c'est vrai. Mais il était non moins vrai qu'elle ne voulait pas voir sa fille échouer là où sa mère avait triomphé, sa vie conjugale. Theo secoua la tête avec perplexité. Il ne comprendrait jamais les rapports entre mères et filles. Elles s'aimaient, bien sûr. Iris avait aimé Anna, mais elle avait toujours plus ou moins cherché à la concurrencer – sans jamais l'admettre, bien entendu. Dans cette compétition, Laura avait constitué son arme secrète, comme si elle avait pu justifier la lutte d'Iris avec Anna. Tout cela était décidément trop compliqué. Trop… féminin.

Il aurait dû dire quelque chose afin d'apaiser l'esprit d'Iris, au moins temporairement, mais il n'en eut pas besoin. Iris regardait sa montre, ce qui voulait dire que son esprit, toujours prompt à se soucier, était déjà passé d'un sujet d'inquiétude à un autre, encore plus important que la vie conjugale de Laura : lui.

Comme il s'y attendait, elle se précipita à côté de lui :

— Grand Dieu, Theo, je parle, je parle et il est l'heure de ta sieste !

Il fut un temps où il se serait rebiffé et aurait protesté que la sieste était bonne pour les enfants. Mais ces temps-ci, il éprouvait le besoin de se reposer. Ce n'était pas bon signe, mais c'était prévisible et il ne devait pas l'oublier. Il laissa donc sa femme l'entraîner dans la chambre. Une fois étendu et la lumière éteinte, il était censé dormir, mais son esprit refusa de s'assoupir et le ramena de nouveau au mystère d'Iris, Anna et Laura – et au secret d'Anna, le nœud même du mystère. Il se souvenait toujours aussi clairement de l'après-midi où il avait appris ce secret. Celui qui le lui avait révélé s'appelait Paul Werner. Jusqu'à ce jour-là, Theo avait cru que Paul n'était qu'un vieil ami d'Anna. Les yeux clos, il revint par la pensée aux années 60, quand sa vie était en ruine.

La cause immédiate du désastre avait été un terrible accident survenu au cours d'une violente querelle avec Iris. Dans un geste de rage, elle lui avait claqué la portière de la voiture sur une main. Elle ne l'avait pas fait exprès, bien sûr, elle n'avait pas vu sa main, mais ces quelques secondes avaient suffi pour mettre un terme à sa carrière de chirurgien plastique. Son existence, telle qu'il l'avait connue jusqu'alors, s'en était trouvée du même coup finie. Il ne pouvait plus gagner sa vie et, ayant toujours vécu au-dessus de ses moyens, il n'avait pas un sou de côté. Il ne lui avait pas fallu longtemps pour être noyé sous les dettes – et Iris sous les remords. Comme elle était incapable d'y survivre sous le même toit que lui, il s'était installé dans son bureau.

Il y était ce jour-là, les rideaux tirés, en écoutant un opéra de Verdi quand Paul Werner avait frappé à sa porte. Il l'avait fait entrer sans trop savoir pourquoi – il le connaissait à peine, après tout. Au bout d'un moment, Theo avait fini par dépeindre en détail la situation désespérée dans laquelle il se trouvait. Alors, à sa stupeur, Paul lui avait offert de subvenir à toutes les dépenses de sa famille le temps qu'il s'entraîne à pratiquer une autre spécialité médicale. Il avait eu beau justifier son ahurissante générosité par le fait qu'il était un vieil ami d'Anna, Theo n'en avait pas cru un mot et avait exigé la véritable raison. Paul s'était alors décidé à lui raconter toute l'histoire, celle que Theo gardait en lui depuis près de quarante ans sans pouvoir la répéter à quiconque.

À son arrivée de Pologne en Amérique, Anna avait trouvé comme premier emploi celui de femme de chambre chez les parents de Paul, Florence et Walter Werner. Respectable famille établie de longue date à New York, les Werner appartenaient à l'importante communauté juive allemande de la ville. Cela, Theo le savait. Ce qu'il ignorait, c'est qu'Anna et Paul étaient tombés éperdument amoureux l'un de l'autre. Un amour sans espoir parce que Paul était déjà fiancé à une jeune fille de sa classe sociale et que les deux familles comptaient depuis des années sur ce mariage. Incapable de décevoir aussi cruellement ses parents, Paul s'était donc marié tout en sachant qu'Anna resterait à jamais la femme de sa vie. Le cœur brisé, Anna avait de son côté épousé Joseph

Friedman en sachant elle aussi que Paul Werner était son seul véritable amour.

Joseph avait prospéré pour devenir un promoteur immobilier aussi important qu'influent. Paul avait repris la banque de sa famille, qui prospérait elle aussi. Leurs mariages respectifs paraissaient solides. Mais l'amour que se vouaient Paul et Anna n'avait pas dépéri, au contraire. Aussi, lorsque le destin les avait remis en présence quelques années plus tard, rien n'avait pu les retenir d'assouvir la passion qui les dévorait tous les deux. De cet acte d'amour, Iris était née.

Tel était le secret d'Anna. Elle s'était efforcée de le cacher à Paul lui-même, qui avait fini par découvrir la vérité. Il avait désespérément cherché à établir un lien avec son enfant, mais Anna avait trop peur des conséquences pour accepter. Paul avait quand même réussi à arranger de temps à autre des rencontres d'apparence fortuite. Pour des raisons qu'elle ne s'expliquait pas elle-même, Iris n'avait jamais apprécié ces rencontres ni aimé Paul Werner.

Theo rouvrit les yeux. La chambre était fraîche, le silence si profond qu'il entendait le tic-tac du réveil à côté de lui. Quand elle était dans la maison, Iris prenait grand soin de marcher sans bruit. Mais l'esprit de Theo refusait toujours de s'assoupir.

« Iris est ma fille, avait dit Paul en conclusion de son récit. Vous savez maintenant ce qu'Anna et moi avions toujours caché. Attention, si vous le répétez à qui que ce soit, l'avait-il menacé, je vous tuerai de mes mains et je me tuerai ensuite. » Theo avait juré de garder le secret, non pas à cause de la menace, mais parce qu'il était d'accord avec Paul pour qu'Iris n'apprenne jamais la vérité sur les circonstances de sa naissance. C'est toutefois parce que Paul était le père d'Iris que Theo avait accepté à titre de prêt – jamais il n'aurait consenti à un don – cet argent qui les avait sauvés, sa famille et lui.

Theo avait mis des années à rembourser Paul et, pendant tout ce temps, Paul ne lui avait demandé qu'une chose : « Gardez le contact, donnez-moi des nouvelles d'Iris et de toute la famille. » Les enfants de Theo et d'Iris étaient en effet les seuls petits-enfants de Paul. Sa femme et lui étaient sans descendance.

— Voulez-vous savoir comment j'ai gardé la trace de ma fille pendant tout ce temps ? lui avait une fois demandé Paul, avec un regard d'une tristesse à serrer le cœur le plus insensible. Il y a une boutique de Madison Avenue, Chez Lea, où Anna et Iris achètent leurs robes...

Il s'agissait d'une des boutiques les plus chères de Manhattan et Theo, qui à l'époque dépensait sans compter, les encourageait à y aller.

— Cette boutique appartient à une femme qui s'appelle Lea Sherman, avait poursuivi Paul. Elle est au courant pour Iris...

Theo n'avait pas pu retenir un cri de surprise :

— Pourquoi avoir pris le risque de ?...

— Lea est une amie d'enfance en qui j'ai une confiance aveugle, l'avait interrompu Paul. Au cours de toutes ces années, elle est la seule qui m'a donné ce que personne d'autre ne pouvait m'offrir. Iris est ma seule enfant. Je me suis tenu à l'écart parce que Anna disait que ce serait trop dangereux. Je peux compter sur les doigts d'une main les occasions que j'ai eues de voir Iris face à face, de lui dire quelques mots. J'ai dû forcer Anna à m'accorder ces rencontres, mais il y en a eu si peu... si peu, avait-il dit d'un ton presque implorant. Un homme a pourtant besoin de voir son unique enfant, et le seul moyen dont je disposais pour avoir de ses nouvelles était par l'intermédiaire de Lea. Quand Anna et Iris venaient dans sa boutique, Lea était à la fois mes yeux et mes oreilles. C'était bien peu, mais c'est tout ce que j'avais et je n'ai pas honte d'avouer que je la chargeais de les espionner à ma place. J'étais désespéré au point d'en être arrivé là, voyez-vous.

Pour un homme digne et fier comme Paul, pensait Theo, il devait être pénible de se livrer comme il le faisait. Mais une fois ouvertes les vannes du souvenir, il lui était impossible d'en arrêter le flot.

— Je n'ai pas même une photo d'Iris. Savez-vous ce que je fais quand je veux la voir ? J'ai un portrait à l'huile de ma défunte mère. Iris lui ressemble trait pour trait. Je regarde donc ce portrait en me disant qu'il est d'elles deux. Cela vous paraît sans doute absurde...

Non, aurait voulu répondre Theo. Pas absurde, mais très triste.

Paul et lui s'étaient parlé encore une fois quand Theo lui avait remis la dernière échéance du prêt. Lorsqu'il avait voulu lui exprimer sa gratitude, Paul l'avait balayée d'un geste.

— Les années qu'a duré notre arrangement ont été les meilleures de ma vie. Pour la première fois, je me suis senti plus proche d'Iris que je ne l'avais jamais été, avait-il dit sans chercher à essuyer les larmes qui ruisselaient sur ses joues. Je n'ai jamais pu lui donner une poupée pour son anniversaire, je n'ai jamais su quelle était sa couleur préférée, dans quel matière elle était la meilleure à l'école. Quand vous l'avez épousée, toute la presse a parlé de votre mariage parce que Joseph Friedman était une personnalité éminente. J'était debout devant le temple au milieu de la foule pour apercevoir ma fille qui courait vers la limousine. Je ne pouvais rien faire de mieux. Maintenant, grâce à vous, j'ai l'impression de faire partie de sa vie.

— J'en suis heureux, avait sobrement répondu Theo.

— Quoi que je vous ai offert – et je ne le minimise pas, car je sais ce que cette somme représentait pour vous –, ce n'est rien par rapport à ce que vous m'avez apporté. Il faut que vous le sachiez.

Theo le savait. Même s'il ne pouvait ni ne voulait rien révéler de cette histoire à Iris, il avait quand même réussi à la faire changer d'avis sur le « vieil ami de sa mère ». Pour la plus grande joie de son mari, elle avait fini par éprouver de l'affection pour Paul. Lorsque sa mort était survenue plusieurs années plus tard, Theo était heureux qu'Iris ait fait la paix avec son père, même si elle ignorait qu'il l'était.

Theo se redressa sur son lit. Il ne se sentait plus fatigué, comme si se remémorer le passé, surtout ces jours si chargés d'émotions fortes, l'avait ragaillardi. Cela lui arrivait parfois, ces derniers temps. Il se leva, sortit de la chambre et retrouva Iris assise au salon, un livre sur les genoux, mais il était évident qu'elle ne lisait pas et que ses pensées l'avaient emportée très loin ailleurs. En entendant derrière elle les pas de son mari, elle se leva d'un bond, prête à faire tout ce dont il aurait besoin. Elle était comme cela, maintenant, toujours en alerte pour intervenir si Theo avait un problème.

— Tu te sens bien ? Tu as bien dormi ?

Il entendit dans sa voix l'inquiétude qu'elle s'efforçait en vain de lui dissimuler.

Que deviendras-tu quand je ne serai plus là ? Que ce Dieu en qui tu mets ta foi, mais auquel je ne crois pas, puisse te venir en aide…

— Mais oui, mais oui, je me suis bien reposé, répondit-il en allant s'asseoir dans son fauteuil. Tu avais l'air pensive quand je suis entré. À quoi pensais-tu donc ?

— À la manière bizarre dont fonctionne notre esprit, répondit-elle avec un petit rire. Je me fais beaucoup de souci pour Laura et Robby, tu le sais. Alors, pour ne rien te cacher, j'étais assise là quand je me suis mise à penser à ce photographe. Et puis, je ne sais pas pourquoi, j'ai repensé à Paul Werner. Quand tu es venu, je me demandais par quel curieux détour de la pensée je suis passée de ce jeune homme mal habillé et mal coiffé à Paul Werner, qui était toujours si élégant.

Allons, chère Iris, tu sais très bien pourquoi ! Dans ton enfance, tu sentais qu'il y avait quelque chose entre Paul et ta mère. Et maintenant, tu sens la même chose entre ta fille et ce jeune homme. Mais tu refuses de l'admettre et tu en as peur.

Il ne pouvait pas le lui dire, bien sûr, parce qu'elle était assise bien droite comme une bonne petite fille qui voudrait s'entendre dire que ce qui lui fait peur n'existe que dans son imagination. Et il devait la protéger de ce qui lui faisait peur – au moins tant qu'il serait là pour le faire.

— Me demanderais-tu de t'expliquer la manière dont ton esprit fonctionne ? répondit-il en souriant. Je ne le pourrais pas, ma chérie. Même au bout de tant d'années, tu restes pour moi un mystère et j'espère que cela ne changera jamais.

Après qu'il l'eut embrassée et qu'elle lui eut rendu son baiser, il lui demanda ce qu'il y avait pour le dîner. Elle lui proposa de la soupe et elle alla la réchauffer à la cuisine. Et tandis qu'ils mangeaient tous les deux leur potage, assis face à face à la table de la cuisine, Theo se dit que la vie, au fond, était simple. On pouvait résoudre tant de ses problèmes par un sourire, un baiser et une assiette de soupe qu'il aurait bien voulu – oh, oui ! – s'en être aperçu des années auparavant.

22

L'été passait et Robby ne revenait toujours pas de Blair Falls, où il était depuis deux mois déjà. Katie était à un camp de vacances jusqu'à la fin août. Quant à la date du retour de Robby, Laura n'en savait rien, il ne lui en parlait jamais au téléphone. Il avait toujours l'air de bonne humeur et très occupé – à quoi, mystère. Pour la première fois depuis des années, Laura n'avait donc personne d'autre à nourrir que la vieille Molly et la seule voix qu'elle entendait dans la maison était la sienne. Mais ce n'était pas la raison pour laquelle un brouillard gris l'enveloppait de nouveau. Nick lui manquait, tout simplement. Ce vide prenait parfois la forme d'une souffrance sourde qu'elle ressentait toute la journée ; parfois celle d'une douleur aiguë qui la frappait comme un coup de poignard lorsqu'elle s'y attendait le moins. Dans un cas comme dans l'autre, cela lui faisait mal. Et elle n'avait aucun moyen d'y remédier.

Elle puisait son seul soulagement dans le travail et, Dieu merci, elle en avait eu beaucoup. Lillian et elle avaient terminé la rédaction du livre dont elles révisaient la dernière version. La réception en l'honneur de Mai Ling, la pianiste, avait eu un grand succès et intéressé plusieurs organisations qui prévoyaient de faire appel à ses services. Pour la plus grande joie d'Iris, Philip s'était rendu à la réception où Laura l'avait présenté à Mai Ling. Depuis, ils avaient l'air de fort bien s'entendre.

Et puis, du jour au lendemain semblait-il, il n'y avait plus rien eu. Le manuscrit avait été envoyé à l'éditeur et Laura n'avait plus de contrats en vue jusqu'à l'automne. Ce fait n'avait rien de nouveau, l'été ayant toujours été sa morte-saison. En temps normal, elle en profitait pour travailler avec les jardiniers – elle en avait deux pour s'occuper des fleurs et des herbes aromatiques devenues sa marque distinctive. C'était aussi l'époque où elle travaillait avec son comptable pour mettre à jour la pile de papiers accumulés le reste de l'année. Maintenant qu'elle était engluée dans le brouillard, elle se sentait incapable de répandre des engrais sous le soleil ou d'additionner des colonnes de chiffres.

Elle avait pensé rendre visite à Katie dans son camp, mais le directeur déconseillait aux parents de venir voir leurs enfants avant qu'ils aient eu le temps de s'accoutumer à un mode de vie aussi nouveau pour eux. De toute façon, Laura ne voulait aller nulle part tant l'épais nuage de brouillard la plongeait dans la léthargie. Il finira bien par se dissiper, se répétait-elle car, en dépit des romans à l'eau de rose qui affirment le contraire, personne n'était vraiment mort d'un chagrin d'amour.

Pourtant, le brouillard ne se levait pas.

— Certaines des photos sélectionnées pour le livre ne conviennent pas du tout, déclara Lillian au téléphone d'un ton exaspéré. Les photos de Nick sont toujours excellentes, bien sûr, mais elles n'illustrent pas toutes certains détails précis. Nous pouvons certainement en choisir de mieux adaptées. Je lui ai dit que nous passerions vous et moi à son studio la semaine prochaine pour étudier ses planches-contact.

Aller au studio de Nick... Revoir Nick... Laura sentit son cœur bondir de joie avant de retomber sur terre.

— Je ne peux pas m'absenter, Lillian.

— De toute la semaine ? Vous pouvez quand même vous libérer une journée, c'est important !

Lillian avait raison. Les illustrations avaient autant d'importance que le texte qu'elles s'étaient donné tant de mal à mettre au point.

Grand Dieu, comment en serai-je capable ? Comment le revoir pour le quitter encore une fois ?

— Laura ! Vous êtes toujours là ?

— Oui, je réfléchissais... Voyons, pourquoi pas mercredi prochain ? dit-elle en espérant que Lillian ne l'avait pas entendue soupirer.

— D'accord pour mercredi. Soyez chez Nick à midi.

On était jeudi. Encore six jours à attendre.

Elle ne mangeait presque plus, ne dormait que quelques heures et, pourtant, elle ne se sentait jamais fatiguée. Elle travaillait plus dur et plus longtemps que les jardiniers et il lui restait de l'énergie à revendre. Elle se surprenait parfois à frissonner sans savoir si c'était d'excitation ou d'appréhension – peut-être les deux. Mais peu lui importait. Encore quatre jours, puis trois... Le mardi soir arriva enfin.

Elle se lava les cheveux et les brossa longuement. Elle sortit de la penderie presque tous ses vêtements, qu'elle étala sur le lit sans arriver à en choisir un plutôt qu'un autre. Elle se décida finalement pour une robe-tunique rose qui soulignait la finesse de sa taille, une veste orange légère, des sandales à hauts talons qui lui donnaient une démarche de top model sur un podium, et ses boucles d'oreilles de corail les plus seyantes. Elle disposa le tout sur le canapé et se coucha pour attendre le lendemain.

Le mercredi matin se leva clair et ensoleillé, mais Laura aurait aussi bien pu être en Alaska au cœur de l'hiver. Ses mains tremblaient quand elle se coiffa, elles tremblaient en tenant le tube de rouge à lèvres. La robe lui parut soudain trop provocante et sa couleur trop tape-à-l'œil. Elle pensa en changer, mais elle n'en avait plus le temps. Si elle manquait le train, elle arriverait en retard en ville.

De toute façon, tu es stupide ! se dit-elle. *Cela fait des semaines que tu ne l'as pas vu et tu lui as dit que c'était fini. New York ne manque pas de filles plus jeunes et plus jolies que moi. Il n'a que l'embarras du choix et il en a probablement déjà trouvé une autre.*

Non, il n'en avait pas même cherché, elle le savait. Le lien mystérieux qui s'était créé entre eux depuis le premier jour existait toujours.

Et même s'il n'en a pas trouvé d'autre, cela ne change rien. Tu es mariée, tu n'es plus une gamine.

La seule chose qui finit par la rassurer fut de se dire qu'il ne pourrait rien se passer parce que Lillian serait présente.

Dieu merci, Lillian sera là ! se dit-elle en allant à la gare, en prenant son billet et en attendant sur le quai. *Dieu merci, Lillian sera là*, se répéta-t-elle pendant tout le trajet. *Il ne pourra rien se passer puisque Lillian sera là...*

Nick ouvrit la porte du loft. Sans un mot, il resta là à regarder Laura de ses merveilleux yeux bleu-vert. Si elle ne le savait pas déjà d'instinct, elle avait maintenant la certitude qu'il n'avait pas d'autre femme dans sa vie.

— Bonjour, dit-il au bout d'un long silence.

Elle avait envie de détaler.

— Bonjour. Je peux entrer ?

Il s'effaça, referma derrière elle.

— Voulez-vous boire quelque chose ?

Il fallait qu'il agisse pour calmer ses nerfs. Elle le savait, elle était dans le même état.

— Euh... Un verre d'eau, merci, parvint-elle à répondre.

Contre un mur, il y avait une sorte de kitchenette avec un évier. Il s'y précipita pendant qu'elle faisait quelques pas dans le loft en regardant autour d'elle – tout plutôt que le regarder, lui.

Laura n'avait jamais visité de studio de photographie. Elle s'imaginait un endroit à l'élégance agressive, avec des meubles ultramodernes en cuir et en acier chromé, et des agrandissements de photos avant-gardistes sur les murs. Celui de Nick ressemblait à un atelier semblable à beaucoup d'autres. Il y avait une grande table de travail au milieu, une forêt de projecteurs et de réflecteurs montés sur pied dans un coin, des piles de caisses et d'étuis d'appareils dans un autre. Le plafond très haut était orné de moulures, les fenêtres aux vitres opaques étaient à demi occultées par des rideaux et le plancher avait dû subir de nombreux outrages avant d'être restauré. Dans l'espace encore libre, un coin était aménagé avec un canapé profond, trois confortables fauteuils, une table basse en chêne et un tapis d'Orient.

Il lui apporta le verre d'eau qu'elle prit en le remerciant. Ils restèrent face à face en se dévisageant.

— C'est donc ici que vous travaillez, déclara-t-elle enfin pour briser le silence qui s'éternisait.

— J'y habite aussi. Derrière cette porte, au fond, j'ai aussi un living, une cuisine équipée et ma… ma chambre, dit-il en bredouillant.

Ce mot et ce qu'il suggérait resta entre eux. Laura s'éclaboussa avec l'eau du verre qu'elle tenait d'une main tremblante. Nick le lui reprit.

— Vos mains tremblent…

Elle avait oublié combien il pouvait y avoir de tendresse dans sa voix grave. Mais elle ne pouvait pas se permettre de penser à des choses aussi dangereuses que la tendresse.

— Regardez donc les vôtres.

Il sourit, elle ne put s'empêcher de lui sourire aussi. Des sourires encore plus dangereux que la tendresse.

— Où est Lillian ? se hâta-t-elle de demander.

— Elle ne vient pas.

Oh, Seigneur !

— Elle m'a appelé tout à l'heure pour me dire qu'elle a attrapé un méchant rhume des foins. Elle a voulu vous appeler, mais votre numéro ne répondait pas.

— J'étais probablement déjà en route vers la gare.

— C'est ce qu'elle a pensé.

Elle aurait dû partir. Immédiatement. Lui dire qu'elle reviendrait quand Lillian irait mieux. Mais elle fut incapable d'articuler les mots.

— Laura...

Il faut que je m'en aille... Je ne peux pas rester...

— Si vous saviez combien de fois je vous ai imaginée ici, comme en ce moment.

Il faut que je parte. Tout de suite...

— Je voulais vous offrir du champagne, remplir la pièce de roses, la rendre digne de vous... aussi belle que vous...

Dieu me pardonne, je ne veux pas partir.

Quelque part dans le couloir, on entendit une porte claquer, une voix lancer un appel, mais les mots étaient trop étouffés pour être compréhensibles. Alors, elle attendit que Nick s'approche. Parce qu'ils ne pouvaient plus ni l'un ni l'autre revenir en arrière. Elle avait vu comment il regardait sa robe, cette robe qui mettait en valeur la finesse de sa taille, la fermeté de ses seins. Et elle enleva sa petite veste orange.

Sa robe de jersey état coupée de telle sorte qu'un seul nœud la retenait à la taille. Les doigts de Nick le défirent avec une sûreté d'autant plus surprenante qu'ils tremblaient encore. Le jersey tomba à ses pieds, que ses sandales avaient déjà quittés, elle ne savait comment. Il la prit dans ses bras, la porta jusqu'au canapé, s'agenouilla à côté d'elle, parcourut son corps de ses lèvres, s'attarda sur le cou, la gorge, la bouche, pendant que ses mains la caressaient en finissant de la dévêtir. Et quand il fut sur elle, avec un sourire d'une infinie tendresse, elle n'entendit plus que les battements de son cœur – ou peut-être de leurs deux cœurs, jusqu'à ce qu'ils parviennent ensemble au sommet du plaisir.

Ainsi, l'inévitable s'était accompli. Les douloureuses semaines de lutte et de renoncement avaient pris fin. Contre elle, le regard apaisé, Nick reposait, les doigts emmêlés dans ses cheveux défaits. Laura aurait dû se sentir coupable, elle le savait mais n'y parvenait pas. Pas maintenant. Les remords viendraient plus tard sans doute. En ce moment, elle était comblée de bonheur et n'éprouvait que de la joie.

Une couverture était posée sur un accoudoir du canapé. Nick la déploya, leur en fit un cocon. Il attira Laura contre lui, sa tête trouva tout naturellement sa place au creux de son épaule. Dehors, sous les fenêtres du loft, le vacarme de la circulation grondait, les gens se hâtaient de s'acquitter des responsabilités qui incombent à tous les citadins, même par un beau mercredi après-midi d'été. Mais elle, isolée du monde avec Nick dans leur cocon, elle pouvait s'abandonner au sommeil.

Quand elle se réveilla, elle vit d'abord au plafond des moulures qu'elle ne reconnut pas plus que la couverture qui l'enveloppait. La mémoire lui revint aussitôt, elle se tourna pour voir Nick, mais il n'était plus blotti contre elle. Paniquée, elle se redressa.

— Nick !

Il s'était rhabillé et était assis dans un fauteuil en face du canapé.

— Je suis là.

Les rideaux étaient tirés, il faisait sombre. Il alluma une lampe.

— Un instant, j'ai cru que...

Il se leva, s'agenouilla à côté d'elle, l'embrassa. Son baiser fut différent, cette fois. Plus tendre, moins exigeant. Un peu triste, peut-être, ou se l'imaginait-elle ?

— Non, je ne suis pas parti, voyons !

— Quelle heure est-il ?

— Quatre heures dix. J'allais te réveiller.

— Pourquoi ne l'as-tu pas déjà fait ?

— Ç'a m'a plu de te regarder dormir, dit-il en lui caressant la joue. Tes vêtements sont là. Veux-tu une tasse de café avant de partir ?

Elle comprit alors la tristesse qu'elle avait cru déceler.

— Je ne veux pas te quitter.

Il hésita, prit une profonde inspiration.

— Moi non plus, mais… je crois que nous devrons nous y habituer. Qu'en penses-tu ?

En le regardant dans les yeux, elle comprit ce dont il avait pris conscience pendant qu'elle dormait : se séparer ferait désormais partie de leur vie. Ils devraient se dire au revoir au lieu de s'endormir ensemble pour se réveiller dans les bras l'un de l'autre. Ils ne pourraient jamais s'offrir le luxe de perdre une minute du temps qu'ils passeraient ensemble, car les simples mots « au revoir » resteraient toujours au-dessus d'eux comme une menace ou une malédiction.

— C'est trop cruel pour toi. Trop injuste.

S'il était d'accord avec ce qu'elle venait de dire, elle en aurait le cœur brisé.

— Je ne suis plus un petit garçon, Laura, dit-il en l'embrassant de nouveau avant de se relever. Bon, je vais faire du café. Tu pourras prendre le train de dix-huit heures, j'ai vérifié l'horaire.

— Je resterais sans ma pauvre Molly, mais je ne lui ai rien laissé à manger et… et je…

Elle fondit soudain en larmes. Il s'agenouilla de nouveau.

— Ne pleure pas, ma chérie. Les larmes ne servent à rien, c'est de nous qu'il s'agit. D'accord ?

Elle acquiesça d'un signe de tête, s'essuya les yeux.

Puis elle se rhabilla pendant que Nick s'affairait dans la kitchenette. Il lui apporta une tasse de café fumant et se rassit dans son fauteuil.

— Je ne peux pas avoir tout ce que je voudrais, je le sais, dit-il au bout d'un moment. Tu es mariée, tu as des responsabilités. Mais notre amour est si… vrai. Si juste. Tu le sais, toi aussi. Un amour comme le nôtre ne peut pas être une faute.

— J'ai bien peur que si.

— Non, tant que nous ne ferons de mal à personne.

— On fait toujours mal à quelqu'un.

— Parce qu'on ne prend pas de précautions. Nous ferons attention, nous, à ne blesser personne, à ce que personne ne sache rien.

— Mais nous ? Toi et moi ? Nous n'en souffrirons jamais ?

Il détourna les yeux avant de répondre.

— Écoute… Je prendrai tout le bonheur possible aussi longtemps que je le pourrai. Et quoi qu'il arrive, cela en aura valu la peine…

Il releva les yeux vers elle, s'efforçant de parler d'un ton léger, mais elle lut dans son regard une prière, presque une supplication.

— À toi maintenant. Qu'en dis-tu ?

Il lui avait dit qu'elle avait des responsabilités, et elle en avait. Elle avait le sens du devoir, elle tenait toujours parole. Cependant, il avait également dit que leur amour était juste et vrai. Et il avait raison, sans l'ombre d'un doute.

— Je prendrai tout le bonheur possible aussi longtemps que je le pourrai, répéta-t-elle. Et cela en vaut *déjà* la peine.

Les semaines suivantes passèrent comme un tourbillon. Laura travaillait, bien sûr – quand lui était-il arrivé de rester sans rien faire ? Il fallait s'occuper des jardins, les consultations pour les réceptions de l'automne commençaient à arriver. Mais Nick et le fait de revoir Nick passaient avant tout. Elle le rejoignait au loft – elle connaissait maintenant les moindres recoins de son appartement – aussi souvent qu'elle le pouvait. Elle devint ainsi experte en dissimulation – et en mensonges. Lorsqu'elle allait en ville pour quelques heures de bonheur clandestin, elle prétendait procéder à des recherches pour un nouveau livre, prétexte qu'elle invoquait auprès de ses employés, de ses parents, de ses frères et même, parfois, de son éditeur. De tous, sauf de Katie. Katie l'appelait les mardis et jeudis soir, quand les pensionnaires du camp avaient le droit de se servir du téléphone. Laura veillait à toujours être rentrée à la maison avant l'heure de ces appels de manière à ce qu'elle n'ait pas besoin d'expliquer son absence à sa fille ni de devoir lui mentir.

Robby l'appelait régulièrement lui aussi et elle s'étonnait de pouvoir lui parler avec autant de facilité. Ces temps-ci, à vrai dire, parler à Robby consistait surtout à l'écouter. Il paraissait être tombé amoureux de la ville dont il avait tout fait pour s'enfuir. Il en parlait maintenant comme de la « vraie Amérique » et il rebattait les oreilles de Laura du caractère sociable et amical des habitants de Blair Falls.

— Tu les trouveras peut-être un peu trop conservateurs à ton goût, disait-il en riant. Quand tu viendras, tu seras sûrement obligée de mettre une sourdine à tes opinions...

C'était la première fois qu'elle l'entendait évoquer une visite dans l'Ohio et l'obligation qu'elle aurait de faire bonne impression aux gens de Blair Falls.

— Il vaudrait mieux aussi que tu ne parles pas devant ma mère de ce qu'a fait ton frère Steven pour éviter d'être appelé dans l'armée pendant la guerre du Vietnam ni de ses activités juridico-sociales actuelles.

Elle s'abstenait de rappeler à Robby qu'il n'avait pas précisément couru s'enrôler sous les drapeaux. Elle ne lui demandait pas non plus quand il envisageait de revenir. Elle préférait ne pas le savoir.

Si les jours passaient sans qu'il fasse allusion à son retour éventuel, Robby se faisait de plus en plus insistant pour que Laura revienne dans la « vraie Amérique » – et elle devenait de plus en plus habile à ajourner cette visite sine die. Pour la plupart, à vrai dire, ses excuses étaient valables. Son livre était imprimé et des exemplaires étaient envoyés en service de presse aux critiques. Les premières réactions étaient extrêmement favorables et les attachées de presse que l'éditeur lui avait attribuées organisaient des interviews devant avoir lieu à New York – et pas dans l'Ohio. Son interview, déjà diffusée, dans le *talk-show* du matin le plus populaire d'une chaîne de télévision nationale avait été le plus beau « fleuron à sa couronne », selon son attachée de presse. Non seulement Laura avait parlé de la sortie de son livre, mais elle avait raconté des anecdotes amusantes sur les manières de rattraper un désastre culinaire ainsi que ses mésaventures avec sa cocotte-minute dont les caprices, avait-elle avoué, avaient failli la faire mourir de peur. Tout le monde l'avait adorée et couverte de fleurs. Le producteur de l'émission lui avait proposé un passage régulier de cinq minutes deux fois par semaine. Laura avait chargé un agent de mener les négociations.

Tout le monde se réjouissait pour elle. « Votre nom sera sur toutes les lèvres et les ventes du livre pulvériseront les records », l'avait applaudi son éditeur – pas tout à fait désintéressé. Nick avait enregistré une cassette de ce qu'il baptisait sa « prestation de star », qu'ils avaient visionnée ensemble en dégustant le chocolat glacé de Serendipity dont il savait qu'elle raffolait. Sa famille et ses amis l'inondaient de coups de téléphone de félicitations et Katie, au téléphone, avait dit qu'elle était « vachement cool ». Seul Robby n'avait pas manifesté d'enthousiasme.

— Cela m'a paru un peu prétentieux. Es-tu vraiment obligée de vanter ton bouquin à ce point ?

— C'est une opération de promotion.

— Oui, bon. Mais quand tu viendras ici, il faudra être plus discrète. Dans notre trou de province, les gens n'apprécient pas ceux qui chantent leurs propres louanges.

Il fut un temps où elle aurait été furieuse mais aurait ravalé sa colère pour ne pas provoquer une scène. Aujourd'hui, elle était trop omnubilée par l'heure pour réagir à cette méchanceté. Si elle s'attardait au téléphone, elle manquerait son train pour aller rejoindre Nick.

— Il faut que je raccroche, Robby. Je vais être en retard à un rendez-vous important, se borna-t-elle à répondre.

Trois quarts d'heure plus tard, en descendant du train à Manhattan, elle avait déjà relégué cette conversation aux oubliettes. À l'évidence, Robby s'enracinait de plus en plus dans sa bourgade natale et elle préférait ne pas penser à ce que cela pourrait impliquer dans l'avenir. Il faudrait, un jour ou l'autre, qu'elle règle le problème de son mariage et de son mari. Mais, ce jour-là, le soleil brillait, une brise légère rafraîchissait l'air et Nick l'attendait.

Ainsi s'écoulaient ses journées, des journées débordantes d'activité, baignées d'une lumière dorée. Nick et elle ne parlaient jamais de l'avenir. Qu'en auraient-ils dit, après tout ? Il y aurait à coup sûr des décisions à prendre, de grandes décisions, de douloureuses décisions – sans faire de mal à personne ? Allons donc ! Y penser lui était insupportable. Alors, elle vivait dans l'instant présent. Comme Nick. Et puis, tout à coup, sembla-t-il, l'été toucha à sa fin.

— Katie revient à la maison la semaine prochaine, apprit-elle à Nick.

Elle n'eut pas besoin d'ajouter que leurs belles journées de bonheur insouciant étaient condamnées du même coup. Ils savaient tous deux que Laura ne pourrait plus se permettre de rester le soir en ville si Katie était à la maison. Cet avenir qu'ils évitaient d'évoquer depuis des semaines était soudain imminent.

— Allons quelque part pour un long week-end. Nous pourrions partir vendredi, proposa Nick.

— Mais… nous ne sommes jamais allés nulle part ensemble !

— C'est bien ce que je disais, répondit-il avec un petit sourire en coin.

Commencèrent alors les préparatifs doux-amers d'une discrète escapade amoureuse. Amers parce que, sans qu'aucun le dise, ils savaient tous deux qu'elle marquait la conclusion d'un temps béni qui ne reviendrait jamais. Mais le week-end lui-même leur serait infiniment doux. Ils pourraient rester au lit aussi longtemps qu'ils le voudraient. Ils pourraient se réveiller et prendre leur petit déjeuner ensemble, ou se promener en se tenant par la main. Ou même aller au cinéma. Ils n'étaient jamais allés au cinéma ensemble.

La question du lieu de leur escapade se révéla plus compliquée que Laura ne l'avait imaginé – et le problème venait de Nick. Par son travail dans les domaines des arts, de la mode et de l'édition, il était trop connu pour se risquer avec elle dans les lieux de la côte est très fréquentés. Des endroits tels que les Hampton ou les villégiatures du Connecticut et du New Jersey leur étaient donc interdits, ils y auraient rencontré des gens de connaissance. Trop s'éloigner n'offrait pas non plus de solution, parce que ni lui ni Laura ne voulaient perdre dans un aéroport ces précieux moments.

Ils portèrent finalement leur choix sur une petite station des Catskill, jadis réputée, qui s'efforçait de survivre à sa gloire passée. Les vacanciers qui descendaient au Grand Hôtel étaient en général des familles profitant d'un tarif attractif si parents et enfants partageaient la même chambre. C'était donc aussi loin des paillettes et du prestige qu'on pouvait l'imaginer.

Le confort souffrait également d'une recherche systématique de l'économie. Les draps étaient rugueux, la salle de bains dépourvue de serviettes – que Laura n'obtint qu'au prix de supplications – et les placards sentaient le moisi. Une unique jeune serveuse débordée assurait le service à la salle à manger, et si les plats n'étaient pas mauvais ils arrivaient froids à table. Pour leur premier petit déjeuner, Nick s'en félicita car la serveuse renversa sur lui une tasse de café, froid comme le reste, et détala en larmes, laissant à Laura le soin de réparer les dégâts.

— Je vais vous aider, madame MacAllister, offrit aussitôt une dame entre deux âges à une table voisine.

L'obligeante personne se précipita et entreprit d'éponger la veste de Nick avec sa serviette tandis que Laura, frappée de panique, se demandait où et comment elle avait fait la connaissance de cette femme. Le mystère fut dissipé une seconde plus tard.

— Je vous ai reconnue parce que je vous avais vue à la télé dans l'émission *Bonjour, l'Amérique* et je voulais vous dire combien ma fille aînée et moi nous avons aimé. Debbie est là, dit-elle en désignant la table où son mari et ses enfants finissaient leur petit déjeuner.

L'aînée en question, une fille maigrichonne de dix-huit ou dix-neuf ans, salua Laura d'un geste de la main.

— Elle adorerait avoir votre autographe, enchaîna sa mère.

— Mon… autographe ? répéta Laura, désarçonnée.

— Ce n'est pas tous les jours qu'on a la chance de rencontrer une star de la télé en personne. Si vous n'avez pas de papier, j'en ai, poursuivit-elle en sortant de sa poche une vieille enveloppe et un stylobille qu'elle tendit à Laura. Écrivez *À Debbie*, avec votre signature, ça sera très bien. Je l'ai prénommée Debbie en l'honneur de Debbie Reynolds. J'ai vu tous ses films. Je l'adore ! Pas vous ?

Laura n'avait jamais beaucoup apprécié les talents d'actrice de Debbie Reynolds.

— Euh… je…

— Vous êtes trop jeune pour vous souvenir de l'époque où Debbie Reynolds était mariée à Eddie Fisher que cette affreuse Elizabeth Taylor lui a volé. Mais je peux vous affirmer que Debbie a réagi à ce scandale avec beaucoup de classe et de dignité. Tout ce que je peux dire, c'est qu'Eddie devait avoir perdu la raison pour agir comme il l'a fait. Mais il n'a eu que ce qu'il méritait quand Liz Taylor l'a plaqué pour Richard Burton. Quand on crache en l'air, ça finit toujours par vous retomber sur le nez, vous ne croyez pas ?

Nick faisait des efforts surhumains pour garder son sérieux.

— Euh, oui… sans doute…

Laura prit l'enveloppe, griffonna l'autographe et la rendit à la dame, qui lui serra la main avec une poigne à lui briser les os et, grâce à Dieu, quitta enfin la salle à manger avec sa petite famille. En passant, ils gratifièrent tous Laura d'un salut et d'un sourire. La porte à peine refermée derrière eux, Nick éclata d'un rire trop longtemps contenu.

— Tu m'as bien aidée ! le morigéna Laura. J'avais toutes les peines du monde à ne pas rire au nez de cette pauvre femme !

— La « pauvre femme », comme tu dis, t'a repérée dès la seconde où tu as franchi la porte. Elle n'attendait qu'un prétexte pour se jeter sur toi. Et je dois dire que je me suis bien amusé à voir comment tu réagissais à ta première fan. Bon entraînement, parce que tu en auras d'autres.

— Je ne m'attendais absolument pas à ce qu'une parfaite inconnue se mette à me parler… Qu'est-ce que j'aurais fait si j'avais commencé à manger et que j'aie eu une miette coincée entre les dents ?

— Ah, c'est le prix de la célébrité, ma chérie, répondit-il en s'essuyant les yeux. Le prix de la célébrité… Mais j'aurais dû prévoir que les gens te reconnaîtraient après ton passage à la télévision, poursuivit-il en reprenant son sérieux. C'est idiot de ma part de ne pas y avoir pensé.

Elle n'y avait pas pensé elle non plus.

— Est-ce que cela veut dire qu'il faut rentrer ?

Ce serait trop injuste ! Nick et elle voulaient juste un simple week-end en amoureux dans un vieil hôtel délabré au milieu de nulle part…

— Non, c'est sans importance. Un simple hasard. Mais, par précaution, il vaudra mieux ne plus prendre nos repas ici.

Ils achetèrent donc dans un des restaurants du pays des plats préparés qu'ils mangèrent dans leur chambre. Malgré tout, ces trois jours de paradis passèrent trop vite. Laura eut l'impression qu'avant même de s'en rendre compte, Nick était revenu à son loft et elle chez elle, où leur séparation lui infligeait de véritables souffrances physiques.

Et puis, tout changea avec le retour de Katie.

23

Certains de ces changements, Laura les prévoyait. Si elle pouvait toujours aller en ville passer quelques heures avec Nick – il lui était impensable d'y changer quoi que ce soit –, ces moments étaient plus brefs et moins fréquents. Mais le changement le plus important survenait en Laura elle-même. Elle devait maintenant affronter le fait qu'elle aurait beau se dire que leur amour était juste, elle ne pouvait ni ne voulait que sa fille le sache. Le retour de Katie s'accompagnait pour elle d'un retour à une certaine réalité.

Or une autre réalité, infiniment plus amère, allait s'imposer à elle.

— Mon oncle Donald veut que je prenne sa suite à la tête du grand magasin de la famille, lui annonça Robby au téléphone.

— Quoi ?

— Il m'a dit au printemps qu'il souhaitait prendre sa retraite et que, comme il n'avait pas d'enfants, il voulait que ce soit moi qui le remplace, si j'en étais capable. Voilà à quoi je travaille depuis quelques mois.

Laura s'efforça d'assimiler la portée de ce qu'il venait de lui apprendre.

— Tu travaillais pour ton oncle ? À Blair Falls ?

— Oui, j'apprenais les ficelles du métier pour voir si je m'adapterais au commerce et si cela me plairait. Oncle

Donald et moi étions d'accord pour que je fasse un essai avant de me décider.

— Ton oncle et toi « étiez d'accord » ? Comme ça, sans même m'en parler ?

— Oui, parce que je savais que c'était le meilleur moyen...

Plutôt parce que tu savais que je n'aurais jamais été d'accord.

— Écoute, Laura, j'ai commis tant d'erreurs, subi tant d'échecs. Avant de t'en parler, je voulais être sûr de moi. Maintenant, je le suis.

Seigneur ! Pourquoi ne l'ai-je pas senti venir ? J'aurais dû le comprendre plus tôt. Quand il ne revenait pas, j'aurais dû me douter qu'il y avait anguille sous roche ! Oui, mais j'étais trop contente qu'il ne soit pas là...

— Et ton livre ?

— Pendant tout le temps que j'ai passé dans ce petit bureau, je n'ai pas écrit un mot valable. Ce n'est pas la carrière qu'il me faut. Je te mets devant le fait accompli, je sais, mais essaie de ne pas te braquer. Katie et toi serez très heureuses à Blair Falls, j'en suis convaincu.

Il s'imagine que je serai heureuse dans son trou, à vivre à côté de sa mère qui me déteste ? Il est convaincu que j'abandonnerai de gaieté de cœur ma famille, mes affaires... et Nick ? Non, il ne faut pas penser à Nick. Pas en ce moment.

— Voyons, Robby, nous ne pouvons pas partir comme ça. Notre vie est ici.

— La tienne, peut-être. Pas la mienne. Et ce n'est pas bon pour nous deux. Tu as besoin d'un mari dont tu puisses être fière. Et moi, j'ai besoin de retrouver ma fierté.

— Je sais que tu étais déprimé et que les choses se sont mal passées pour toi. Mais déménager n'est pas la solution.

— Si, parce que désormais, je gagnerai de l'argent. Ce ne sera plus à toi de payer les factures. Et puis, je serai chez moi, sur mon terrain.

— Sur ton terrain ? Ce n'est pas un jeu, Robby, un match où il faut un gagnant et un perdant !

Elle l'entendit soupirer.

— Quand nous étions à la fac, tu t'en souviens ? Nous étions jeunes et bêtes, nous nous imaginions avoir réponse à tout. Jamais, à l'époque, je n'aurais rêvé m'entendre dire ce que je suis en train de te dire. Mais pour les adultes que nous sommes devenus, je crois que certains des vieux principes ont encore de la valeur. Je ne dis pas que les femmes doivent rester à la maison comme ma mère l'a fait toute sa vie, non, mais je crois que les hommes, pour la plupart au moins, veulent toujours rester des chefs de famille. Peut-être parce qu'ils ne sont pas aussi sûrs d'eux qu'ils le croient, dit-il avec un petit rire désabusé. Ce dont je suis sûr en tout cas, poursuivit-il en reprenant son sérieux, c'est que je refuse d'être simplement le « mari de madame ». Et cela, Laura, je le vois venir. Ton livre est publié, ton affaire va grandir, tu réussiras encore mieux que tu n'as déjà réussi. Et moi, alors, où est-ce que je suis ?

— Tu peux être ce que tu veux, faire ce que tu veux ! Je te soutiendrai.

— Mais je ne veux plus que tu me soutiennes ! Pas plus financièrement qu'en me prodiguant de bonnes paroles réconfortantes juste avant de filer à un rendez-vous d'affaires ! Je veux que tu restes à mes côtés.

— Je comprends ce que tu dis. Mais faire ce que tu proposes…

— Ce sera un vrai nouveau départ pour nous tous, Laura. Tu crois que c'est pour moi seul que je parle ? Je veux le faire pour nous deux. Et pour Katie. Il lui faut deux parents, heureux ensemble.

Autrement dit, si tu es heureux dans ton bled de l'Ohio, je dois être heureuse moi aussi. C'est ça que tu penses vraiment ?

— Tu ne peux pas me mettre devant le fait accompli sans même me laisser le temps de me retourner, Robby ! Ni le temps d'y penser.

— Je sais. Écoute, il faut que tu viennes à Blair Falls pour une vraie longue visite, tu y es toujours passée en coup de vent. Et puis, nous attendrons après le nouvel an pour déménager. Il vaudrait mieux se décider tout de suite si on veut que Katie commence son trimestre à l'école et se fasse des amies. Il te faudra un certain temps pour tout régler à New York avant de venir pour de bon, je sais.

Laura n'avait pas dit qu'elle était d'accord pour déménager, pas même pour venir en visite, et le voilà qui parlait des camarades de classe de Katie et de sa nouvelle école comme si tout était déjà décidé !

— Cela laissera le temps à Katie de s'y habituer, ajouta-t-il.

Et moi ? Comment suis-je censée m'y habituer ?

Discuter aurait été une perte de temps. Robby était déterminé, l'oncle Donald l'avait déjà bombardé directeur du magasin avec une promesse de vice-présidence à l'avenir. Les Grands Magasins Landon et la bonne ville de Blair Falls allaient résoudre tous leurs problèmes !

Au cours des semaines suivantes, Robby lui chanta sur tous les tons les louanges de Blair Falls. Pendant l'été, il s'était inscrit dans les deux clubs les plus fermés de la ville, réservés aux notables éminents, avait-il fièrement précisé, comme s'il était certain que cet argument inciterait Laura à se déraciner et à bouleverser son existence. Laura se retenait de répliquer qu'il n'aurait pas été aussi « éminent » si son oncle ne lui avait pas offert son affaire sur un plateau d'argent.

Robby concluait chaque coup de téléphone par une invitation pressante à venir dans l'Ohio en vue d'une « vraie bonne visite ». Laura continuait à trouver des excuses pour décliner l'invitation et, le lendemain, courait chez Nick. La porte verrouillée, ils prétendaient pour quelques heures que le monde extérieur n'existait plus.

— Je ne sais pas ce que je deviendrais sans toi et ton loft, lui dit-elle une fois avant de partir reprendre le train.

— Tu n'auras pas besoin de chercher à le savoir, je te le promets, répondit-il en souriant.

Il essayait toujours d'alléger le moment de leur séparation.

— Je veux dire... J'ai aimé ou j'ai eu de l'affection pour beaucoup de gens, mais toi, tu m'es... indispensable. J'ai *besoin* de toi. Je ne crois pas avoir jamais eu besoin de personne, sauf de Katie.

— J'ai besoin de toi, moi aussi. Un peu effrayant, n'est-ce pas ?

— Effrayant dans le bon ou le mauvais sens ?

— Tu cherches des compliments ? dit-il en la prenant dans ses bras. Dans le bon sens. Le meilleur des sens.

Dans le train du retour, Laura repensa à cette conversation. Oui, elle avait besoin de Nick comme Christina avait besoin de Steven et comme sa mère avait besoin de son père.

Qu'en dis-tu, maman ? J'ai cru toute ma vie que j'étais comme bonne-maman. Elle aimait grand-père, mais elle n'avait pas vraiment besoin de lui. Pas autant que toi tu as besoin de papa. Et voilà que moi, j'ai besoin de Nick... En fin de compte, nous nous ressemblons toi et moi.

« Tu te trompes d'homme », aurait répondu Iris. Et Laura le savait.

24

— Katie, dépêche-toi ! Il y a un taxi libre au coin !

Laura courait sur le trottoir de Madison Avenue, une main levée pour faire signe au taxi, mais Katie traînait derrière elle.

— Plus vite, Katie !

Au moment même où Laura se retournait pour houspiller Katie, un homme sauta dans le taxi… et Laura lâcha un juron.

Katie n'entendait sa mère jurer que quand elle était vraiment énervée. *Tant mieux*, se dit-elle avec une joie mauvaise.

— Voyons, ma chérie, tu ne m'entendais pas t'appeler ? Nous aurions pu avoir ce taxi-là. Nous allons être en retard pour aller dîner chez ton oncle Jimmy.

— En retard, tu l'es tout le temps, grommela Katie.

Laura eut l'air aussi peinée qu'étonnée. Elle ne s'attendait pas à une réflexion de ce genre de la part de sa fille. Katie non plus, à vrai dire.

— Qu'est-ce que tu as ? demanda Laura. Peux-tu m'expliquer pourquoi tu réagis comme cela ?

Katie haussa ostensiblement les épaules et se remit en marche sans se retourner. Laura lui emboîta le pas une seconde plus tard.

Katie avait peur, et la peur la mettait de mauvaise humeur. Pas question, bien sûr, de le dire à sa mère… elle avait peur parce que leur famille se disloquait. Ce n'était pas la faute de maman, mais bel et bien de papa. Jusque-là, c'était toujours maman qui arrangeait tout. Pas cette fois. Et si Katie avait tort de s'en prendre à sa mère, c'était plus fort qu'elle, même si elle était de son côté.

Le problème, au fond, c'est qu'on ne pouvait pas vraiment en vouloir à papa d'être comme un bébé ou un jeune chien. Papa trouvait toujours des idées mirobolantes pour les rendre tous heureux, mais ses projets ne marchaient jamais. Cette fois-ci, il avait imaginé le pire de tous en voulant qu'ils aillent s'installer dans l'Ohio. Ceux qui connaissaient maman savaient qu'elle n'accepterait jamais, mais, au lieu de le dire franchement à papa, elle faisait comme s'il n'avait rien dit. Comme si elle croyait qu'il se rendrait compte que son idée ne valait rien et la laisserait tomber. Pourtant, quand papa avait une idée en tête, il ne la laissait jamais tomber, maman aurait dû le savoir.

Pas plus que sa mère Katie ne voulait aller dans l'Ohio. Elle aimait bien son école – sauf pour l'arithmétique mais ça, elle la retrouverait partout – et elle y avait des amies. Elle n'en avait que deux, n'étant pas de celles qui s'en font des dizaines tous les jours, mais ces deux-là étaient de vraies amies et elle y tenait beaucoup. Elle ne voulait pas non plus quitter bon-papa Theo et bonne-maman Iris qu'elle aimait énormément tous les deux. Rien à voir avec grand-mère Mac, qui vous faisait enlever vos chaussures lorsqu'on rentrait dans la maison et qui n'écoutait jamais quand on voulait lui dire quelque chose, parce que vous n'étiez qu'une gamine n'ayant rien d'intéressant à dire. Non, il n'était absolument pas question que Katie parte d'ici, surtout pour aller dans l'Ohio. Alors, elle aurait bien voulu que sa mère fasse quelque chose pour régler le problème. Le plus vite possible.

— Il va falloir aller à pied chez ton oncle Jimmy, nous ne trouverons jamais de taxi libre à cette heure-ci. Je suis désolée, ma chérie.

Un instant, Katie le fut aussi. Maman faisait tout ce qu'elle pouvait, Katie n'aurait pas dû faire exprès de laisser partir le taxi. Mais elle n'allait sûrement pas le lui avouer.

— Tu boudes encore, à ce que je vois, soupira Laura.

Elles continuèrent à marcher en silence. Tout à coup, Katie s'arrêta et regarda autour d'elle. Elle ne venait pas souvent en ville et, pour elle, toutes les rues se ressemblaient, sauf cette partie-là de Madison Avenue, qui lui paraissait familière. Elle se rappela alors pourquoi. Un an plus tôt, en revenant avec sa mère de l'anniversaire de sa cousine Rebecca Ruth, elle avait vu dans la vitrine d'une boutique de brocante. un portrait qui ressemblait étrangement à bonne-maman Iris. Cette boutique était de l'autre côté de l'avenue, elle en reconnut la devanture. Deux secondes plus tard, elle partit en courant et traversa la rue.

— Katie ! lui cria Laura. Qu'est-ce que tu fais ?

Katie était déjà arrivée saine et sauve sur l'autre trottoir. Malgré les appels de sa mère, elle courut jusqu'à la boutique, regarda dans tous les coins de la vitrine : le portrait n'y était plus.

Un instant plus tard, Laura la rejoignit, hors d'haleine.

— Tu as failli me faire mourir de peur ! Qu'est-ce qui t'a pris de courir comme ça... Ah, oui. Cette boutique, n'est-ce pas ?

— Oui, celle où il y avait le portrait. Mais il n'est plus là.

— Oh ! Ils ont dû le vendre. Viens.

Mais Katie n'abandonnait pas si facilement. Le nez contre la vitre, elle scruta l'intérieur.

— Viens, Katie. Le portrait est vendu, c'est tout.

— Non, il est toujours là ! Je le vois au fond, dans un coin. On peut entrer le regarder ?

— Non, on ne peut pas. À quoi ça sert d'entrer le regarder si nous ne l'achetons pas, nous ferions perdre son temps à la vendeuse. De toute façon, nous sommes en retard, déclara Laura d'un ton que Katie ne lui avait jamais entendu prendre pour la rabrouer.

Laura l'empoigna par la main et dut presque la tirer derrière elle.

— Pourquoi tu te conduis aussi bizarrement ? voulut savoir Katie. Je te déteste quand tu es comme ça.

Ces dernières parole revinrent hanter l'esprit de Laura ce soir-là après leur retour à la maison, une fois Katie couchée. Elle se sentait elle-même bizarre, c'est vrai. Et très, très coupable.

Robby m'exhorte tous les soirs à venir là-bas. Nick n'exige jamais rien de moi, alors qu'il le devrait. Nous nous cachons comme des malfaiteurs, c'est du moins ce que je ressens. C'est humiliant et dégradant. Nick mérite mieux. Et Robby mérite un peu plus, lui aussi.

C'est injuste pour tout le monde et je devrais arrêter, mais je suis... coincée. Coincée, moi ! Moi qui pouvais toujours prendre des décisions en un clin d'œil... Je crois quelquefois que je devrais dire à Robby que je ne quitterai jamais New York. J'y suis chez moi et j'ai gagné le droit d'y rester. Pourtant, pour la première fois depuis des années, j'entends dans sa voix une lueur d'espoir. Il reprend confiance en lui et il fait de gros efforts. Pour nous. Pour Katie et pour moi. Mais moi, j'aime Nick.

Le divorce n'est plus marqué du stigmate qu'il avait autrefois, je sais. Les gens y ont recours tous les jours, sauf que je ne sais pas comment ils font. Ma fille aime son père. Je passe des nuits sans sommeil à me demander l'effet que cela ferait à Katie si Robby et moi nous séparions.

Et qu'en penserait le reste de ma famille ? Mes frères se disent libérés des vieux préjugés, mais je me demande comment ils réagiraient s'ils apprenaient que j'ai une liaison. Comment mon père le prendrait-il ? Il était bien loin d'être un saint quand il était jeune, mais il a encore la mentalité du Vieux Monde, où les principes ne sont pas les mêmes pour les hommes que pour les femmes. Je sais comment ma mère réagirait, elle. Oui, mais j'aime Nick...

Laura alla enfin se coucher. Et le lendemain, comme presque tous les matins, elle se dit qu'elle allait arrêter de céder à la lâcheté. Elle allait prendre une décision et en assumer les conséquences. Oui, mais pas aujourd'hui. Aujourd'hui, elle n'en était pas encore capable.

25

Iris aimait les premières semaines de l'année scolaire. Entrer dans sa classe, découvrir les visages de ses élèves de première année tournés vers elle dans l'attente de ce qu'elle avait à leur dire lui causait un vrai plaisir. Certains n'étaient là que parce qu'ils devaient remplir leurs quotas d'un certain nombre d'heures consacrées à l'étude de sujets secondaires pour eux, elle le savait. Mais les autres s'y intéressaient réellement, et elle espérait toujours que leur professeur leur inspirerait un attrait comparable. Elle savourerait alors au cours du semestre le zèle des meilleurs éléments.

Elle éprouvait cependant un plaisir encore plus grand en revoyant les visages familiers d'élèves d'années précédentes revenus suivre ses cours plus avancés. Ces élèves-là avaient aimé son enseignement puisqu'ils en redemandaient. Le leur prodiguer était pour elle un privilège dont elle appréciait la valeur avec fierté mais humilité. Par une belle et fraîche matinée d'octobre, elle rencontra par hasard à l'entrée du bâtiment principal de l'université une de ses étudiantes préférées. Elle s'appelait Debbie et n'était pas jolie, mais Iris l'aimait pour son intelligence et son sens de l'humour.

« Ne m'appelez surtout pas Deborah même si c'est plus correct, lui avait-elle dit en levant les yeux au ciel lors d'un de leurs premiers entretiens. Je suis simplement Debbie, parce que ma mère a eu la brillante idée de m'appeler comme Debbie Reynolds, qui était son idole à l'époque. »

Elles marchaient dans le couloir en parlant des vacances qui venaient de s'achever quand Debbie dit tout à coup :

— Au fait, cette dame qui écrit des livres sur les styles de vie, Laura MacAllister, c'est bien votre fille, n'est-ce pas ?

— Oui.

— Eh bien, je l'ai rencontrée cet été... enfin, je devrais plutôt dire que je n'ai fait que la voir. Je n'en croyais pas mes yeux ! Nous étions dans ce vieil hôtel au milieu de nulle part, mon père est tellement radin, vous savez, et je me demandais ce qu'elle pouvait bien faire dans un endroit pareil. Nous l'avions vue à la télévision où elle parlait de la sortie de son livre que tout le monde s'arrache en ce moment. Alors, quand je l'ai vue, j'ai d'abord cru que je me trompais.

Le livre était sorti depuis un mois, l'interview télévisée de Laura avait eu lieu une quinzaine de jours plus tôt. Iris essaya de se rappeler ce qui s'était passé vers la fin de l'été. Non, Laura ne lui avait jamais dit qu'elle comptait s'absenter à ce moment-là, Iris en était certaine...

— Êtes-vous sûre qu'il s'agissait bien de ma fille ? demanda-t-elle.

— Oh, oui ! C'était au petit déjeuner, ma mère lui a demandé son autographe. Je n'avais pas tout de suite fait le rapprochement avec vous ; sinon je me serais présentée.

Une idée désagréable se forma dans l'esprit d'Iris, qu'elle s'efforça de repousser. Debbie devait sûrement se tromper.

— Mais je n'aurais sans doute pas osé la déranger, poursuivit Debbie. Son mari et elle avaient l'air si heureux d'être seuls ensemble ! J'ai eu l'impression que c'était pour eux comme une deuxième lune de miel.

Le mari de Laura ? Une deuxième lune de miel ? Voyons, Robby n'avait pas quitté l'Ohio de tout l'été...

— Excusez-moi, professeur, mais votre gendre est... craquant ! Ils forment vraiment un beau couple, tous les deux. Elle est si distinguée, et lui un peu bohème avec ses cheveux bouclés qui lui tombent sur le front...

Robby avait toujours les cheveux courts. Alors, le photographe ? Ce Nick... Il avait les cheveux bouclés et coiffés n'importe comment, lui. L'idée désagréable devint insoutenable à mesure qu'Iris se rappelait le mariage de Steven. En voyant Laura dire au revoir à ce Nick à la fin de la journée, elle avait déjà senti quelque chose... Quelque chose qu'elle s'était forcée à ne pas croire. Mais maintenant...

Son mari et elle étaient si heureux d'être seuls ensemble... comme une deuxième lune de miel, venait de dire Debbie. Sauf que ce n'était pas le mari de Laura et que ce n'était pas une lune de miel !

En proie à un vertige, Iris se sentit tout à coup vaciller.

— Madame Stern ? Professeur ? Vous ne vous sentez pas bien ? demanda Debbie avec inquiétude. Je suis désolée, je n'aurais pas dû...

Je fais peur à cette pauvre fille, pensa Iris. *Je ne peux pas lui montrer à quel point je suis bouleversée. Personne ne doit s'en rendre compte. Je n'ai jamais su dissimuler mes sentiments. J'aurais dû apprendre...*

— Je veux dire, poursuivit Debbie innocemment, c'était touchant de voir combien ils s'aimaient, surtout après avoir été si longtemps mariés.

Va-t-elle s'arrêter, cette petite sotte ?

— Pardonnez-moi, parvint à bredouiller Iris. J'ai oublié quelque chose d'important... dans mon bureau...

Et elle partit en courant dans le couloir, sous le regard médusé de la jeune Debbie.

Iris réussit quand même à passer la journée normalement. Elle donna ses cours, répondit de manière à peu près cohérente quand ses collègues ou ses élèves lui parlaient. Mais pas un instant les paroles de Debbie ne cessèrent de l'obséder : « C'était touchant de voir combien ils s'aimaient. » Et son imagination lui fit voir l'image incroyable de sa fille et du photographe, la main dans la main, devant la maison de Laura.

— Voyons, Iris, tu ne sais pas si elle a vraiment un amant, dit Theo.

— Bien sûr que si ! Elle est allée faire une scandaleuse… passade avec cet individu, ce… *Nick*, cracha Iris avec fureur.

— Tu n'es même pas sûre qu'il s'agissait bien de Laura que ton élève a vue à cet hôtel.

— Elle lui a signé un autographe.

— Laura a peut-être voulu se reposer pendant un week-end dans un endroit tranquille et sera tombée par hasard sur ce garçon.

— Allons donc, Theo ! C'était un hôtel minable ! Le genre d'endroit où on va pour se cacher, pas pour se détendre. Par quel hasard auraient-ils décidé d'aller au même moment dans un endroit pareil ? Et ils prenaient leur petit déjeuner ensemble !

— Il doit y avoir une explication.

— Tu sais bien que non !

Et tu es bien placé pour le savoir mieux que personne, s'abstint-elle d'ajouter. Mais Theo le comprit fort bien.

— Bon, admettons qu'elle ait un amant. Je peux la comprendre, Iris. Tu le devrais toi aussi.

— Elle est mariée !

— Elle était beaucoup trop jeune quand elle a épousé Robby. Je l'ai toujours dit.

— Robby était un garçon remarquable, nous étions tous les deux d'accord pour le dire.

— Il *l'était*, soit. En dirais-tu autant de lui aujourd'hui ?

L'argument stoppa Iris un court instant.

— On se marie pour le meilleur mais aussi pour le pire. C'est le serment solennel qu'on prononce.

— Allons donc, Iris, très chère Iris ! Tu sais très bien que les vœux et les serments sont des paroles creuses. La vie change tous les jours et il nous arrive parfois de nous rendre compte qu'on ne peut pas faire tout ce qu'on croyait pouvoir faire.

Et voilà comment il se justifie de m'avoir trompée pendant des années ! Comme tous les menteurs, il se ment d'abord à lui-même ! pensa Iris, furieuse.

— Qu'est-ce que j'aurais dû faire, moi, pendant nos années difficiles, Theo ? Te plaquer ? Prendre un amant ?

— Bien sûr que non.

J'ai pourtant bien failli le faire, mon cher. Mais je me suis retenue parce que je ne suis pas comme toi. Je n'ai cherché ni excuses ni prétextes et, pourtant, je n'en manquais pas. Si je ne t'ai pas trompé, c'est que j'ai le sens de l'honneur. Penser que ma fille dont j'ai toujours été si fière tient de toi et pas de moi !

Ces paroles amères lui montèrent presque aux lèvres, et elle s'étonna d'être encore capable de les penser au bout de tant d'années. Elle ne les prononça cependant pas, ayant durement appris qu'elles ne servaient à rien et ne pouvaient que faire très mal. De toute façon, Theo, qu'elle aimait toujours en dépit de tout, était trop malade pour les supporter. Elle n'aurait pas dû discuter avec lui de cette façon.

— J'ai eu un si bon exemple dans ma jeunesse, dit-il plus calmement. Je voyais un couple rester uni dans l'adversité. Pendant les pires moments, ma mère a toujours soutenu mon père sans jamais se plaindre. Papa n'était pas facile à vivre, même lorsque l'argent est revenu, mais maman savait comment faire ressortir le meilleur de lui-même. Elle supportait tous ses défauts avec amour et dévouement.

Il y eut une pause. Theo paraissait perdu dans ses pensées.

— Ton père était un homme digne de ce nom, dit-il enfin. Un *mensch*. Il méritait son dévouement.

Son dévouement, mais pas nécessairement son amour, s'abstint-il de préciser. *Il n'était pas l'homme qu'il fallait à une femme comme ta mère, belle, brillante, cultivée. Je l'ai toujours su, comme j'ai compris que Paul Werner aurait dû être l'homme de sa vie quand il m'a révélé la vérité. La vie est cruelle, Iris, et les humains ne sont pas toujours capables de mener leur existence selon les règles. Même si tu refuses de l'admettre, je crois que tu le sais très bien.*

La voix d'Iris le tira de ses réflexions.

— Je vais parler à Laura.

— Non !

— Bien sûr que si ! Je suis sa mère, j'ai le devoir de lui montrer qu'elle a tort de se conduire comme elle le fait.

— Crois-tu qu'elle ne le sait pas déjà ?

D'autant plus qu'elle n'a peut-être pas tort. Je suis heureux que Paul et Anna aient profité des quelques moments de bonheur qu'ils ont réussi à voler. Et il est infiniment triste qu'ils n'aient pas pu en avoir davantage.

— Ne t'en mêle pas, Iris. Je t'en supplie.

— Je ne supporte pas que ma fille se cache avec son amant !

Et moi, je ne veux pas qu'elle finisse comme sa grand-mère...

— Laisse-la trouver elle-même une issue, Iris. Laura est foncièrement bonne et intègre, elle fera ce qu'il faut si tu la laisses tranquille. Tu dois faire l'effort de t'en convaincre.

Son cœur recommençait à s'emballer. Il n'aurait pas dû s'énerver comme cela. Iris s'en rendit compte.

— Je vais chercher ton oxygène...

Il refusa d'un geste.

— Je le dis autant pour toi que pour Laura. Parce que le jour viendra où tu n'auras plus que tes enfants.

— Je refuse de t'entendre dire des choses pareilles !

— Promets-moi, alors, de ne pas souffler mot de tout cela à Laura.

— Bon, je te le promets. Je te promets tout ce que tu veux.

Iris avait donné sa parole, elle la tiendrait. Mais au cours des jours suivants, quand elle parlait à Laura au téléphone, elle devait se mordre la langue jusqu'au sang pour se forcer à garder ce qu'elle avait sur le cœur. *Comment peux-tu me faire ça ? Toi, ma fille, une femme adultère ! Tu n'as donc pas conscience de me mentir et que, s'il y a une chose que je ne supporte pas, c'est le mensonge ?* avait-elle envie de hurler.

Elle sentait pourtant au fond d'elle-même que sa réaction était excessive, mais elle ne pouvait pas s'en empêcher. Le soir, sa journée de travail terminée, elle prenait un long bain chaud dans l'espoir d'apaiser sa colère, hélas, ses vieilles méthodes étaient inopérantes.. *Pourquoi* ? se demandait-elle. *Pourquoi prendre tout cela tellement à cœur ? Ce n'est pas une broutille dont une mère puisse se réjouir, bien sûr, mais j'en suis beaucoup trop bouleversée. Sans doute parce que je m'inquiète pour Katie. Cette petite comprend tout trop bien. Quelles que soient les ruses de Laura pour lui dissimuler son manège, quelles que soient les chances qu'elle croit avoir de le continuer, Katie sentira que quelque chose ne va pas. Rien n'échappe à une fillette aussi sensible.*

Si ses inquiétudes pour Katie étaient réelles, Iris devait au moins être honnête avec elle-même. Elle était furieuse parce qu'elle avait le sentiment que Laura la trahissait. Aussi, lorsque Laura et Katie arrivèrent pour leur rituel déjeuner du dimanche, Iris se demanda comment elle ferait pour se dominer jusqu'à la fin du repas.

Le déjeuner du dimanche chez bonne-maman Iris était l'un des moments préférés de Katie. Sa grand-mère n'était pas aussi bonne cuisinière que sa maman, bien sûr, mais Katie aimait les plats simples et faciles à manger qu'elle préparait. Elle aimait encore plus l'atmosphère qui régnait quand sa mère et ses grands-parents étaient ensemble. Ils s'aimaient, c'était évident – du moins jusqu'à présent. Car ce dimanche-là, bonne-maman Iris n'était pas du tout comme d'habitude. Personne d'ailleurs n'était comme d'habitude, depuis quelque temps. Ce jour-là, bonne-maman parlait à peine à maman et quand elle lui disait quelque chose, c'était toujours d'un ton dur, presque méchant. Bon-papa Theo surveillait bonne-maman comme s'il avait peur qu'elle n'éclate ou ne fasse quelque chose qu'il ne fallait pas, ce qui n'était pas bon pour lui. Les docteurs disaient que, à cause de sa crise cardiaque, il ne devait pas être stressé.

Katie en eut assez ! Elle avait l'impression que toutes les grandes personnes étaient tristes ou fâchées sans qu'on puisse rien faire pour elles. Alors, elle n'écouta plus ce que les autres disaient et se détourna de la mine sévère et des sourcils froncés de sa grand-mère. Elle préféra poser les yeux sur un tableau accroché au mur à la place d'honneur. C'était le portrait de son arrière-grand-mère, Anna Friedman, et bonne-maman Iris y tenait comme à la prunelle de ses yeux. Aussi loin que remontaient ses souvenirs, Katie avait vu le tableau accroché au même endroit.

L'arrière-grand-mère Anna était morte bien avant la naissance de Katie, mais on racontait beaucoup d'histoires sur elle dans la famille. Tout le monde disait que maman lui ressemblait beaucoup et c'était vrai, pensait Katie en regardant le tableau. Sa robe aussi, celle qu'elle portait dans le portrait, maman aurait choisi la même. Maman aimait les jupes amples qui flottent autour des jambes quand on marche. Celle de l'arrière-grand-mère était exactement comme cela, et rose, en plus, la couleur préférée de maman.

Assise de l'autre côté de la table, maman parlait à bon-papa Theo de l'émission de télévision *Bonjour, l'Amérique*, qui lui avait proposé deux passages à l'antenne par semaine. Son regard allant du tableau à sa mère, Katie se disait qu'il était étrange qu'une personne morte ait autant de ressemblance avec une personne vivante, comme elle pouvait le constater. Elle se souvint alors d'un autre portrait qui ressemblait à quelqu'un qu'elle connaissait bien.

— Maman, dit-elle, as-tu parlé à bonne-maman du portrait que nous avons vu dans la boutique de brocante ?

— Ça n'intéresse sûrement pas ta grand-mère, s'empressa de répondre Laura.

— Quel portrait, Katie ? demanda Iris.

— C'est dans une boutique de Madison Avenue, où ils donnent tout l'argent à l'hôpital où travaillait bon-papa. C'est le portrait d'une dame qui a l'air exactement comme toi, bonne-maman.

— La ressemblance n'est pas aussi frappante, intervint Laura.

— Mais si, tu l'as dit toi-même ! La dame du tableau a une robe à l'ancienne mode, poursuivit-elle en se tournant vers Iris. Et puis, elle a un air constipé qui n'est pas du tout comme le tien. Mais son visage est exactement le même, son nez, sa bouche et surtout ses yeux. Elle a de grands yeux noirs…

— Beaucoup de gens ont de grands yeux noirs, l'interrompit Laura.

Qu'est-ce qui passait par la tête de maman ? Elle avait l'air de dire que Katie mentait ou racontait n'importe quoi, alors qu'elle ne faisait que décrire ce qu'elle avait vu !

— Si, affirma Katie à l'adresse d'Iris. Les yeux de cette dame ont la même forme que les tiens ! Et tu sais bien que tu n'as pas les mêmes yeux que tout le monde. Tu devrais vraiment aller voir ce portrait, bonne-maman.

— Allons, Katie, ça suffit ! la rabroua Laura. Ta bonne-maman a des choses plus intéressantes à faire.

— Si Katie dit qu'il me ressemble tellement, je prendrai le temps d'aller le voir, déclara Iris. Où est cette boutique dont tu parles ?

— Dans Madison Avenue, au même coin de rue que le Metropolitan Museum. Ah, autre chose, bonne-maman ! Quand nous avons demandé à la vendeuse si elle connaissait le nom de cette dame, elle ne le savait pas. Mais elle savait que la dame qui avait donné le tableau avait eu un magasin à l'endroit de la boutique ou juste à côté. Un magasin où ta mère et toi achetiez des robes, il avait un nom français, Chez je ne sais pas qui.

— Chez Lea ?

— Oui, c'est ça !

— Grand Dieu, je ne pensais plus à cette boutique depuis des années ! s'exclama Iris. Il faut que j'aille la voir ainsi que ton mystérieux tableau, Katie. J'ai un rendez-vous chez le dentiste mercredi de la semaine prochaine, j'en profiterai pour y passer. C'est dans Madison Avenue, à une rue du Metropolitan, n'est-ce pas ? demanda-t-elle à Laura.

Maman fit signe que oui, mais elle n'avait pas l'air contente du tout. Qu'est-ce qui lui arrivait ? Et bon-papa n'avait pas l'air bien, lui non plus. Katie se rendit alors compte qu'il n'avait pas dit un mot pendant qu'elles parlaient du tableau, ce qui était inhabituel de sa part, lui qui avait toujours une opinion sur tous les sujets. Katie se tourna vers lui. Il était pâle et avait les mains crispées sur les bords de la table.

— Bon-papa, tu ne te sens pas bien ?

Theo lâcha la table et lui fit un sourire.

— Mais non, ma chérie, je vais très bien.

— C'est vrai, Theo, tu es tout pâle, dit Iris. Je vais chercher…

— Si tu fais mine de m'apporter cette maudite bouteille d'oxygène, l'interrompit Theo, je t'étranglerai de mes mains ! Ce que j'aimerais bien, en revanche, c'est un bon verre de cognac, dit-il à Laura.

— Tout de suite, papa.

Le cognac, quelle bénédiction ! pensa Theo en avalant une gorgée du liquide ambré que Laura venait de lui verser. C'était un remède vieux comme le monde ou, au moins, aussi ancien que ses souvenirs d'étudiant en médecine à Vienne. Il dilate les vaisseaux, empêche la pression artérielle de crever le plafond et c'est infiniment plus agréable à avaler que de laisser fondre sous sa langue un comprimé. Et surtout, il n'interrompt pas la conversation comme cette fichue bouteille d'oxygène. Theo ne voulait pas que celle-ci s'interrompe. Il ne voulait pas non plus attirer sur lui l'attention de ses femmes, car il avait besoin de réfléchir, et de réfléchir vite. Quand Katie avait commencé à parler d'un portrait de femme qui ressemblait à Iris, il s'était cru projeté dans une scène surréaliste. Parce que si ce que disait Katie était vrai, une cruelle ironie du sort avait mis sous les yeux de Laura et de sa fille ce qui était probablement le seul témoignage encore existant des anciens liens entre Paul et Anna.

Assis sur sa chaise dans sa propre salle à manger, Theo s'y sentait aussi loin de tout que s'il avait été sur la lune. C'était impossible, tenta-t-il de se raisonner. Ce ne pouvait être qu'une coïncidence. Ce portrait ne pouvait pas, ne *devait* pas être celui de la mère de Paul Werner. Tout en souriant d'un air rassurant à ses femmes inquiètes, il comparait ce qu'il avait appris de la bouche de Paul Werner aux stupéfiantes déclarations de Katie.

La dame a une robe à l'ancienne mode... un air constipé pas du tout comme le tien. Mais son visage est exactement le même... son nez, sa bouche, ses yeux... de grands yeux noirs..., avait dit Katie.

Je n'ai pas même une photo d'Iris, avait déclaré Paul à Theo le jour où il lui avait révélé la vérité. *Alors, savez-vous ce que je fais quand je veux la voir ? J'ai un portrait de ma défunte mère, à qui Iris ressemble comme une sœur jumelle. Alors, je regarde le portrait et je me dis que c'est aussi celui de ma fille...*

Il y avait surtout un détail déterminant que Theo ne pouvait ignorer : le nom de la boutique, Chez Lea. Or la seule personne au monde qui connaissait le secret de Paul était une certaine Lea Sherman, propriétaire de la boutique de couture Chez Lea, dont Iris et Anna, sa mère, étaient clientes. Et Lea Sherman, vieille amie de Paul, était « ses yeux et ses oreilles », avait-il expliqué, pour lui donner des nouvelles de sa fille...

Si Theo avait eu besoin d'une confirmation des propos de Katie, c'était bien celle-là. La femme du tableau ressemblait à Iris parce qu'elle était sa grand-mère paternelle. La preuve indiscutable de l'infidélité d'Anna et de la paternité de Paul se trouvait sur une étagère poussiéreuse d'une brocante de Manhattan. Les amants avaient renoncé à des années de bonheur et d'amour pour protéger Iris, leur fille. Il semblait maintenant évident que leur sacrifice avait été vain, anéanti par la cruauté du destin sous la forme d'un vieux tableau oublié. Tableau qu'Iris, sa curiosité piquée au vif, était décidée à aller voir...

Theo s'ébroua pour chasser ces fantômes et se força à prêter l'oreille à la discussion qui se déroulait entre Iris et Laura. Sa femme insistait sur sa volonté d'aller voir le tableau à l'occasion de son rendez-vous chez le dentiste ; sa fille essayait de l'en dissuader ; Theo comprit en quelques secondes qu'elle n'arriverait à rien. Dans à peine dix jours, ce portrait allait faire voler en éclats les plus chères croyances d'Iris, détruire ses illusions. Elle en serait accablée à jamais...

À moins qu'il ne trouve un moyen d'empêcher ce désastre.

26

Peu de gens auraient vu en Theo un héros romantique, il le savait. Un charmeur, oui, un coureur de jupons, sûrement – bien qu'il eût préféré un autre qualificatif. Iris aurait plutôt dit qu'il avait trop l'esprit positif d'un scientifique pour un rôle de Lancelot volant sur son blanc destrier au secours de la dame de ses pensées. Iris elle-même, malgré sa fragilité dans bien des domaines, était trop pragmatique pour se mettre dans une situation nécessitant un exploit aussi grandiloquent. C'était du moins le cas jusqu'à présent car, sur leurs vieux jours, ils se retrouvaient respectivement dans les personnages de la gente dame en péril et du vaillant chevalier en armure étincelante. Si le vaillant chevalier accomplissait sa mission, la gente dame ne saurait jamais qu'elle avait été sauvée de justesse des griffes du dragon – un vieux tableau, en l'occurrence. Parce que Theo s'était juré que sa femme ne verrait jamais ce maudit portrait.

Il avait brièvement nourri l'espoir que le sort lui viendrait en aide, que le tableau aurait été vendu depuis le dernier passage de Laura et de Katie devant la boutique. Aussi, le lendemain de la bombe innocemment lancée par sa petite-fille, il attendit le départ d'Iris pour appeler.

L'homme qui lui répondit au téléphone était mieux informé que la vendeuse de l'histoire du tableau.

— Oui, nous avons encore le portrait que vous décrivez. Ce n'est pas un article facile à vendre. Le peintre était assez connu à l'époque, je vous parle des années 1900, mais la renommée de son œuvre n'a pas survécu à l'épreuve du temps. Quant au modèle du portrait, il a sans doute eu droit à quelques lignes dans la rubrique mondaine des journaux, mais ce n'était pas une personnalité très en vue. Vous connaissez le vieux proverbe, *Sic transit gloria mundi...*

— Connaîtriez-vous par hasard le nom de cette dame ?

— Euh... oui. Une certaine Mme Florence Werner. L'épouse d'un banquier, je crois.

Theo le savait déjà.

— Merci infiniment.

— Je peux procéder à des recherches sur ce tableau et vous rappeler pour vous communiquer de plus amples renseignements.

— Non, merci, ce n'est pas nécessaire. J'aimerais cependant passer à votre magasin y jeter un coup d'œil. Je viens régulièrement en ville.

Theo mentait, bien sûr. Il n'y était allé que quatre fois depuis son infarctus et c'était toujours Iris qui l'y conduisait. Sa famille estimait qu'il ne devait pas entreprendre trop souvent ce déplacement et, s'il le faisait, ne devait jamais être seul. Il avait été d'accord – jusqu'à présent.

Le train, décida-t-il, était le meilleur moyen d'aller à Manhattan. Ce serait certes plus long qu'en voiture, mais il ne se sentait pas en état de conduire ni ne voulait prendre de risques inconsidérés. Il ne prendrait donc la voiture que jusqu'à la gare, il en était capable et, une fois en ville, il trouverait toujours un taxi pour aller à la boutique et un autre pour le remmener à Grand Central Station. Tout cela le soumettrait à un effort plus soutenu qu'il n'en avait pris l'habitude, il serait donc prudent et ne forcerait pas l'allure. Et puis, s'avoua-t-il, aller pour une fois en ville sans baby-sitter lui faisait plaisir, d'autant que la préparation de son escapade n'avait pas abusé de ses forces. Il était resté sur le qui-vive sans avoir remarqué de battements de cœur absents ou abusifs ni le moindre essoufflement, signes d'alarme qu'il connaissait trop bien. Il pourrait donc prendre son temps pour accomplir sa mission.

Le directeur, qui arborait une élégante cravate de soie, accueillit chaleureusement Theo sur le pas de la porte :

— Entrez donc. Enchanté de faire votre connaissance, monsieur, euh... ?

— Stern... off. Sternoff, improvisa-t-il..

Theo s'en voulut de ne pas avoir eu la présence d'esprit de prévoir un pseudonyme. Si l'intérieur de la boutique était assez obscur, il put cependant apercevoir la présence d'un portrait sur une étagère.

— Bien que vous ayez voulu m'épargner la peine de pousser mes recherches sur ce tableau, dit le directeur, je l'ai quand même fait en vue de votre visite. Comme je vous l'avais dit au téléphone, la dame en question était une Mme Florence Werner, née de Silva. Les Werner étaient déjà une des plus anciennes et des plus notables familles de la communauté juive de New York au début du XXe siècle. Voici la dame, dit-il en prenant le tableau pour le présenter à la lumière.

C'était bien elle, en effet. Le long cou gracieux, la taille fine et, surtout, les traits du visage étaient les mêmes. Ces grands yeux noirs, cette bouche, ce nez, Theo ne pouvait se méprendre. Il s'agissait bel et bien des traits si familiers de la femme qu'il aimait et qui était la sienne depuis plus de trente ans.

Il y avait, bien entendu, des différences entre Iris et son aïeule. Ainsi, Florence Werner avait une attitude hautaine – qualifiée par Katie de « constipée » – qu'Iris, Dieu merci, n'avait jamais eue ni n'aurait jamais. Mais pour tous ceux qui connaissaient Iris, le doute n'était pas permis. Il existait un évident lien de parenté entre elle et la dame du portrait.

— Ce tableau m'intéresse, dit-il à l'homme à la belle cravate. Combien en demandez-vous ?

Il le paya sans discuter et lui demanda d'enlever le portrait de son cadre. Choqué, l'élégant directeur lui fit observer que le cadre ancien avait à lui seul plus de valeur que le tableau, mais Theo ne voulait pas s'imposer l'effort de le porter. La toile seule était légère, le directeur l'enveloppa d'un papier tenu par une ficelle nouée en forme de poignée. La transaction conclue à la satisfaction des deux parties, Theo prit le tableau, sortit et arrêta un taxi en maraude qui le déposa à la gare.

Ce n'est qu'en descendant du train à Westchester qu'il ressentit les premières protestations de son cœur. Il pensa se reposer quelques minutes sur un banc du quai de la gare, mais il était déjà plus de quatre heures de l'après-midi et il voulait brûler le portrait au fond du jardin avant le retour d'Iris. Il glissa donc une pilule sous sa langue, attendit que les soubresauts s'apaisent et se força à marcher lentement jusqu'à sa voiture.

Ses douleurs ne reparurent qu'en entrant chez lui. Mais elles n'étaient pas aiguës et disparurent rapidement. Theo regretta cependant qu'Iris ne soit pas là pour le seconder et pensa s'étendre sur le canapé du salon en l'attendant, mais ce repos lui était interdit puisqu'il avait toujours le tableau à la main – le portrait qu'Iris ne devait voir à aucun prix. Son intention première de le brûler au fond du jardin lui imposerait un effort trop considérable pour qu'il puisse le mener à bien, pour le moment du moins. Il alla donc ouvrir le buffet pour se verser un verre de cognac et se sentit vite mieux, pas assez cependant pour insister davantage.

Où pourrait-il donc cacher le portrait en attendant d'être en état de s'en débarrasser ? Il n'y avait pas beaucoup de placards dans la maison et ils étaient trop petits et déjà pleins à craquer. Impossible d'y dissimuler une toile de ce format. Aucun autre endroit de la maison ne conviendrait non plus. Iris et lui avaient accumulé tant de choses pendant leur vie... au cours de tant d'années, bonnes et mauvaises... Allons, il déraillait encore ! Il se força à se concentrer de nouveau.

Au bout d'un instant, la solution lui vint à l'esprit. La cave était la seule partie de la maison où Iris n'allait pour ainsi dire jamais. Descendre puis remonter les marches, trop raides, n'était certes pas conseillé à un homme dans son état, même si le cognac avait calmé ses douleurs, mais il y avait au mur une étagère en haut de l'escalier. Il était capable de descendre deux marches, de poser le tableau sur l'étagère et de remonter attendre le retour de sa femme. Deux marches n'allaient pas lui faire grand mal et le portrait serait à l'abri des regards jusqu'à ce qu'il s'en débarrasse.

Les deux marches ne lui firent aucun mal, en effet. Mais l'effort de soulever la toile jusqu'à l'étagère provoqua immédiatement une douleur aiguë qu'il reconnut pour l'avoir subie à l'instant de son infarctus. Une douleur si intense qu'il sentit ses jambes se dérober sous lui. Il dut se traîner pour remonter les deux marches et ne put franchir complètement la porte avant de perdre connaissance.

Heureusement, le portrait était hors de vue.

Il revint lentement à lui dans un brouillard qu'il s'efforça de percer. Il était dans une chambre d'hôpital, en soins intensifs. Il voulait demander ce qui s'était passé, mais former des mots lui était trop difficile, ou peut-être était-il trop fatigué pour en faire l'effort. Des médecins, des infirmières entraient et sortaient de la chambre, parlaient à voix basse sur un ton rassurant. Il voulait leur dire de ne pas se donner la peine d'être aussi attentionnés. *Vous n'avez pas besoin de prendre autant de précautions avec moi. Je suis l'un d'entre vous, j'ai déjà vu cela se produire et je suis au courant de ce qui m'arrive.* Il voulait leur dire que c'était normal. *Je n'en étais pas tout à fait sûr. Je ne savais pas encore quel effet cela fait de mourir. Mais maintenant, je sais que je meurs et c'est très bien ainsi. J'ai eu de la chance dans la vie, beaucoup. Comment un homme qui a eu autant de chance pourrait-il avoir des regrets ?* Il leur aurait dit tout cela, s'il avait pu prononcer les mots. Il aurait voulu aussi leur parler de son dernier bon tour pour qu'ils en rient avec lui. *Je suis dans ce lit, voyez-vous, parce que j'ai voulu jouer les amoureux transis, les chevaliers servants. Tristan allant sauver Iseult ! Moi, docteur en médecine, homme de science à l'esprit terre à terre, je me suis pris pour Roméo !*

Ils n'auraient sans doute pas compris ni eu envie de rire. Mais Paul Werner aurait apprécié. Anna aussi.

Des visages passaient devant lui, se succédaient. Il aurait voulu leur parler. À ses fils, arborant tous les trois des sourires factices sans pouvoir dissimuler leurs yeux rouges et gonflés de larmes, il aurait dit : « *Soyez fiers et conscients de ce que vous avez fait pour moi. Vous avez nourri mon cœur, vous l'avez rendu plus fort. Vous m'avez apporté du rire, des larmes, un but dans la vie. Grâce à vous, mon nom ne s'effacera pas de ce monde et continuera à vivre quand tant d'autres sont déjà dans l'oubli. Pensez-y et ne soyez pas affligés.* » Quand le beau visage de Laura apparut, les yeux secs – elle ne pleurait pas, elle, au moins –, il aurait dit : « *Sois heureuse, ma très chère enfant. Tu es bonne, belle et forte. N'aie pas peur de toi-même ni des autres. Sois heureuse, tu le mérites.* »

Le visage d'Iris ne passait pas devant lui comme celui des autres. Il le voyait constamment – quand il parvenait à s'extraire du brouillard qui l'isolait et l'éloignait de plus en plus. Ce brouillard ne le gênait d'ailleurs pas, car le temps s'écoulait avec fluidité. Parfois, il était le petit garçon qui jouait devant le chalet de ses parents dans le massif de l'Arlberg, parfois, il était le jeune père qui surveillait Steven et Jimmy en train de courir sur la plage le long de l'océan. Dans ce brouillard, il était jeune et fort, capable de courir après ses gamins indisciplinés, de dire à sa fille combien elle était belle. Lorsqu'il en émergeait, il était couché dans un lit d'hôpital, entouré de machines qui ronronnaient, clignotaient. Et il se retrouvait incapable de dire tout ce qu'il avait dans le cœur et dans la tête.

Sans Iris, il se serait déjà laissé emporter par le brouillard. Elle était là, assise à son chevet, les bras croisés comme pour se maintenir droite et s'empêcher de s'effondrer, le regard débordant d'amour. Pour elle, il aurait tenté de stopper le processus dont le médecin qu'il était connaissait le déroulement inéluctable. *Mais je ne peux pas l'arrêter. Pas même pour toi. Et pour être franc, mon amour, je n'en ai pas envie. Je suis trop las.*

Il avait pourtant une dernière chose à faire avant de se laisser glisser. Il devait trouver le moyen de dire à Iris les mots qui se pressaient sur ses lèvres sans pouvoir les franchir. *Je t'avais dit quelque chose il y a des années, quand j'était encore plein de douleur et de rage. Je t'avais dit : « Quand je mourrai, je ne veux pas de funérailles. Je ne veux pas qu'un rabbin qui ne m'aura jamais connu marmonne sur ma carcasse des paroles sans aucun sens. » Voilà ce que je t'avais dit, mais je ne t'ai jamais dit ensuite que j'avais changé d'avis. Alors, fais ton deuil comme tu l'entends si la cérémonie peut te faire du bien. Dis les prières du Kaddish, puises-y le réconfort dont tu auras besoin. Et après, retrouve ton sourire, recommence à vivre. Ce sera le meilleur moyen d'honorer ma mémoire. Et n'oublie pas non plus que je t'aime, ma très chère Iris.* Tels étaient les mots qu'il voulait, qu'il devait dire à Iris avant de pouvoir la quitter.

Aussi, lorsque le brouillard revint l'envelopper et qu'il vit Iris là, à côté de lui, il ne se laissa pas submerger. Par un gigantesque effort de tous ses muscles, de tout son corps, il poussa à sortir de son cerveau les mots qui s'y accumulaient. Le brouillard revint à l'assaut, il le repoussa. Il entendait les bip-bip d'alarme, les ronflements des machines que des fils reliaient à son corps, mais il continuait à pousser. Des gens firent irruption dans sa chambre. Il vit Iris prendre la couleur de ses draps, ses yeux noirs s'agrandirent jusqu'à lui dévorer le visage, un grondement dans ses oreilles couvrait le bruit des machines, mais il poussait plus fort, toujours plus fort. Il fallait lutter, il le devait. Enfin, récompense de tant d'efforts, un mot sortit par miracle de ses lèvres. Un seul mot au lieu du petit discours qu'il avait si soigneusement préparé dans sa tête. Il devrait s'en contenter, parce que cet unique mot avait épuisé ses dernières forces. Il incombait désormais à eux tous, Iris, ses enfants, de faire ce qu'ils pourraient. Pour lui, c'était fini. Le brouillard revint, plus dense encore, et Theo, cette fois, se laissa engloutir.

— Mon Dieu ! s'écria Iris. Qu'est-il arrivé ? Il a parlé ?
— Il a prononcé ton prénom, maman, répondit Jimmy.
— Oui, alors que les médecins affirmaient qu'il ne pourrait jamais plus rien dire, confirma Steven.
— Cela prouve combien il t'aimait, souligna Philip.
— Adieu, papa, murmura Laura.

27

Iris n'allait pas pleurer. Elle se l'était juré et elle tiendrait parole – aussi longtemps, du moins, qu'elle réussirait à ne pas penser. C'était là sa faiblesse : elle pensait trop. Sa mère le lui disait souvent, Theo aussi, et plus d'une fois. Plus autant maintenant, mais dans leur jeunesse. Ce temps-là était bien fini, mieux valait cependant ne pas y penser. Non, il ne fallait surtout pas qu'elle pense au passé.

On était l'après-midi. Assis autour d'elle dans son salon, ses enfants attendaient qu'elle leur dise ce qu'ils devaient faire. Leur père était mort le matin même et Iris ne voulait pas y penser. Si elle n'y prenait garde, le hurlement de douleur tapi au fond de sa gorge s'échapperait, il n'attendait qu'un prétexte. Sa survie dépendant de sa concentration sur ce qui était devant elle, elle étudia les visages de ses enfants.

Steven, son brillant aîné, pleurait en silence sans pouvoir retenir ses larmes. Sans doute revivait-il tous les soucis qu'il avait infligés à son père et s'accablait-il de reproches. Mais à côté de lui était assise Christina, qui ne laisserait à aucun prix, avec l'acharnement d'une tigresse défendant ses petits, son Steven sombrer dans un océan de culpabilité. Cette fille, dont Iris avait découvert les qualités et qu'elle avait appris à aimer, le protégerait contre tous, y compris lui-même.

Le regard d'Iris se posa ensuite sur Jimmy. Médecin lui aussi, il essayait de se consoler en se disant que son père n'avait pas eu le temps de beaucoup souffrir et que des soins attentifs avaient prolongé sa vie après son infarctus. Tolérant, affectueux de nature, son second fils s'efforçait à l'évidence d'être brave, mais il serrait la main de sa femme à lui briser les os. *C'est bien*, pensa Iris. *Janet est assez forte pour qu'il s'appuie sur elle.*

Philip, lui, n'avait personne pour le protéger ni sur qui s'appuyer, ce qui attristait Iris. Mais Philip n'avait pas les mêmes besoins que ses deux frères. Peut-être parce qu'il était le plus jeune et avait toujours été plus indépendant, ou parce qu'il avait déjà perdu quelque chose de précieux et appris à surmonter l'épreuve. Oui, tout compte fait, Philip pourrait s'en sortir par ses propres moyens.

Restait Laura. Robby était déjà en route pour la rejoindre et c'était ce qu'il fallait. L'homme qu'elle avait épousé, le père de son enfant, se devait d'être avec sa femme en un moment d'épreuve. Son mari, mais pas ce bohémien aux cheveux fous. Laura comprendrait peut-être maintenant ce que devait être la vie. À la mort d'un père, c'est le mari qui vous soutient lorsque vous vacillez au bord de la tombe, le mari qui vous console dans la maison de votre mère, qui vous aide à passer la première nuit si douloureuse. Le mari, celui vers qui on se tourne quand le cœur saigne. Mais quand on n'a plus son mari, son Theo si plein de compassion et d'humanité, ce mari toujours plus grand, plus fort, meilleur que vous, alors, grand Dieu, que fait-on ?...

Non, je ne dois pas penser à moi. Je ne dois pas penser à Theo en ce moment parce que j'en deviendrais folle. Je dois avant tout penser à mes enfants assis là, autour de moi. Je dois leur sourire, les rassurer, les réconforter...

Avant qu'elle ait réussi à esquisser un sourire, Laura prit la parole :

— Il faut commencer à tout préparer, maman.

Préparer quoi ? C'était pourtant clair depuis des années.

— Il n'y a rien à faire, répondit-elle.

Aucun des enfants ne comprit.

— Mais si, il faut appeler la synagogue. Le rabbin vous conseillera sur la marche à suivre, déclara Janet.

— Il t'aidera à organiser la cérémonie, compléta Jimmy.

— Non.

— Tu ne peux pas tout décider par toi-même, observa Steven.

— Oui, c'est le rôle du rabbin, approuva Philip.

— Il n'y aura pas de service.

Personne n'entendra les sublimes paroles « Béni sois-tu, Seigneur notre Dieu, Roi de l'univers, Juge Suprême et Équitable ». Personne ne dira le Kaddish pour lui. Nous ne ferons pas Shivah. Ni pour sept jours, ni pour trois jours, pas même un seul jour. La mort de l'homme que j'aime depuis plus de trente ans ne sera saluée que par le silence. Je ne pourrai pas honorer sa mémoire parce qu'il ne le voulait pas… Et c'est ce qui me tuera !

Le cri était sur le point de jaillir de sa gorge, mais elle n'avait pas le droit de le laisser s'en échapper. Parce que, une fois lâché, elle serait incapable d'y mettre fin.

— Je vais dans ma chambre, dit-elle en se levant.

Iris quitta la pièce en courant. Pas pour aller dans la chambre que Theo et elle occupaient depuis trois ans, pas dans cette chambre aménagée pour un grand malade qui ne pouvait plus monter un escalier tous les soirs. Elle gravit les marches pour aller dans leur *vraie* chambre et quand elle en ouvrit la porte, elle vit leur *vrai* lit.

Theo et elle l'avaient acheté jeunes mariés et ne l'avaient jamais remplacé ni pendant leurs années d'opulence, dans la grande maison qui avait toujours été au-dessus de leurs moyens, ni pendant leurs années de vaches maigres, quand ils avaient dû se restreindre dans cette maison plus petite où le lit seul remplissait la chambre aux trois quarts. La porte refermée, elle s'assit sur ce lit qu'elle avait partagé avec son mari pendant plus d'un quart de siècle, ce lit où ils avaient fait l'amour avec joie et passion, non par habitude mais par besoin. Ils s'étaient aimés et réconfortés dans ce lit, ils s'étaient ignorés aussi, querellés, réconciliés. Ils y avaient conçu leurs quatre enfants.

On frappa à la porte.

— C'est Laura, maman. J'entre.

Non, n'entre pas...

Mais Laura entra et s'assit à côté d'elle.

— Pourquoi ne veux-tu pas de service religieux pour papa ?

Iris sentit le cri lui monter à la gorge.

— Parce qu'il n'en voulait pas, parvint-elle à répondre calmement.

— Mais toi ? Ta foi a de l'importance pour toi.

Va-t'en, Laura, je t'en prie. Ou tais-toi...

— Je veux honorer les souhaits de ton père.

— Papa souhaitait que toi tu aies ce dont tu as besoin. Regarde-moi, maman, je t'en prie. Et écoute-moi. Tu dois faire ce qu'il te faut pour toi.

Ne dis pas cela...

— Il faut que *toi* tu te sentes mieux.

Non !

— Accorde-toi ce dont tu as besoin.

Non !

— Papa n'est plus là...

Brusquement, le cri jaillit de la gorge d'Iris. Non pas la longue, l'assourdissante lamentation angoissée de bête blessée qu'elle retenait depuis le matin, mais un éclat de rage froide proféré d'une voix sifflante :

— Je vois ! s'entendit-elle cracher à sa fille tant aimée. Maintenant, je suis censée être comme toi, n'est-ce pas ? Faire tout ce qui me plaît sans me soucier des autres ?

Stupéfaite, Laura pâlit et recula comme si elle recevait un coup, mais Iris s'en moquait. Faire mal pour oublier sa propre douleur, laisser éclater sa rage impuissante trop longtemps contenue la soulageait.

— Tu viens me dire que je dois me faire plaisir ! J'aurais toujours dû le faire, sans doute ? Je n'aurais pas dû être une bonne épouse, j'aurais dû coucher avec n'importe qui pour me faire plaisir ? Mais tu en sais plus que moi sur le sujet, n'est-ce pas ?

Elle observa avec une joie mauvaise le désarroi de Laura.

— Seigneur... Comment le sais-tu ?

Cette fois, Iris ne put s'empêcher de hurler :

— Qu'est-ce que ça peut faire de savoir comment je l'ai appris ? Quelle différence ça fait ? Tu ne peux pas le nier !

— Non...

— Dehors ! Sors d'ici !

— Ce n'est pas du tout ce que tu crois, maman...

— Tu veux dire que, pour toi, l'adultère n'est pas vicieux et malsain ? C'est pourtant comme cela que je le vois, moi !

— Papa était au courant ?

— Bien sûr ! C'est moi qui le lui ai dit.

— Tu... Comment as-tu pu ? Tu n'en avais pas le droit !

— J'en avais le droit, et lui le droit de le savoir ! Il était ton père. Bien sûr que je le lui ai dit !

Laura fondit en larmes. *Qu'elle pleure, elle a de quoi pleurer ! Ton père a pris ta défense, mais ça, je ne te le dirai pas !*

— Cela ne te regardait pas, dit Laura entre deux sanglots.

— Cela ne me « regardait » pas ? Tu es ma fille, Robby est dans la famille depuis plus de dix ans ! Il est le père de Katie et Katie l'aime ! Tu t'imagines que cela peut s'effacer d'un coup d'éponge parce que tu n'es plus amoureuse de ton mari, ou parce qu'il ne te comprend pas, ou pour n'importe lequel des centaines de clichés avec lesquels les gens tentent de se justifier quand il leur prend la fantaisie de faire n'importe quoi ?

— Ce n'est pas du tout ce que tu crois...

— Non ? Alors, qu'est-ce que c'est ? Dis-le-moi, Laura !

— Je ne suis pas obligée de te répondre. Ni à personne d'autre.

— Parfait ! Eh bien, je vais te le dire, moi, ce que c'est. Ce que tu fais c'est la destruction d'une famille, d'un foyer, de l'enfance d'une petite fille. Tu renies des vœux solennels. C'est de la cruauté, de l'égoïsme et de la lâcheté ! J'ai honte de toi ! dit-elle en fondant en larmes à son tour, de longs sanglots montant des profondeurs de son être et qui l'étouffaient. Je ne me serais jamais crue capable de te le dire, mais j'ai honte. Honte !

— C'est ton problème, pas le mien !

— Sors de ma chambre, Laura ! Laisse-moi seule.

Le visage dans les mains, Iris entendit quelques secondes plus tard la porte claquer derrière sa fille.

28

Il y eut finalement un service pour Theo, un service civil dans l'auditorium de l'hôpital où il avait exercé, enseigné et dirigé des séminaires. La salle était vaste, mais pas assez pour contenir la foule, venue lui rendre un dernier hommage, qui débordait dans les couloirs. À la porte où elle se tenait avec la famille, Laura vit défiler tous ceux qui avaient connu son père, de près ou de loin. Ses confrères, infirmières, secrétaires, certains en blouse blanche prêts à regagner en hâte leur poste de travail. Les patients qu'il avait soignés et leurs familles. Ses anciens élèves ainsi qu'une délégation de ceux d'Iris et certains de ses collègues de la faculté.. Plus nombreux encore, les amis, les voisins qu'Iris et lui avaient si souvent reçus autour d'un verre ou d'un barbecue dans leur jardin. Ils étaient tous venus honorer la mémoire d'un homme arrivé dépourvu de tout dans un pays inconnu où il avait imprimé une marque ineffaçable – incarnation du rêve américain…

Il y avait des vases de fleurs – chaque femme reçut une rose en quittant la salle à l'issue du service – mais pas de musique. Si les fleurs étaient étrangères à la tradition juive, la cérémonie elle-même n'avait rien de traditionnel, comme l'avait fait remarquer Janet. Au cours des jours précédents, les amis avaient été si nombreux à demander de prononcer quelques mots que la famille avait dû opérer un tri sévère pour ne pas que la cérémonie s'éternise. Ce fut Steven qui prononça l'éloge funèbre officiel, avec une émotion qui le fit buter sur les mots qu'il avait pourtant choisis avec soin. Robby tira des larmes et des rire de l'assistance par de touchantes anecdotes mais, se dit Laura, Robby avait toujours eu le don de s'exprimer en public et d'avoir du succès avec un auditoire.

Lorsque, les jours suivants, Laura vit avec quelle aisance il se glissait à nouveau auprès d'Iris dans le rôle de gendre bien-aimé... cela lui parut irréel. Il lui apportait des tasses de thé, des petits en-cas à grignoter. Iris éprouvait une évidente gratitude devant une telle prévenance. Pour sa part, Laura ne savait quels sentiments le retour de son mari lui inspirait. Sa présence familière lui offrait un certain réconfort, il s'efforçait de se rendre utile et agréable comme il ne le faisait plus depuis longtemps mais, en même temps, il lui paraissait lointain, presque étranger, comme quelqu'un qu'elle aurait connu des années plus tôt avant de devenir elle-même une autre personne. Une telle réaction était absurde, elle en avait bien conscience, elle était cependant hors d'état de raisonner clairement. Elle souffrait encore trop de la mort de son père – et de la violence de la scène que sa mère lui avait faite. Une abomination...

Laura estimait qu'Iris et elle devraient en reparler quand elles seraient toutes deux plus calmes. Il s'écoula une bonne semaine avant qu'Iris aborde enfin le sujet. Elle demanda à Laura de monter dans sa chambre, où elle recommençait désormais à dormir, pendant que Robby et Katie étaient au jardin.

— À la mort de ton père, quand nous sommes revenus de l'hôpital, je n'aurais pas dû me conduire comme je l'ai fait, commença-t-elle. J'étais trop bouleversée, je ne t'ai pas dit certaines choses comme il aurait fallu. Et le moment était mal choisi. Je venais de perdre mon mari, j'étais accablée de douleur, mais toi tu avais perdu ton père. Je l'avais oublié, et c'est pourquoi je te présente mes excuses.

Mais tu ne me demandes pas pardon de ta méchanceté ! Tu pensais donc bien tout ce que tu m'as dit !

— Je regrette que tu l'aies appris, répondit Laura avec froideur.

— Moi aussi. J'aurais préféré l'ignorer.

— J'en suis sûre.

Laura se préparait à sortir lorsque Iris la rappela.

— Quand j'en ai parlé à ton père, il m'a dit de ne pas t'en parler, que tu trouverais toi-même la solution et qu'il avait confiance en toi.

— Mais toi, non.

— J'attends de voir ce que tu vas faire. Et tu dois faire quelque chose. Tu ne peux pas continuer comme cela.

— Je le sais très bien.

— Tant mieux.

Laura n'avait pas menti, elle savait qu'elle devait faire quelque chose. Le problème, c'est qu'elle n'en avait pas encore eu le courage. Les paroles d'Iris résonnant encore à ses oreilles, elle décida d'aller à Blair Falls. Aussi, après le départ de Robby pour l'Ohio, elle réserva son billet d'avion, organisa son emploi du temps, chargea une de ses assistantes de rester à la maison s'occuper de Katie en son absence et alla voir Nick.

— Je pars pour l'Ohio, commença-t-elle.

— Sommes-nous dans la scène du film où l'héroïne déclare bravement qu'elle veut s'efforcer de remettre son mariage sur les rails ?

— Je ne sais pas où nous sommes…

Les larmes qu'elle ne pouvait plus retenir se mirent à couler.

— Laura, ne pleure pas… Oh, bon Dieu ! Qu'est-ce qu'il est en train de te faire, ton fichu mari ? Nous n'avons jamais parlé de lui et je n'ai pas envie de commencer, mais a-t-il la moindre idée de ce qu'il t'inflige ? Te rends-tu toi-même compte de ce que tu as accompli ici ? Et il te demande de tout plaquer pour le rejoindre ?

— Je dois aller là-bas.

— Pourquoi ? Qu'est-ce qu'il a fait pour mériter ce sacrifice ? Pour te mériter, toi ? Et toi, sais-tu ce que tu nous dois à nous deux ?

— Il faut que je le fasse, Nick...

— Parce que tu l'as épousé ?

— Tu m'avais dit que tu comprenais.

— Eh bien, je ne comprends plus ! Pour moi, il ne t'apprécie même pas et il ne t'aime sûrement pas davantage ! Alors que moi... je t'aime.

— Et moi, je t'aime. Je t'aimerai toujours.

— Mais tu pars quand même le rejoindre là-bas. Qu'arrivera-t-il si tu y restes, Laura ? Qu'est-ce que je deviens, moi ?

— Je le regrette tant... J'en suis malade...

Elle éclata en sanglots. La colère de Nick s'évanouit aussitôt. Il la prit dans ses bras, la serra contre lui jusqu'à ce que les sanglots s'arrêtent.

— Non, pardonne-moi, dit-il. C'est simplement que... à la pensée de te perdre...

— Tu ne me perdras pas. Jamais, je te le promets.

— Mais tu ne peux rien promettre, ma chérie. Tu n'as jamais pu.

Il avait raison. Elle ne pouvait rien lui promettre.

— Allons, allons, ça ira...

Il lui caressa les cheveux comme elle caressait ceux de Katie quand elle avait fait un cauchemar.

— Fais ce que tu dois faire, poursuivit-il. Je t'ai promis que je prendrais tout ce que je pourrais tant que cela durera et que cela en vaudrait la peine. Cela en vaut toujours la peine. Quoi qu'il arrive.

Son regard, toutefois, exprimait une infinie douleur.

29

La plus belle partie de la ville natale de Robby, le centre, avait connu des jours meilleurs. Comme dans tant de petites villes à travers le pays, les commerces et les restaurants qui bordaient naguère la rue principale l'avaient désertée pour se réinstaller dans un grand centre commercial situé à la périphérie. Les belles demeures anciennes autour de la grand-place avaient été subdivisées en logements de rapport, abritant le plus souvent des occupants trop nombreux pour qu'ils y vivent décemment.

La maison natale de Robby se trouvait dans un ancien faubourg ouvrier, dégradé comme le reste. Mme MacAllister mère annonçait fièrement qu'elle la mettait en vente pour aller dans une des résidences modernes qui poussaient comme des champignons. Laura ne voyait aucune différence entre l'appartement sur lequel sa belle-mère avait jeté son dévolu et les deux cent cinquante autres du grand ensemble, mais Mme MacAllister en était enchantée. Elle était également ravie de voir Laura, du moins le disait-elle, et lui offrit avec enthousiasme de lui faire découvrir la ville et ses alentours pendant que Robby travaillerait au magasin. C'était plutôt inattendu, Mme MacAllister n'ayant jamais caché que Laura n'était pas celle dont elle rêvait pour son fils chéri. Elle semblait maintenant déterminée à se rabibocher avec sa belle-fille.

D'autres surprises attendaient la jeune femme. Sa belle-mère n'avait pas été la seule à s'intéresser au marché de l'immobilier. Robby en avait fait autant et avait hâte de montrer à Laura ce qu'il avait trouvé. Dès le lendemain de son arrivée à Blair Falls, il l'emmena voir une maison dans un tout nouveau lotissement clôturé et sécurisé en bordure d'un terrain de golf.

— Ce n'est pas une vieille demeure comme celle que tu as restaurée de tes mains avec amour, dit-il d'un ton taquin, mais c'est spacieux, lumineux. Tu vas voir comme le soleil l'illumine partout ! Et puis, acheter dans Windsor Estates est un excellent investissement.

Il franchit la barrière en exhibant aux gardes le badge que lui avait remis l'agent immobilier et, dans le labyrinthe des allées, finit par retrouver la maison de ses rêves. À peine entré, il commença à en détailler les charmes :

— Cette baie vitrée donne directement sur le golf ! s'écria-t-il. Et la cuisine est entièrement équipée d'appareils neufs !

À l'évidence, il adorait la maison.

— C'est exactement ce dont nous avons besoin, Laura. Prendre un nouveau départ dans une belle maison moderne, accueillante. Katie l'adorera elle aussi, j'en suis sûr.

Mais moi, je ne t'ai pas donné mon accord pour déménager…

L'arrêt suivant eut lieu aux Grands Magasins Landon, l'entreprise familiale. Jadis logé dans un imposant immeuble en pierre de style Belle Époque, ils avaient été le joyau de la ville. Dix ans plus tôt, l'oncle Donald avait vendu ledit joyau, sur le terrain duquel avait été aménagé un parking désormais fréquenté, selon Mme MacAllister, par des gangs de trafiquants de drogue. Entre-temps, oncle Donald avait réinstallé le magasin dans un petit centre commercial. L'autre, plus grand, était spécialisé dans les enseignes clinquantes et les restaurants coûteux. Celui choisi par l'oncle offrait une ambiance plus familiale, des prix abordables et des services personnalisés. Donald connaissait bien sa clientèle.

À l'intérieur, Laura constata que l'oncle Donald était un homme avisé dans d'autres domaines. Dans les bureaux, elle fut présentée à deux personnes portant le titre de directeurs adjoints. Elle comprit vite que leur véritable fonction consistait à assurer la bonne marche de l'affaire, surtout la gestion financière que Robby aurait traitée avec indifférence sinon incompétence. Si son mari était officiellement vice-président, oncle Donald avait pris la précaution de l'entourer de vrais professionnels qui savaient ce qu'ils faisaient. Il était donc conscient des limites et des lacunes de son neveu.

Au magasin, en revanche, Robby était dans son élément. Le personnel l'adorait visiblement et non sans raisons. Il connaissait le prénom de chaque employé et même ceux de leurs familles, il avait pris le temps d'apprendre les détails importants de leurs vies personnelles et professionnelles. Laura ne tarda pas à avoir une démonstration de la contribution de Robby à maintenir une bonne ambiance dans l'entreprise.

— Bonjour, Agnes ! lança-t-il avec un sourire épanoui à la dame grisonnante qui travaillait au comptoir de la lingerie. Je vous présente ma femme, Laura. Agnes travaille ici depuis 1956, expliqua-t-il à Laura. Son mari, Johan, était le fleuriste de la 3e Rue. C'est lui qui assurait l'entretien des jardinières de fleurs qui décoraient la façade de l'ancien magasin. C'était le bon temps, n'est-ce pas, Agnes ?

La dame en devint rose de plaisir. Nul doute que cette touche personnelle du vice-président lui permettrait d'affronter avec succès la cliente difficile insistant pour acheter un soutien-gorge d'une taille trop petit ou trop grand. Peu importait, en fin de compte, que les attentions de Robby envers le personnel soient dues à son propre besoin d'être apprécié et admiré, elles apportaient un atout indispensable au bon fonctionnement d'un grand magasin indépendant, basant sa politique commerciale sur la qualité des services rendus et son accueil de la clientèle.

Robby était encore plus aimable avec les clients qu'avec les employés. Lorsqu'il s'arrêta pour bavarder avec Mme Granby – cliente pourtant inconnue qui se présenta au bout de deux secondes –, qui ne trouvait pas de sac à main de la couleur qu'elle recherchait, il l'informa que la maison attendait sous quinzaine une livraison de nouveaux modèles avec une gamme renouvelée de teintes et qu'il se ferait un plaisir de lui en mettre de côté afin qu'elle fasse son choix. Il en profita pour apprendre que la dame avait un chien et s'empressa de lui suggérer de jeter un coup d'œil au rayon des articles de ménage qui venait de recevoir des coussins pour chiens et chats dans une grande variété de tailles et de coloris. Au souvenir de la manière dont il s'était rendu populaire auprès de toute l'équipe des fouilles archéologiques, Laura ne s'étonna pas qu'il se sente aussi heureux de travailler ici.

Mais l'atmosphère changea tout à coup. Devant le rayon des chaussures, une jeune femme héla Laura :

— Ma parole, mais... vous êtes la dame de *Bonjour, l'Amérique* !

Être ainsi identifiée par des inconnus arrivait de plus en plus souvent à Laura. Son livre était un best-seller et, alors qu'elle négociait encore son contrat avec les producteurs de l'émission de télévision, sa première interview avait été rediffusée trois fois. Désormais, on la reconnaissait jusqu'au fin fond de l'Ohio ! Le pouvoir de la télévision était stupéfiant...

La jeune femme et son amie s'approchèrent...

— Mais oui, c'est bien vous ! Je disais à Edna que j'étais sûre de vous avoir reconnue !

Laura ne se sentait pas encore très à l'aise dans ce genre de situation, même si son attachée de presse lui répétait qu'elle s'y habituerait, mais ces attentions la touchaient parce que les gens voulaient simplement être gentils. S'il s'agissait en plus de lecteurs potentiels de son livre, c'était encourageant. Elle commença donc à bavarder avec les deux filles, respectivement nommées Dorothy et Edna. En un rien de temps, cinq autres femmes vinrent se joindre à leur petit groupe.

— Qu'est-ce qu'une star comme vous vient faire dans ce trou perdu ? s'étonna l'une d'elles.

— Je ne suis pas une star..., voulut protester Laura.

Mais une autre l'interrompit :

— Ne me dites quand même pas que vous venez jusque dans l'Ohio acheter des vêtements à la mode chez Landon ?

Les autres éclatèrent de rire..

— Je suis ici parce que mon mari y travaille ...

Elle sentit Robby se raidir et comprit qu'elle avait dit ce qu'il ne fallait pas.

— Ce magasin est à lui... je veux dire, à sa famille... son oncle en est propriétaire...

Elle bafouillait, s'enferrait. Robby s'avança d'un pas.

— Bonjour, mesdames, mesdemoiselles ! dit-il avec son sourire le plus charmeur. Je suis Robby MacAllister. Ma femme et moi revenons de New York nous installer ici. Et puis, permettez-moi de rectifier : Blair Falls n'est pas du tout un trou perdu.

Les dames lui firent un sourire poli, mais il était évident qu'elles ne se souciaient ni de lui ni de son opinion sur leur bonne ville. C'était Laura qui les intéressait. Deux d'entre elles avaient lu son livre, qui leur avait beaucoup plu, et elles posèrent la question inévitable :

— Allez-vous en écrire d'autres ?

— Oui, bien sûr. Le prochain traitera soit du jardinage, soit de la restauration d'une vieille maison, rien n'est encore décidé.

Suivit une discussion animée sur les mérites respectifs de ces deux sujets, tandis que Laura sentait Robby de plus en plus crispé.

— Je veux acheter votre livre, dit une des dames. Pouvez-vous m'attendre une minute pendant que je cours au rayon librairie ? J'aimerais tant que vous me le dédicaciez !

— Je ferai mieux que vous attendre, je vais vous y accompagner, lui répondit Laura.

— J'ai peur que nous n'ayons pas ce livre en rayon, intervint Robby en prenant Laura par le bras tout en souriant aux clientes. Excusez-nous, mais nous devons nous dépêcher. Nous déjeunons avec la direction du magasin et nous ne pouvons les faire attendre..

Les dames se dispersèrent, visiblement déçues.

— Pourquoi ne vends-tu pas le livre de ta femme ? demanda Laura sans vraiment plaisanter.

— Eh bien, euh, je... tout le monde a pensé qu'il y aurait un conflit d'intérêts, bredouilla Robby, devenu écarlate.

Devant sa mine gênée et dépitée, Laura comprit que la décision de boycotter son livre venait bel et bien de lui.

Robby attendit le moment de se mettre au lit pour revenir sur leur déménagement à Blair Falls. Ils dormaient dans son ancienne chambre chez sa mère qui, pour Laura, avait commis l'erreur de vouloir conserver la pièce dans l'état où l'avait laissée le jeune étudiant à l'avenir prometteur. Robby avait collectionné tous ses diplômes et récompenses depuis le jardin d'enfants, sans oublier les articles du journal local célébrant ses réussites scolaires. Sa mère les avait fait encadrer et accrochés aux murs avec ses vieilles photos de classe. Le contraste entre les clichés défraîchis du beau jeune homme aux yeux brillants et l'adulte déjà flétri qui se tenait devant Laura était choquant. Car, en dépit de ses succès au magasin, on ne pouvait se leurrer : Robby ne s'arrangeait pas avec l'âge.

Laura éprouva soudain le manque de son père. Jusqu'à maintenant, elle n'avais pas ressenti la douleur de sa mort avec une telle intensité.

Tu avais dit à maman que tu me faisais confiance, que je saurais trouver la solution. Sauf que je ne sais pas si j'en suis capable. Je ne le sais vraiment pas…

Assis au bord du lit, Robby se concentra sur ce qu'il allait dire.

— Écoute, nous savons l'un et l'autre…

— Que nous avons des décisions à prendre, l'interrompit Laura.

— Exact. Alors, voilà comment je vois la situation. Ce serait un crime de laisser Landon passer à des étrangers après être resté si longtemps dans la famille et il n'y a personne d'autre que moi pour prendre la suite. En plus, j'aime ça et je le fais bien.

Il s'interrompit, lui lança un regard chargé d'espoir. Qu'espérait-il, qu'elle lui dise qu'il l'avait convaincue par ces quelques mots, qu'elle était décidée à abandonner du jour au lendemain tout ce qu'elle avait bâti à New York ? S'imaginait-il que ce serait aussi facile ?

— Je m'en suis rendu compte, répondit-elle.

— En plus, j'aime vivre ici.

— Je sais.

— Alors, je vais être franc. Si tu voulais rester à la maison pour t'occuper de Katie et de moi, c'est la solution que je préférerais. Je crois aussi que ce serait bien pour toi. Tu te consacres tant à ton travail que je me demande si ce n'est pas… malsain.

— Je t'en prie, Robby, ne recommence pas avec ça.

— OK, je ne voulais pas te fâcher, juste dire que je veux que tu sois heureuse ici. C'est pourquoi, même si je préfère que tu ne travailles plus, si tu veux t'y remettre, je ferai de mon mieux pour le supporter.

— Tu es d'une générosité folle.

— Et voilà, tu es fâchée ! Bon sang, Laura, je ne sais plus comment te parler !

— Excuse-moi, je ne me fâche pas. Continue.

— J'ai beaucoup réfléchi. Je sais que lâcher ta famille et ton affaire, c'est beaucoup te demander. Mais si tu le fais, je veux bien que tu continues avec les livres, les interviews télévisées, les articles dans les journaux. Je supporterai même que tu lances une autre affaire ici et que tu travailles sept jours sur sept, à condition que ce ne soit pas à la maison. Ça, j'en avais horreur, mais je pourrai supporter le reste. Je t'aime, Laura. Je t'aime et tu me manques. Tout ce que je veux, c'est vivre ici avec toi. J'irai jusqu'à mettre tes livres dans le rayon librairie du magasin et même à les montrer en vitrine, enchaîna-t-il avec son ancien sourire irrésistible. Je ferai tout ce que tu voudras si tu acceptes simplement de venir vivre ici avec moi, ajouta-t-il d'un ton suppliant.

Les photos de sa jeunesse formaient une toile de fond derrière lui. Ce n'était pas un méchant homme, elle ne voulait pas lui faire de mal. La vie l'avait forcé à réduire ses rêves ambitieux à l'échelle de médiocres réalités qu'il voulait désormais lui faire partager. Il « supporterait » qu'elle poursuive ses rêves et sa carrière, ce qui, de sa part, représentait une énorme concession. Si cela signifiait pour elle un cuisant échec, tout ce qu'elle avait à faire c'était mentir, prétendre qu'elle se rangeait à ses vues, et il en serait le plus heureux du monde. Il voulait juste qu'elle vive avec lui, il l'aimait autant qu'un homme comme lui était capable d'aimer. S'il avait si peu à lui offrir, ce n'était pas vraiment sa faute. Et ce n'était pas sa faute non plus qu'elle ait connu un homme capable de lui offrir bien davantage. L'image de Nick lui traversa l'esprit. Nick, qui ne se contenterait jamais que du meilleur, qui ne cesserait jamais, comme elle-même, de vouloir aller au bout de ses rêves jusqu'à ce qu'ils soient réalisés. Nick, qui avait assez à lui offrir pour une vie entière...

Au secours, papa ! Je ne sais pas comment tout concilier...

Alors, elle fit ce qu'elle avait toujours fait jusqu'à présent. Elle demanda à Robby de lui laisser du temps.

— D'accord, répondit-il. J'espérais que tu viendrais t'installer ici dès le début de l'année, tu le sais, mais je me rends compte qu'il faut d'abord que tu en assimiles l'idée et que tu règles les autres problèmes. Je serai patient. En plus, ta mère aura besoin de toi quelque temps après la mort de ton père. Alors, prends ton temps. Je viendrai te voir d'ici un mois et nous en reparlerons. Si tu te sens prête au printemps, nous déciderons quand et comment nous vendrons la maison.

Il l'avait comprise de travers ! Il croyait que Laura voulait prendre le temps de réfléchir au meilleur moyen de se déraciner... S'en voulant d'être lâche une fois de plus, elle ne précisa pas qu'elle voulait réfléchir à la décision qu'elle devait prendre. Il y avait quand même une chose qu'elle pouvait lui dire sans mentir ni tergiverser :

— Maintenant que j'ai vu combien tu es heureux ici, je ne te demanderai jamais de revenir à New York.

Le dernier jour de sa visite, elle alla déjeuner avec sa belle-mère. Mme MacAllister l'emmena dans son restaurant préféré, où il y avait des sets de table brodés et des salières en forme de petits canards – ou peut-être de cygnes. Les plats baignaient dans la mayonnaise ou des sauces farineuses, les salades surnageaient dans la gélatine.

L'affection de Mme MacAllister pour Laura avait sensiblement tiédi depuis le début de son séjour à Blair Falls. Maintenant face à face, Laura sentit que quelque chose chiffonnait sa belle-mère.

— J'aimerais bien arriver à vous comprendre, dit-elle enfin.

— Excusez-moi, mais je ne vois pas ce que vous voulez dire. Je ne suis pas si compliquée.

Laura savait très bien ce qu'elle voulait dire. Elle ne comprendrait jamais Mme MacAllister, elle non plus.

— Je veux dire, je ne sais pas ce que vous voulez au juste. Robby croit que vous êtes d'accord pour venir ici, mais pas moi. À mon avis, vous cherchez encore quelle décision vous allez prendre.

— C’est une grande décision qui ne se prend pas à la légère, répondit Laura de manière vague – et lâche.

— Vous pourriez avoir ici tout ce que vous voulez. Une belle maison pour Katie et pour vous. De bons amis. Robby est déjà inscrit dans le meilleur club, il vous emmènerait à toutes les soirées, à tous les bals. Il serait fier de sortir avec vous.

Laura se rappela que Robby lui disait que son père n’avait jamais emmené sa mère danser ni été fier de se montrer avec elle. Laura imagina sans peine une jeune mariée, consciente de n’être pas jolie mais affamée d’affection et de gentillesse. Peut-être arriverait-elle à la comprendre au moins un peu…

— Vous aurez assez d’argent pour aller à New York quand vous voudrez, poursuivit sa belle-mère. Robby sait combien vous êtes attachée à votre famille et il ne chipotera jamais là-dessus. Il ne vous refusera rien.

— Je sais.

Si seulement cela suffisait…

La serveuse apporta l’addition, que Laura paya. Puis, croyant le déjeuner fini, elle se leva, mais Mme MacAllister lui fit signe de se rasseoir.

— Je ne cherche pas d’excuses à mon fils, lâcha-t-elle. Robby n’a pas de force de caractère. Il a pris de mauvaises décisions, il ne supporte pas la critique. Il y a des années, j’espérais qu’il apprendrait, qu’il mûrirait, qu’il changerait. Maintenant, je vois bien qu’il en est incapable. Il est ce qu’il est, mais je l’aime. Il paraît enfin heureux de travailler au magasin et de vivre de nouveau ici avec de vieux amis. Pour lui, poursuivit-elle après avoir cherché ses mots, être l’homme, gagner le pain de la famille a beaucoup d’importance. Si vous venez vous fixer ici, j’espère que c’est dans ce sens qu’il évoluera.

Venant d’une femme qui faisait tout pour cacher ses sentiments, c’était une déclaration d’une rare franchise. Elle en méritait autant dans la réponse de Laura.

— Si vous me demandez si je m'arrêterai de travailler, non, j'aime ce que je fais. Je ne crois pas que vous vous rendiez compte de ce que cela me ferait de tout abandonner.

— Non, je ne m'en rends pas compte ! À votre âge, j'aurais été ravie d'avoir un mari affectueux envers moi et notre enfant et qui aurait voulu gagner de quoi nous faire vivre. J'aurais fait l'impossible pour l'aider discrètement et lui laisser croire que c'était lui qui comptait avant tout.

Et vous voudriez me renvoyer en plein Moyen Âge, n'est-ce pas ? Laura s'efforça pourtant de rester aimable.

— Les temps ont changé, se borna-t-elle à commenter.

Sa belle-mère approuva d'un signe, la tête baissée. Quand elle la releva, elle avait les larmes aux yeux.

— Il n'y a jamais eu de divorce dans notre famille. Pour nous, honorer les promesses du mariage est un devoir et je ne veux pas que mon fils soit le premier à y faillir. Je ne veux pas…

Laissant sa phrase en suspens, elle prit son sac accroché au dossier de sa chaise, l'ouvrit pour y chercher quelque chose qu'elle ne trouva pas et le referma avec un claquement sec.

— Je veux qu'il soit heureux, voilà tout.

Puis, sans un regard à Laura, elle se leva et sortit du restaurant.

Pendant le trajet jusqu'à l'aéroport de Cincinnati et dans l'avion de son voyage de retour, Laura essaya de dresser une liste des raisons pour lesquelles elle devrait s'installer dans l'Ohio. Elle y mènerait une vie simple et sans imprévu, enviable pour beaucoup. Katie irait dans une école typiquement américaine au cœur du pays, avec des enfants qui ne seraient pas sophistiqués comme ceux d'une grande ville aussi cosmopolite que New York. Une bonne chose aussi, n'est-ce pas ? Katie aurait à la fois son père et sa mère, autre bonne chose, bien sûr. Laura pourrait si elle le voulait recommencer à travailler, lancer une nouvelle affaire, écrire des livres. Sa collaboratrice habitait New York, ce qui lui compliquerait un peu la tâche, mais ce n'était pas infaisable. Beaucoup de gens travaillaient à distance.

Être séparée de sa famille lui pèserait à coup sûr, mais elle n'en serait éloignée que de quelques heures d'avion. Et même si Laura et Katie manqueraient cruellement à Iris, elle encouragerait résolument tout ce qui permettrait de sauver le mariage de sa fille. Quant à Robby, il serait enfin heureux. Laura serait à la fois une bonne fille pour sa mère, une bonne épouse pour son mari, une bonne mère pour sa fille et elle pourrait quand même s'occuper un peu du travail qu'elle aimait. Elle n'aurait sans doute pas tout ce dont elle rêvait, mais au moins une partie…

Ce qu'elle ne pourrait plus avoir, c'était Nick. Un souvenir remonta soudain à la surface de sa mémoire.

La veille de son premier passage à la télévision, elle était avec Nick dans le living de son appartement à l'arrière du loft.

— Je ne suis pas sûre d'y arriver, avait-elle dit. J'ignore tout de la télévision, des caméras…

— Ne t'inquiète pas de la caméra, elle t'adorera.

— Tu me trouves belle, je sais, mais…

— Laisse-moi te montrer quelque chose, l'interrompit-il.

Il l'entraîna vers un des murs où il avait affiché un composite de la série de photos qu'il avait prises quand elle était assise à la table de sa cuisine en lui parlant de sa famille et de son enfance.

— Regarde. Ton visage n'a pas un seul mauvais angle. Ce n'est donc pas ça ton problème.

— Lequel, alors ?

— Tu es trop parfaite.

— Oh ! Pour l'amour du ciel, ce n'est pas vrai, voyons !

— Si, ma chérie, parce que c'est comme cela que tu apparaîtras à l'écran. Tu as lancé une affaire qui tourne rond, tu fais la cuisine comme un chef, tu sais coudre et faire à peu près n'importe quoi dans une maison, y compris la restaurer. Tu tiens des rubriques de conseils pratiques dans les journaux et les magazines, tu as écrit un livre. Et par-dessus le marché, tu es une vraie beauté ! Alors, si tu veux mon avis, sois amusante, très amusante pour faire passer toutes tes qualités.

— Quoi ?

— Écoute, tu plaisantes tout le temps sur toi-même. Fais-en autant demain matin à la télévision. Parle de toutes les bourdes que tu as commises, de toutes tes catastrophes. Estompe ton image de la Parfaite Laura avant qu'elle ne te fasse haïr de toutes les ménagères de plus ou moins de cinquante ans qui crèveront de jalousie parce qu'elles n'arrivent pas à perdre leurs dix livres de trop et se sentent coupables de se rabattre au moins trois fois par semaine sur des plats surgelés tellement elles se sentent nulles devant un fourneau.

Elle voulut discuter, protester que l'image de la Parfaite Laura n'existait pas – ou, du moins, n'aurait pas dû exister – mais le lendemain matin, devant la caméra, elle se comporta comme Nick le lui avait suggéré.

— Et ça a marché, n'est-ce pas ? se rengorgea-t-il le surlendemain.

— Il paraît que je reçois déjà des lettres de fans. Merci, mon chéri.

— C'est toi qui l'as fait. Ne me remercie pas.

— Mais tu m'as dit ce qu'il fallait. Tu m'as aidée. Comme toujours.

— J'ai l'impression, avait-il dit en reprenant son sérieux, que nous sommes… ensemble dans cette aventure, Laura. Toi et moi. Et ce sentiment me plaît infiniment. Je n'aime pas être seul, vois-tu. Et puis, avait-il ajouté avec un grand sourire, tu es sexy en diable !

Assise dans l'avion qui la ramenait chez elle, Laura pensa qu'elle revivait les vieux clichés des films sentimentaux dans le rôle de la femme qui n'arrive pas à se décider entre l'homme qu'elle a épousé et l'homme qu'elle aime. Ces films, elle les avait toujours eus en horreur. Et elle laissa couler les larmes qui lui piquaient les yeux.

30

Nick était parti faire un reportage et, pour la première fois, Laura se réjouit presque de ne pas le voir. Elle n'arrivait toujours pas à se décider à accepter ce que voulait Robby. Décevrait-elle sa mère, son mari et, en un sens, elle-même ? Renierait-elle les vœux qu'elle avait prononcés, renoncerait-elle à ce mariage qu'elle avait si longtemps essayé de sauver ? Et Katie ? Quelles conséquences un divorce aurait-il sur sa fille ? Katie aimait son père. Comment réagirait-elle si Robby restait dans l'Ohio et Laura à New York ? Être tiraillée entre deux foyers et deux États ne risquerait-il pas de la déchirer ?

Quand elle ne pensait qu'à Katie, Laura était presque décidée à partir pour l'Ohio et à faire contre mauvaise fortune bon cœur, parce que ce serait le seul moyen de sauvegarder l'unité de sa famille. L'expression « foyer brisé » exprimait une réalité que ne pouvaient altérer les termes de « droit de visite » ou de « garde partagée » du jargon juridique. Sa résolution restait ferme une journée entière – parfois. Elle se devait d'être digne de sa bonne-maman Anna. Et puis, avec le retour de la nuit, Nick emplissait ses pensées, ses rêves et relançait ses aspirations.

Nick semblait avoir compris qu'elle avait besoin de temps pour se ressaisir, car il ne lui téléphona que deux fois, et ses appels furent brefs. Robby, en revanche, appelait tous les jours avec des nouvelles fraîches. La maison de ses rêves n'était pas encore vendue et il sollicitait un prêt d'oncle Donald pour payer l'acompte jusqu'à ce qu'ils vendent la maison de Laura. Il avait contacté plusieurs écoles pour Katie, etc. À chacun de ses appels, Laura sentait le piège se refermer un peu plus sur elle.

Rien dans sa vie ne venait alléger la chape de plomb qui lui pesait jusqu'à l'étouffer. Son père et ses frères lui manquaient. Les conversations qu'elle avait avec ces derniers se terminaient souvent par des larmes ou l'évocation de souvenirs d'enfance désormais douloureux. Iris gardait ses distances. Laura savait qu'elle souffrait de la mort de Theo, mais elle ne partageait pas sa douleur avec sa fille. Ayant dit qu'elle attendait de voir ce qu'elle ferait, elle n'en démordait pas. Sans Katie et son travail, Laura se serait couchée pour ne plus sortir de son lit.

Pourtant, la vie continuait. Katie la harcelait pour avoir son propre téléphone et Laura finit par céder à contrecœur. Steven enseignait dans une université de White Plains et venait souvent avec Christina passer le week-end chez Laura. Côté travail, Laura organisait une nouvelle réception pour la jeune pianiste classique qu'elle avait présentée à Philip.

— Vous savez quoi ? demanda-t-elle à Steven et Christina un dimanche où ils s'attardaient à la table du petit déjeuner. Philip avait pris en main les finances de Mai Ling et il a fait du si bon travail qu'elle l'a recommandé à plusieurs de ses amis. Ils sont maintenant si nombreux à vouloir devenir ses clients qu'il a décidé de quitter son job à la banque et de s'installer à son compte comme conseiller financier de musiciens et d'artistes. Il sera beaucoup plus heureux, lui qui aime tant la musique… Même s'il prétend qu'elle ne lui manque pas, nous savons bien qu'il souffre de l'avoir abandonnée. Ce sera pour lui une manière de la retrouver.

— Tu as raison, approuva Steven. Cela lui conviendra parfaitement.

— Mais cette Mai Ling, est-elle jolie ? voulut savoir Christina. Crois-tu qu'il s'intéresse sérieusement à elle ?

— Ma chère femme est si romantique qu'elle voudrait que chacun trouve son âme sœur, commenta Steven d'un ton affectueux.

— Et qu'ils se marient, renchérit Christina. En ce qui me concerne, tout le monde devrait se marier. Ou, au moins, tous les gens que j'aime. Toi, Laura, tu sais ce que je veux dire.

Le toast que Laura était en train de manger lui resta en travers de la gorge et elle eut toutes les peines du monde à finir de l'avaler.

— Si on est marié à la personne qu'il faut, parvint-elle à dire, oui, c'est merveilleux.

— Cela va sans dire, approuva Christina en donnant un petit baiser à Steven. Il suffit de la trouver.

Ils ont l'air si heureux ensemble, si béatement contents d'eux-mêmes, si sûrs de leur amour et de leur mariage tout neuf... Ce n'est pourtant pas aussi facile, aurait-elle voulu rétorquer. Mais elle se leva sans mot dire et commença à rincer la vaisselle. *Tu n'es qu'une idiote*, se dit-elle. Mais cette pensée ne la soulagea pas.

Laura croyait que Katie était dans sa chambre pendant que les adultes bavardaient. Mais quand elle s'assit un instant dans la véranda pour regarder les jardins après avoir raccompagné Steven et Christina à leur voiture, Katie sortit de la maison et vint s'asseoir à côté d'elle.

— Je ne me marierai jamais, lâcha-t-elle de but en blanc.

— Qu'est-ce qui te fait dire ça ? demanda Laura, amusée.

— Tu n'aimes pas être mariée, ça te rend malheureuse.

Laura se tourna vers sa fille.

— D'où te viennent des idées pareilles, Katie ?

— Quand tante Christina parle d'oncle Steven, elle est toute gentille. Tu n'es jamais comme ça quand tu parles de papa.

Seigneur, rien ne lui échappe !

— Chacun s'exprime à sa manière.

— Oui, je sais. quand tu n'es pas contente de quelque chose, je le vois. Ce n'est pas pareil avec tante Christina. Elle veut bien vivre partout où oncle Steven doit aller et elle n'a pas de vie à elle, comme toi tu en as une. Tout ce qu'elle veut, c'est avoir des enfants. Et ça, c'est encore autre chose. Je n'aurai jamais d'enfants.

— Maintenant, tu dis vraiment des bêtises !

— Non, je ne dis pas de bêtises. Tu m'as eue beaucoup trop tôt, avant que papa ait pu finir ses études. Il avait trop de responsabilités et c'est ce qui l'a empêché de faire ce qu'il voulait.

— Où as-tu pris cette idée ?

— La dernière fois que je suis allée chez grand-mère Mac, je l'ai entendue qui parlait au téléphone avec une de ses amies. Cela m'a d'abord fait de la peine, mais elle n'avait pas tort. Je me rends compte que les enfants peuvent gêner leurs parents.

— Tu n'as jamais été une gêne pour moi, pas une seule seconde ! Et je ne te laisserai plus jamais seule avec cette femme.

— Il ne faut pas lui en vouloir, maman. Elle ne disait que la vérité.

— Non, pas du tout ! Tu as toujours été ma joie et ma fierté et...

— Je sais, je sais. Mais tu n'as pas pu continuer tes études toi non plus, à cause de moi. Et bonne-maman Iris ? Elle a dû attendre que tous ses enfants soient grands et quittent la maison avant que bon-papa Theo veuille bien qu'elle retourne à l'école et qu'elle ait une carrière. Ce n'était pas juste ni bien de sa part.

— Quand mes parents se sont mariés, ton bon-papa ne voulait pas que ta bonne-maman travaille, c'est vrai. Mais cela faisait partie de la culture dans laquelle il avait été élevé. Elle le comprenait et ne trouvait pas cela injuste du tout. Et puis, c'était une autre époque. Aujourd'hui, les femmes ne sont plus obligées de faire ce genre de sacrifice.

— Elles le font quand même si elles sont mariées, insista Katie. Nous allons déménager pour vivre dans l'Ohio, papa me l'a dit au téléphone.

— Je n'en suis pas sûre du tout.

— Pourtant, tu le feras. Et tu n'en as aucune envie. Tu serais obligée de laisser ton affaire.

— Je peux en relancer une autre là-bas...

— Mais c'est injuste après avoir autant travaillé. Et puis, comment pourras-tu aller à la télévision deux fois par semaine si tu vis là-bas ?

— Je m'arrangerai. Tout peut toujours s'arranger...

Le regard sérieux de Katie ne la laissa pas finir.

— Non, maman, tu ne pourras pas continuer comme ça. L'émission commence à six heures et demie du matin, il faudrait que tu arrives à New York la veille. Tu ne pourras pas rester toutes les semaines loin de la maison aussi longtemps et aussi souvent.

Laura prit alors conscience que ce serait impossible. Elle ne pourrait pas non plus écrire des livres si Lillian habitait New York et elle Blair Falls. Et si elle n'avait plus sa belle vieille maison, quel décor aurait-elle pour les photos ? Et surtout, sans Nick, qui la photographierait ?

— Moi, reprit Katie, je pense que le mariage c'est très bien pour quelqu'un comme tante Christina. Je l'aime beaucoup, mais elle n'est pas vraiment très intelligente. Le problème, c'est que toi, tu l'es. Alors, pour toi c'est très dur. Et je crois que je suis comme toi. Bon, je rentre, dit-elle en se levant. J'ai encore un devoir de maths à finir.

Une autre femme avec un autre enfant aurait peut-être dédaigné cette conversation. Mais Laura savait fort bien que Katie ne disait pas des choses pareilles à la légère. Elle y avait longuement réfléchi.

Quelle leçon suis-je en train d'apprendre à ma fille ? Que le mariage est un piège pour les femmes qui ne sont pas des idiotes ? Est-ce vraiment ce qu'elle doit en penser ? Pourtant, que Dieu me pardonne, mais c'est exactement ce que je ressens ces derniers temps.

Un homme n'est pas obligé de forcer sa femme à choisir entre son travail et sa famille. Il peut au contraire admirer ses talents et sa réussite. Nick avait de l'admiration pour elle. Elle se souvenait de toutes les fois, au printemps dernier, où il la photographiait en train de faire quelque chose. Il voulait toujours la prendre sous le meilleur angle de manière à illustrer son talent et son habileté. Un homme ne doit pas se sentir menacé ou amoindri par la force de sa femme. Robby était menacé, lui. Combien de fois s'était-elle volontairement minimisée pour préserver son amour-propre, pour qu'il ne se sente pas inférieur à elle ? Était-ce ce qu'elle voulait montrer à sa fille ? Voulait-elle que sa fille la voie tout abandonner à seule fin de préserver l'unité de la famille ?

Je dois quand même être franche avec moi-même. Il ne s'agit pas seulement de Katie ou de ma mère, ou même de Robby. Il ne s'agit pas seulement de choisir de vivre à New York ou dans l'Ohio, de savoir qui fait quoi, qui gagne le plus d'argent – bien que tous ces éléments fassent partie du problème. La vérité, c'est que j'ai commis une erreur quand j'avais dix-neuf ans. Je me suis mariée trop jeune avec le garçon qu'il n'aurait pas fallu. Je ne voulais faire de mal à personne, j'ai essayé de vivre aussi bien que possible en assumant les conséquences de mon erreur. Mais je ne vais pas continuer à payer cette erreur jusqu'à la fin de mes jours. Robby et moi ne sommes pas faits l'un pour l'autre, je n'essaierai plus de le nier. J'ai le droit d'être heureuse moi aussi. Et si c'est de l'égoïsme, eh bien, je serai égoïste.

Elle demanderait donc le divorce. Ce ne serait pas facile. Robby serait évidemment furieux, blessé, alors qu'elle n'avait jamais voulu lui faire de peine. Elle devrait elle-même faire son deuil de leur jeunesse pleine de rêves et d'espérances. Robby avait été son premier amour, après tout. Mais elle serait finalement libérée.

Cette nuit-là, pour la première fois depuis son retour de l'Ohio, elle dormit profondément. Le lendemain, elle alla chez sa mère.

— Je voulais te parler de vive voix parce que ce que je vais te dire ne te plaira pas, commença-t-elle.

Sa voix ne tremblait pas comme elle l'avait craint. Tant mieux.

— Je choisis mal mon moment, je sais, poursuivit-elle. La mort de papa est trop récente, mais je ne crois pas que cela puisse attendre. Tu m'as appris que quand on s'écorche, il vaut mieux arracher la croûte d'un seul coup. Cela fait mal, mais on n'en parle plus.

Cette fois, sa voix tremblait. Puisqu'elle n'arrivait pas à dire ce qu'elle voulait dire, sa mère le fit à place.

— Tu veux plaquer Robby, déclara Iris.

— Oui.

— Pour cet individu, ce... photographe, lâcha-t-elle avec mépris.

— Non, pour moi. J'ai pris seule ma décision.

— Ah non ! Sois au moins honnête avec toi-même !

— Je le suis, maman. Pour la première fois.

— Tu as une liaison avec cet homme. C'était nouveau, excitant...

— Ce n'est pas du tout comme tu le dis.

— Plus amusant peut-être que de rester fidèle au même homme !

— Arrête, je t'en prie ! Je ne suis pas papa.

— Comment oses-tu me dire ça ?

— C'est donc ce qui te fait peur ? Que je sois comme lui ?

Un instant, elle s'attendit à ce que sa mère la gifle. Elle pouvait sentir qu'Iris se retenait à grand-peine et elle se prépara à recevoir le coup. Cependant, Iris se retint.

— Ton père est mort ! hurla-t-elle.

— Je le sais et j'en souffre tous les jours. Je sais aussi qu'il t'a blessée et que c'est la raison pour laquelle tu refuses de voir que mon mariage était déjà détruit quand j'ai rencontré Nick.

— C'est révoltant ! Comment oses-tu invoquer la mémoire de ton père pour justifier ton inconduite ?

— Il faudra bien que tu te décides un jour à lui pardonner.

— Tais-toi, Laura ! Cesse de proférer des horreurs ! Tu veux divorcer ? Eh bien, vas-y ! Mais cesse au moins de te leurrer en prétendant que cela n'a rien à voir avec le fait de coucher avec ton amant !

— C'est désespérant ! cria Laura, à bout de nerfs. Je ne peux rien te dire, tu te bouches les yeux et les oreilles ! Comment diable peut-on encore te parler ?

— Ne parle pas. Sors d'ici !

Laura était déjà à la porte quand un dernier espoir de ne pas en rester là l'arrêta. Elle se retourna, prit une profonde inspiration.

— Je voulais juste t'avertir de ce que je compte faire. Robby vient par avion ce week-end. Je lui ferai part de ma décision.

31

Le présentateur du journal télévisé de dix-huit heures était réputé pour son flegme imperturbable en toutes circonstances. Il paraissait pourtant secoué quand il annonça devant la caméra le premier grand titre des nouvelles du soir.

« Le Dr Lester Peterson était un pilote chevronné avec des centaines d'heures de vol à son actif. Son appareil, un Cessna 172 de moins de deux ans, avait toujours été scrupuleusement entretenu et révisé. Personne ne s'explique donc pourquoi le Dr Peterson a voulu procéder à un atterrissage d'urgence à l'aéroport de Cincinnati au moment même où en décollait le vol 5533 de la Midwestern Airlines à destination de l'aéroport La Guardia à New York. On sait seulement que les contrôleurs aériens s'étaient efforcés d'avertir le pilote du vol 5533 de l'apparition soudaine du Cessna sur sa trajectoire, mais le pilote, qui avait pourtant vingt ans d'ancienneté dans la compagnie et d'irréprochables états de service, soit a été incapable de manœuvrer assez vite pour dévier sa route, soit a pensé que le petit appareil s'était écarté. Une enquête fédérale a été aussitôt ouverte pour faire toute la lumière sur cet accident que les boîtes noires du vol 5533 permettront sans doute d'élucider. Cette collision constitue la pire catastrophe aérienne survenue depuis des années dans cette partie du pays, car on ne compte malheureusement aucun survivant dans les deux appareils. »

Alors que le présentateur parlait encore, Laura était déjà en route vers l'aéroport La Guardia pour y attendre Robby, parti une heure et demie plus tôt de Cincinnati à bord du vol Midwestern Airlines 5533.

Quand Laura essaya plus tard de se remémorer cette soirée d'avril, une seule pensée revenait clairement dans son esprit : grâce à Dieu, elle n'avait pas emmené Katie avec elle chercher son père à l'aéroport. Le reste était noyé dans une brume cauchemardesque.

Elle était partie de chez elle avec une avance confortable. Voulant avoir le temps de réfléchir à la meilleure manière de dire à Robby qu'elle demandait le divorce, elle n'avait pas allumé la radio de sa voiture, donc n'avait pas entendu la nouvelle de la catastrophe aérienne.

Dans le hall de l'aérogare, sur le tableau des vols à l'arrivée, elle vit que celui de Robby était annoncé avec du retard. Le numéro du vol s'effaça ensuite du tableau et un avis diffusé par haut-parleur demanda aux personnes venues attendre les passagers du vol 5533 en provenance de Cincinnati de se présenter au comptoir de Midwestern Airlines.

Après quoi, le brouillard l'enveloppa. Les voix apaisantes et consolatrices des employés de la compagnie aérienne se mêlaient aux sanglots et aux cris angoissés des proches des passagers exigeant des informations. Leur groupe fut ensuite dirigé vers un local à l'écart du public et, surtout, Laura le comprit par la suite, des écrans de télévision qui diffusaient la nouvelle de la catastrophe. Sous la froide lumière des néons, la salle était meublée de chaises pliantes. Une escouade de pasteurs de diverses églises, d'infirmières, de médecins, de psychologues et même de policiers dispensait les secours de leurs spécialités respectives. Livides, les yeux écarquillés par la panique et la douleur, les proches des passagers se tournèrent vers un officiel de la compagnie venu confirmer ce que tout le monde avait déjà compris, que le vol 5533 s'était écrasé au décollage de Cincinnati. Les sanglots et les cris de douleur redoublèrent quand l'homme des relations publiques annonça qu'on ignorait encore le nombre des victimes, mais tout le monde garda le secret espoir qu'il y aurait des rescapés et que l'être cher qu'ils attendaient avait survécu ou était arrivé en retard et avait manqué l'avion. Certains juraient et maudissaient le destin, d'autres priaient, mais aucun ne quittait encore la salle. Partir aurait signifié qu'on se résignait à accepter l'horreur, qu'on admettait l'extinction de la dernière lueur d'espoir.

Laura fut incapable ensuite de se rappeler à quel moment elle s'y était elle-même résignée. Elle ne se souvenait pas non plus d'avoir appelé Philip pour lui dire qu'elle était hors d'état de reprendre le volant et de rentrer chez elle, mais elle avait dû le faire car son frère était venu la chercher. Elle ne garda aucun souvenir du trajet de retour, d'avoir ouvert sa porte, d'être rentrée dans la maison et d'avoir informé Katie en quelques mots de ce qui s'était passé. Pourtant, elle l'avait fait. Elle ne savait pas davantage quand et comment Philip l'avait retrouvée à l'aéroport. Jimmy et Janet avaient passé la nuit avec elle, Iris était venue le lendemain matin, sans que Laura se souvienne de les avoir appelés. Tout ce qui surnageait dans son esprit, c'est qu'il n'y avait eu aucun survivant et que Robby était mort. Et elle remerciait Dieu de n'avoir pas demandé à Katie de l'accompagner à l'aéroport.

32

Après la mort de Robby, ce fut le noir total. Une obscurité profonde, épaisse, qui déferlait sur Laura avec la force de lames de fond au point qu'elle se sentait prête à s'y laisser engloutir..

Je voulais me débarrasser de Robby. Je voulais être libre... Alors même qu'elle savait n'avoir jamais voulu que ce soit par sa mort et que l'idée même ne l'avait pas effleurée, une nouvelle vague s'abattait sur elle.

Mme MacAllister voulut enterrer Robby à Blair Falls. Le pasteur de l'église qu'il fréquentait appela Laura pour lui demander son consentement. *Je ne savais même pas que Robby recommençait à aller à l'église. Je ne savais rien de sa nouvelle vie...* Elle donna son accord, puisque l'Ohio était le seul endroit où Robby avait finalement été heureux. D'ailleurs, pendant tout le temps qu'il avait vécu à New York, il ne s'était pas fait un ami. Il ne s'était senti proche de personne de sa belle-famille, sauf d'Iris.

Tant d'années sans personne que Katie, maman et moi, lui qui adorait les groupes, les fêtes... Il devait se sentir très seul. Pourquoi ne m'en suis-je pas rendu compte ? Si, je sais pourquoi. Moi, je vivais là où je voulais vivre, je faisais ce que j'avais envie de faire. Je ne voulais même pas savoir ce qu'il ressentait, lui.

Elle prit l'avion pour l'Ohio avec sa mère et Katie qui pleuraient ensemble. Elle, elle avait les yeux secs.

Je ne peux même pas pleurer. Je devrais, pourtant. Mais je voulais me libérer de lui, maintenant je suis libre. Pleurer serait de l'hypocrisie.

Quand Laura arriva, elle constata que sa belle-mère avait déjà organisé les obsèques. Ses frères et leurs épouses la rejoignirent en voiture le lendemain.

— Comment a-t-elle pu tout faire sans te consulter ? s'étonna Christina, scandalisée. C'était à toi de t'en occuper, tu étais sa femme.

Oui, mais elle ne s'apprêtait pas à le quitter. Moi, si.

Le service religieux eut donc lieu dans l'église que Robby fréquentait à nouveau. Laura entendit chanter des cantiques et des psaumes qu'elle ne connaissait pas. Des paroles qu'elle ne reconnut pas furent prononcées pour le repos de l'âme de l'homme dont elle avait partagé le lit et la vie pendant plus d'une décennie. Après la cérémonie, des inconnus qui étaient les amis de sa belle-mère se réunirent autour de salades noyées de mayonnaise, de pleines casseroles de brouet à base de crème et de bouillon de poulet en boîte. Laura était assise dans le salon de sa belle-mère parmi les invités.

— Comment ose-t-elle te traiter comme cela ? fulmina Janet en retournant à leur motel.

Parce que je ne l'aimais pas. Je m'occupais de lui matériellement, mais je ne l'aimais pas. Elle, si.

De retour à New York, il fallut du temps à Laura pour assimiler la réalité de la situation. Elle ne parvenait pas à comprendre et à admettre le fait que la vie de Robby avait pris fin. Il ne pourrait, par exemple, jamais plus projeter de retourner visiter Paris, cette ville qu'il avait tant aimée. Il n'assisterait pas au moment solennel de la remise de diplôme de sa fille, il ne la tiendrait pas par le bras le jour de son mariage. Il n'habiterait jamais cette maison neuve qui l'avait tant séduit. Et il ne saurait jamais non plus que Laura avait décidé de ne pas y vivre avec lui. Le beau et brillant jeune homme qu'elle avait épousé dans le parfum enivrant des fleurs et de la vanille sous les poiriers du jardin de sa grand-mère ne saurait jamais qu'elle état sur le point de l'abandonner.

« Pour le meilleur et pour le pire », avait-elle promis mais, depuis, elle avait décidé de se libérer de lui. Elle y était parvenue, maintenant. Et la vague noire revint déferler sur elle.

— Je ne peux pas, Nick. Je ne dois plus te revoir.

Debout sur le seuil du loft, Laura refusait d'entrer. Elle ne voulait pas rester.

— Tu es bouleversée. Accorde-toi le temps de te remettre.

— Non !...

Elle criait, faute de pouvoir pleurer. Elle paraissait avoir perdu jusqu'à la faculté de verser des larmes.

— Tu ne vois pas, tu ne comprends pas ? Ce serait comme si je dansais sur sa tombe !

— C'est ce que tu ressens en ce moment, mais d'ici quelques mois...

— Tu voudrais que je profite de sa mort ? C'est ce que tu veux dire ?

— Bien sûr que non.

— Il n'avait même pas quarante ans !

— Je sais. Mais, pour l'amour du ciel, tu n'es pas responsable de l'accident.

— Je le trompais et j'allais lui dire que je voulais divorcer.

— Ton mariage était déjà mort. Arrête de te punir toi-même.

— Tu sais quoi, Nick ? On mérite parfois d'être puni.

— Pas moi ! Punis-toi si ça t'amuse, mais arrête de *me* punir !

— Je ferai encore mieux. Je m'en vais !

Et elle tourna les talons.

Il l'appela des centaines de fois jusqu'à ce qu'elle se décide à faire changer son numéro de téléphone. Il dut comprendre alors qu'il était inutile d'insister et n'essaya pas de retrouver sa trace.

Un matin, tandis que les feuilles mortes tournoyaient sur la pelouse sous la fenêtre de sa cuisine, elle appela sa mère.

— Tu seras sans doute heureuse d'apprendre que j'ai définitivement rompu avec Nick.

Sur quoi, elle raccrocha et put enfin pleurer. Longuement.

Dieu merci, elle avait beaucoup à faire. Avant tout, il fallait penser à Katie. La mort de son père l'avait profondément affectée, et si parfois elle avait besoin d'en parler, à d'autres moments la seule compagnie de Laura paraissait lui suffire. Elles sortaient souvent ensemble au cinéma ou manger une pizza, regardaient la télévision, se promenaient dans la propriété avec la vieille Molly. Laura s'était remise au travail. Elle avait entamé la rédaction de son second livre avec la collaboration de Lillian qui, heureusement, ne posa pas de questions quand Laura lui dit de trouver un autre photographe. Le contrat avec la télévision était signé. Tout le monde l'entourait d'égards – elle était une pauvre veuve éplorée, n'est-ce pas ? Cette compassion universelle lui faisait honte. Elle aurait dû avouer la vérité, dire qu'elle n'était pas l'épouse aimante et fidèle qu'ils croyaient. La mort de Robby l'attristait, bien sûr, parce qu'il était mort beaucoup trop jeune, mais elle avait décidé de s'en libérer. Son chagrin, sa douleur était causée par un autre homme. Celui dont elle pleurait la perte.

Une seule autre personne était au courant de cette perte, sa mère. Et Iris ne la comprendrait jamais. Alors Laura lisait les mots de condoléances qui continuaient d'affluer, écoutait les phrases compatissantes et bien intentionnées enregistrées sur son répondeur. Elle aurait désiré plus que tout pouvoir parler à Iris, mais elle devait chasser ce besoin de son esprit.. Elle ne pouvait même pas se permettre d'y penser.

De même qu'elle ne pouvait pas se permettre d'évoquer l'image de certains yeux bleu-vert ou de l'homme qui riait à ses plaisanteries et lui faisait de si beaux sourires... qu'elle ne verrait jamais plus.

RENOUVEAU

Le passé n'est que le début d'un commencement
et tout ce qui est et a été la première lueur d'une aurore.

H. G. Wells
1866-1946

33

Un dicton prétend que le temps guérit tout. C'est faux. Quand on subit une perte cruelle, le temps permet d'assimiler la douleur. Mais, ensuite, on ne peut jamais redevenir tel qu'on était avant. On trouve peut-être de nouveaux sujets de joie, on goûte même à certains plaisirs, mais on ne peut plus être une épouse quand on devient une veuve – une veuve est une personne entièrement différente. Iris l'avait appris, puisqu'elle était veuve depuis plus d'un an.

Tant d'épreuves avaient marqué cette année-là ! La mort tragique de son gendre dans un accident terrible l'avait profondément meurtrie et elle en souffrait encore. Mais c'était réellement la mort de Theo qui l'avait transformée en faisant d'elle une veuve. Au bout d'un an, elle ne savait toujours pas quelle personne serait la nouvelle Iris Stern. Ni comment ferait cette personne pour reprendre le cours de sa vie.

Cela ne voulait pas dire qu'elle restait claquemurée chez elle derrière des rideaux tirés. Elle fonctionnait tout à fait normalement. Elle se préparait trois repas par jour et, ayant appris les méfaits du cholestérol et du sel pendant les trois ans de régime de Theo, se nourrissait beaucoup plus sainement qu'auparavant. Elle dormait huit heures par nuit, donnait ses cours avec autant de zèle et d'intérêt que l'ancienne Iris Stern. Elle était même allée à l'opéra avec Jimmy et Janet. Une fois pour voir une chose moderne qu'elle avait oubliée dix minutes après la fin de la représentation, une autre pour *La Bohème*, de Puccini, qu'elle avait beaucoup aimée quand elle était jeune. Janet, elle le savait, avait craint que cette tragique histoire d'amour ne soit trop douloureuse pour elle.

Ne soyez pas ridicule ! aurait-elle voulu dire à sa belle-fille, comme d'ailleurs à ses fils qui s'approchaient toujours d'elle sur la pointe des pieds. *Si je veux éviter tout ce qui risque de me rappeler Theo, autant me tuer tout de suite.* Les premiers moments passés, elle avait compris qu'elle ne se tuerait jamais. Ç'aurait été insulter la mémoire de Theo et trahir leur amour. Non, elle était tout à fait décidée à vivre. Elle voulait simplement savoir comment vivre cette nouvelle vie et quel être elle était devenue. C'étaient là les deux seules grandes questions. Elle ignorait d'où lui viendraient les réponses, elle savait seulement qu'elle ne pourrait pas retrouver une existence cohérente tant qu'elle ne les aurait pas trouvées.

Cette période d'attente et d'incertitude lui posait cependant un problème : ses sens paraissaient… débranchés. Elle ne voyait plus les couleurs, elle n'entendait plus la musique – à part celle de *La Bohème* –, et la nourriture saine qu'elle cuisinait n'avait aucun goût. Ses sens ne reprenaient vie que la nuit, dans ses rêves. Un kaléidoscope d'images aux couleurs éclatantes tournoyait dans sa tête. Theo était là, en pleine santé, qui lui souriait tendrement. Il lui parlait aussi et, bien que n'entendant pas les mots, elle comprenait qu'il lui transmettait un message : *Réconcilie-toi avec Laura.* Mais cela, elle en était incapable.

Laura et elle restaient apparemment en bons termes, surtout pour faire bonne figure devant Katie et afin que ses fils ne soupçonnent pas leur brouille. Elles n'avaient pourtant pas eu une seule conversation sérieuse depuis un an. Iris ignorait comment sa fille subissait le contrecoup de la mort absurde de Robby. Elle se doutait encore moins de la réelle et cuisante douleur que l'abandon de l'homme qu'elle aimait infligeait à Laura. Mais il n'était pas question d'aborder ces sujets avec elle.

L'unique et dernière fois qu'il en avait été question remontait au coup de téléphone de Laura, qui l'informait d'avoir rompu avec Nick avant de lui raccrocher au nez. Iris s'en était félicitée et, au cours des mois suivants, avait été satisfaite que Laura n'ait pas changé d'avis. Une meilleure mère aurait pu lui dire : *Ma chérie, Robby n'est plus là mais ta vie doit continuer. Si tu as trouvé l'homme que tu aimes, je te donne ma bénédiction.* Eh bien, non ! Impossible de s'y résoudre. Cet homme avait été l'amant de sa fille. Elle avait trompé son mari à cause de lui. Si le pauvre Robby n'était pas mort, elle aurait brisé son ménage à cause de lui. Voilà ce qu'elle ne pouvait pas pardonner.

Je sais que Laura est affectée par la mort de Robby, par la perte du séduisant jeune homme qu'elle avait épousé, le père de son enfant. Elle n'est pas une garce sans cœur qui court de la tombe de son mari se jeter dans les bras de son amant. Mais je ne veux pas qu'elle recommence avec cet homme-là. Jamais !

Ma nature ne me pousse pourtant pas à juger les autres. Dans une dispute, Theo me disait toujours que je prenais trop volontiers le parti d'autrui plutôt que le sien. Avec les enfants, c'était toujours moi la mère indulgente. Alors, qu'est-ce qui me rend aussi impitoyable pour cette seule faiblesse de ma fille ? Parce que je considère l'infidélité comme un péché inexpiable ? Pourquoi ne suis-je pas aussi compréhensive que je le suis sur tant d'autres sujets ? L'infidélité existe depuis la nuit des temps, il est arrivé aux personnes les plus vertueuses de céder aux pouvoirs de la sensualité et cela n'en fait pas des monstres.

Par la raison, je le sais. Mais dans ma chair, dans mon cœur et jusque dans mon âme, je considère l'adultère comme une ignominie. Il fait souffrir, il détruit la confiance, il brise les foyers. Il inflige aux enfants des blessures inguérissables, à moins qu'ils ne possèdent une force surhumaine.

Il ne laisse pas non plus les adultes indemnes. D'une femme fière de son ouverture d'esprit et de sa tolérance, il peut faire une furie implacable. Que Dieu me pardonne, mais n'est-ce pas ce qu'il a fait de moi ?

Laura m'a dit que je refusais d'entendre ce qu'elle voulait me dire sur l'état de son mariage parce que j'avais peur qu'elle tienne de son père sur ce point. Elle m'a même accusée de ne pas lui avoir encore pardonné ses infidélités passées. Pourtant, j'ai essayé et je croyais y être parvenue. Peut-être que non, après tout. Qui sait si ce que j'attends ne se résume pas en un mot. Pardonner…

34

Le vieux billet de train datait d'un an. Iris l'examina en essayant de comprendre ce que cela impliquait. Elle l'avait trouvée dans la poche de la veste que Theo portait le jour de son attaque fatale. En temps normal, Laura aurait dû l'aider à trier et à ranger les affaires de Theo, mais comme elles ne se parlaient plus, plus de choses importantes du moins, Iris ne lui avait pas dit qu'elle avait décidé qu'il était temps de s'y mettre.

Elle avait résisté un an et n'avait pas encore touché à ses chemises monogrammées ou aux blazers anglais qu'il mettait quand il travaillait à l'hôpital. Tout était encore dans la chambre, parce que Theo les avait lui-même disposés dans ses tiroirs et sa penderie et qu'elle ne pouvait pas se résoudre à désorganiser son beau travail. Mais ses fils insistaient pour qu'elle procède elle-même au tri et décide de ce qui pouvait être donné ou devait être jeté. Steven l'avait même menacée de lui envoyer Christina, championne du rangement, pour le faire à sa place.

Elle avait donc commencé par le plus simple et le plus évident, la veste que portait Theo quand elle l'avait trouvé inconscient en haut de l'escalier de la cave. Les ambulanciers la lui avaient enlevée et l'avaient donnée à Iris, qui l'avait fourrée au fond du placard à manteaux du vestibule. Elle y était restée jusqu'à aujourd'hui, quand elle avait mis la main dessus. Elle l'avait étalée sur la table de la cuisine pour la défroisser et en avait vidé les poches.

Elle pensait y trouver de la menue monnaie, une paire de gants oubliée – peut-être les derniers effluves d'un parfum. Or il n'y avait que ce vieux billet de train. Son premier réflexe, en le découvrant, aurait été de téléphoner à Laura. Mais ça, elle ne le faisait plus.

La date du billet était celle du jour où elle avait retrouvé Theo dans le coma. Durant les trois ans ayant suivi son infarctus, il n'était jamais allé seul en ville parce que c'était toujours elle qui l'y conduisait pour lui éviter une fatigue excessive. Se sachant malade, il faisait très attention à ne pas abuser de ses forces. Alors, pourquoi était-il allé seul à New York ce jour-là ? Pourquoi, de retour chez lui, était-il descendu à la cave pour devoir ensuite faire l'effort de remonter l'escalier alors qu'il devait être déjà fatigué, sinon épuisé ?

Theo était déjà descendu plusieurs fois à la cave, mais il le faisait toujours quand elle était là et elle restait en haut des marches pour être sûre qu'il allait bien. Il archivait à la cave les dossiers de ses anciens patients car, de temps à autre, les jeunes médecins qui avaient pris sa suite lui posaient une question dont ils ne trouvaient pas la réponse dans les fichiers de l'hôpital. Lentement, avec précaution, Theo descendait alors consulter ses dossiers. Iris avait supposé que c'était le cas le jour de son attaque fatale, mais il lui semblait maintenant que ce ne l'était peut-être pas. Ce jour-là, Theo était allé à New York sans lui en avoir parlé. Perplexe, Iris se leva et alla ouvrir la porte de la cave.

Appuyé le long du mur, l'escalier comportait une rampe de chaque côté. Au-dessus de la rampe, une large étagère scellée au mur servait de débarras pour certains ustensiles ménagers, et les enfants y posaient leurs patins en hiver. L'interrupteur électrique était au-dessus de l'étagère située à côté de la porte. Iris le chercha à tâtons, mais sa main buta contre quelque chose. Un objet plat, rectangulaire, enveloppé de papier kraft, posé sur l'étagère recouvrait en partie l'interrupteur. Iris était sûre que cet objet n'y était pas la dernière fois qu'elle avait dû allumer la lumière de la cave.

Prendre ce paquet fut plus difficile qu'elle ne le croyait. Non pas à cause de son poids, mais de sa grande taille qui la forçait à s'incliner en déséquilibre. Elle y parvint enfin en prenant le paquet d'une main tout en se tenant de l'autre à la rampe. Il ne lui restait heureusement qu'à monter deux marches avec son fardeau.

Elle examina sa trouvaille à la lumière du living. L'objet était en effet enveloppé de papier kraft. Il y avait à un angle une étiquette avec l'adresse d'une boutique de brocante de Manhattan.

Des cloches se mirent à tinter dans la tête d'Iris. Voyons… un dîner en famille… elle avait été furieuse contre Laura parce que… ah, oui ! Parce que Katie parlait d'une photo… non, d'un portrait qui rappelait étrangement sa bonne-maman Iris. Katie disait que sa mère et elle avaient vu ce tableau dans une brocante, Iris avait répondu qu'elle voulait aller le voir elle aussi. Et puis, il y avait eu la dernière attaque de Theo et elle n'y avait plus pensé. La boutique était dans Madison Avenue, cela au moins elle se le rappelait. Elle regarda l'adresse sur l'étiquette du paquet : Madison Avenue. Alors, elle déchira le papier.

Le tableau déballé, elle le retourna – et faillit le lâcher de stupeur. Elle s'attendait à découvrir une vague ressemblance, qui aurait suffi à une petite fille douée d'un peu d'imagination pour bâtir une histoire fantastique. Mais là, elle crut se voir dans un miroir. La femme du tableau, élégamment vêtue à la mode de 1900, avait une expression hautaine qui n'avait jamais été la sienne, mais le doute n'était pas possible : le nez, la bouche, le cou et, plus encore, les yeux noirs et le regard, étaient bel et bien les siens !

C'est moi ! Je ne sais pas comment ni pourquoi, mais ce portrait est le mien ou celui de quelqu'un de ma famille proche… Maman n'avait pas de famille dans ce pays.

Serait-ce donc quelqu'un du côté Friedman ? Faire peindre son portrait coûtait cher, à l'époque. Personne dans la famille de papa n'en aurait eu les moyens. Et aucun d'entre eux n'aurait dépensé son argent de cette façon, même s'il l'avait pu.

C'est Theo qui a mis ce portrait à la cave, c'est la seule explication de sa présence ici. Il a fait l'effort d'aller en ville pour le chercher parce qu'il savait que Katie avait raison : cette femme est mon sosie. Mais comment le savait-il ? Et il l'a caché à la cave. Caché de qui ? De moi ? Il a risqué sa vie, il a perdu la vie en le faisant. Mais pourquoi ? Que savait-il qu'il ne voulait pas que je sache ?

De vagues souvenirs des rencontres fortuites de sa mère avec Paul Werner quand elle était enfant lui revinrent en mémoire. Une fois, sa mère était avec lui. Elle était paraît-il très malade et allait mourir peu de temps après. Anna avait été très nerveuse ce jour-là, mais elle l'était toujours quand elle rencontrait Paul Werner. Elle mentait même à Joseph en ne lui parlant jamais de ces rencontres. Iris en avait haï Paul, qui forçait ainsi sa mère à mentir et à dissimuler.

Beaucoup plus tard, elle avait appris que Paul avait été le bienfaiteur de sa famille. Son mari, toujours si fier et si indépendant, avait donc accepté l'aide de Paul, Iris n'avait jamais compris pourquoi. Elle ignorait aussi pourquoi Theo et Paul étaient devenus amis jusqu'à la mort de Paul. Des amis assez intimes pour se confier des secrets ?

Iris serrait le portrait au point de sentir la toile céder sous ses doigts. Regarder ce visage si semblable au sien lui causait un vrai malaise. Son instinct lui disait de jeter ce maudit tableau à la poubelle et de le chasser de sa mémoire, mais il était trop tard. Elle ne pourrait plus s'empêcher d'y penser. Et puis, elle essayait si fort depuis son enfance de ne pas penser à certaines choses et de se reprocher certaines pensées qu'il était sans doute temps qu'elle se décide à apprendre la vérité.

Autre chose encore. Katie avait parlé de la femme ayant donné ce portrait à la boutique. Cette femme avait tenu dans Madison Avenue un magasin de mode, de haute couture... Mais oui, c'est là qu'Anna allait acheter ses robes. Iris y était allée, elle aussi. La boutique s'appelait, voyons... Chez Lea. Oui, Iris se souvint qu'elle appelait la patronne par son prénom, Lea. Mais son nom de famille ? Iris ne l'avait jamais su. Elle n'était qu'une de ses clientes, après tout, pas une de ses amies.

Le brocanteur, lui, devait en savoir davantage sur cette Lea. Il saurait sans doute même si elle vivait encore – elle aurait entre soixante-dix et quatre-vingts ans – ou si le tableau avait été donné par son exécuteur testamentaire. Si elle était encore en vie, peut-être saurait-il où elle résidait. En tout cas, cette boutique était un point de départ.

Iris reposa le tableau, alla décrocher le téléphone et composa le numéro des renseignements.

35

Selon le directeur de la boutique, Lea Sherman avait vendu son appartement dans l'Upper East Side à Manhattan pour s'installer à Riverdale. Elle vivait désormais dans une résidence médicalisée baptisée *The Colony*, comme le lui apprit la personne distinguée à qui Iris téléphona pour se renseigner sur l'adresse exacte.

Perchée sur une éminence dans le secteur le plus huppé et le plus résidentiel de Riverdale, *The Colony* était une copie de Versailles – en plus grand. Pour y accéder, Iris avait d'abord dû franchir la grille de fer forgé d'un porche de pierre digne d'un château de la Loire et parcourir les interminables allées d'un jardin orné de fontaines et de statues avant d'atteindre enfin le bâtiment principal.

Iris arrêta sa voiture et y resta en attendant que son cœur cesse de bondir dans sa poitrine comme il le faisait depuis une heure – mais son immobilité, loin de calmer ses palpitations, ne fit qu'en aggraver les soubresauts. Au moment de partir de chez elle, elle avait été sur le point, dans un moment de folie, d'emporter le tableau avec elle. Mais la raison lui était revenue pour lui dire que Lea Sherman n'avait nul besoin de le voir puisqu'il avait été en sa possession et qu'elle en connaissait toute l'histoire. Lea le lui avait elle-même confirmé quand elles s'étaient parlé au téléphone. Iris était donc venue entendre cette histoire.

Elle se demandait maintenant si elle allait descendre ou non de sa voiture. Peut-être ferait-elle mieux de redémarrer et de rentrer chez elle, où elle serait en sûreté. Où elle n'entendrait pas ce que Lea Sherman avait à lui dire. Son cœur cesserait alors de bondir aussi désagréablement dans sa poitrine… Pourtant, elle ne tourna pas la clef de contact et ne démarra pas.

Un portier galonné passa la tête par sa vitre ouverte et lui demanda ses clefs. Elle l'entendit dire quelque chose à propos du parking, mais n'y prêta pas attention. Flottant sur un nuage, elle lui tendit ses clefs, il lui ouvrit la portière. Elle ne pouvait plus reculer, elle devait entrer. Dans le vaste hall, elle distingua vaguement des plafonds d'une hauteur vertigineuse, des murs de couleur crème ou dorée, des appliques et un lustre en cristal. Les tapis étaient veloutés, les fenêtres drapées de soie et d'or. Un peu partout, des canapés et des fauteuil, des guéridons et des tables basses formaient des îlots de conversation offrant une relative intimité. Malgré la température, Iris frissonna.

Lea Sherman l'attendait devant le comptoir de la réception, Iris la reconnut immédiatement. Mme Sherman n'avait pas beaucoup changé depuis l'époque où Anna et elle fréquentaient sa boutique.

Elle ne m'a pas encore vue. J'ai le temps de partir…

Mais elle resta clouée sur place. Son frémissement était devenu un tremblement, son cœur faisait des bonds de plus en plus désordonnés. Lea Sherman la vit enfin et lui fit signe de la main. Il était trop tard pour prendre la fuite, car la vieille femme s'approchait.

Elle n'avait jamais été jolie. Une de ses amies disait même qu'avec son petit nez épaté et ses yeux ronds, elle avait l'air d'un singe. Mais elle avait une ligne superbe et un port de reine. Elle possédait surtout un instinct infaillible pour la mode dont elle était capable de prévoir les tendances des mois avant tout le monde. Bien entendu, elle avait toujours été un modèle d'élégance et Iris constata qu'elle n'avait pas changé. Ses cheveux d'un blanc neigeux étaient impeccablement coiffés, ses mains manucurées, son maquillage discret parfaitement adapté à une femme de son âge. Elle ne portait que deux bijoux d'or, un bracelet et une chaîne au cou, sur un tailleur lilas qui mettait en valeur ses cheveux et ses yeux noirs et permettait de voir que le galbe de ses jambes était resté parfait.

Iris constata que le sourire exubérant dont elle gardait le souvenir était absent de ses lèvres, mais c'était prévisible. Par le coup de téléphone d'Iris, Lea savait ce dont celle-ci voulait lui parler.

— Madame Stern, je vous aurais reconnue entre mille. Vous n'avez pas changé.

— Appelez-moi Iris, je vous en prie. Vous êtes toujours la même vous aussi..

— Merci. Et appelez-moi Lea, voyons.

Elles restèrent un moment face à face sans trop savoir comment continuer. Finalement, Lea mena Iris vers l'ascenseur.

— Cet endroit est superbe, dit Iris pour meubler le silence pendant que l'ascenseur les propulsait vers le seizième étage.

— Je trouve aussi. Je m'y suis installée il y a deux ans, à la mort de mon mari. Nous avions un immense appartement, beaucoup trop grand pour une personne seule. J'ai ici mon propre appartement, où je suis totalement indépendante mais, quand je n'en serai plus capable, je pourrai déménager dans une autre aile où je disposerai de toute l'assistance nécessaire. C'est pourquoi j'ai choisi cet endroit. L'équipe médicale sur place en décidera le moment venu et j'ai préféré épargner ce souci à ma belle-fille. J'ai trop souvent constaté ce que ce genre de décision peut entraîner pour une famille.

— Vous avez raison, on devrait toujours penser à ses proches.

Parler paraissait calmer son tremblement, découvrit Iris, mais restait sans effet sur les bonds désordonnés de son cœur.

— Comme vous le disiez, l'endroit est superbe et je m'y plais beaucoup, surtout parce que je peux y côtoyer d'autres gens. Seule chez moi, je me sentais trop isolée.

Lea occupait un des deux penthouses, chacun pourvu d'un salon, deux chambres, deux salles de bains et une grande terrasse, lui apprit-elle en l'introduisant dans le salon, à la fois vaste et intime.

— Les résidants meublent eux-mêmes leur logement, ce qui m'a permis de garder la plupart des objets auxquels je tiens, dit-elle en montrant au mur un tableau qui parut à Iris être un authentique Matisse.

La vieille dame ne lui proposa pas de faire le tour du propriétaire. Elles avaient des choses plus sérieuses à faire. Lea la fit asseoir sur un confortable canapé et entra aussitôt dans le vif du sujet.

— Vous voulez donc connaître l'histoire de ce portrait que vous avez trouvé.

Je n'oublierai jamais cet instant, pensa Iris. *Jusqu'à la fin de mes jours, je me rappellerai m'être assise sur ce canapé, sous le soleil qui entrait par ces fenêtres d'où je voyais les branches des arbres encadrer la courbe de l'Hudson à l'arrière-plan.*

— Vous avez sûrement déjà compris, reprit Lea, que ce tableau a quelque chose à voir avec Paul Werner.

Iris acquiesça d'un signe. Elle avait les lèvres trop crispées pour articuler un mot.

— J'ai connu Paul toute ma vie, poursuivit Lea. Sa tante m'a adoptée à la mort de ma mère quand j'étais toute petite, de sorte que je faisais pratiquement partie de la famille. Paul était bon et généreux, vous le savez sans doute déjà. Quand il était jeune, il craignait toujours de décevoir les autres, c'était son seul point faible car, à vouloir ne jamais faire de peine à personne, on en fait à beaucoup de gens. Il avait une vingtaine d'années quand il s'est fiancé à une amie d'enfance avant de tomber amoureux d'une autre. À l'époque, elle était femme de chambre chez sa mère. Elle était belle, intelligente, pleine de vie et débordante de curiosité pour tout, comme Paul. Sa fiancée, elle, n'avait aucune de ces qualités.

— Je vois, parvint à dire Iris.

— Paul n'a pas eu le courage de rompre ses fiançailles et s'est marié. Celle qu'il aimait a épousé un autre homme. Paul n'a jamais été heureux en ménage, je le sais. J'ignore si l'autre femme était heureuse de son côté. Ce que je sais, c'est que ses sentiments pour Paul et ceux de Paul pour elle étaient de ceux qui durent une vie entière.

Iris hocha la tête.

— Pendant quelques années, Paul et elle ont suivi leurs chemins mais Paul ne l'avait pas oubliée, au contraire. Un jour, elle est revenue dans sa vie – littéralement à sa porte. Elle avait rendez-vous avec sa mère ce jour-là, elles maintenaient de bonnes relations, mais elle s'était trompée de date et la mère de Paul était absente. Paul et celle qu'il n'avait jamais cessé d'aimer se retrouvaient donc seuls dans la maison.

Lea marqua une pause.

Le plus difficile va venir, elle essaie de trouver les mots, pensa Iris.

— Alors ? l'encouragea-t-elle d'une voix qui lui parut plus ferme.

— Alors, Paul et cette femme ont… fait l'amour tout l'après-midi. Il n'y a pas moyen de le dire autrement. Leur amour était si puissant que c'était inévitable. Pour des gens comme eux, c'était une… obligation, en quelque sorte. C'est peut-être difficile à admettre, je sais…

Elle s'interrompit de nouveau, comme si elle attendait qu'Iris lui permette de poursuivre son récit. Iris lui fit signe de continuer.

— La conséquence de cet après-midi d'amour fut la naissance d'un enfant. La paternité de Paul n'a jamais été reconnue, la mère et lui en ont gardé le secret toute leur vie. Pour Paul, cette décision était un déchirement, mais ils estimaient l'avoir prise dans l'intérêt de l'enfant. Des années plus tard, quand cet enfant et son mari ont traversé une période difficile, Paul a dit au mari qui il était et lui a offert son aide, que ce dernier a acceptée.

— L'enfant était une fille, commenta Iris.

— Oui.

— Son mari était donc au courant du secret.

Et il m'a protégée tout ce temps. Oh, mon pauvre chéri…

— À quelque temps de là, la femme de Paul est morte et le mari de la femme qu'il aimait est mort à son tour. Pourtant, même libres l'un et l'autre, ils ne se sont pas rapprochés.

— Parce que leur enfant, leur fille, aurait deviné la vérité ?

— Oui. Ils craignaient qu'elle n'en souffre trop et que la vérité la traumatise gravement.

Bien sûr, mais ont-ils eu raison ? Je ne pourrais pas le dire maintenant, je suis trop troublée.

L'histoire était finie, Iris se leva sans savoir que faire. Existait-il des règles d'étiquette, des traditions pour faire face aux situations de ce genre ? Alors, elle se rassit.

— Auriez-vous d'autres questions à me poser ? demanda Lea avec douceur.

— Non, je ne crois pas.

— Voulez-vous que je vous dise le nom de cette femme ?

Ce serait superflu, à ce stade. Penser que ce secret avait provoqué tant de sacrifices ! Pour le préserver, un homme était allé au tombeau sans jamais révéler qu'il avait une fille et des petits-enfants. Un autre homme en avait perdu la vie. Et une femme, épouse, mère et grand-mère bien-aimée, avait dû abandonner l'homme qu'elle aimait…

— Non, je n'ai pas besoin de l'entendre dire, répondit Iris en se levant de nouveau. Merci de votre bonté et de votre gentillesse.

Lea la raccompagna à la porte, mais ne l'ouvrit pas tout de suite.

— Une dernière chose : Paul et cette femme étaient exceptionnels. Il y avait entre eux un lien d'une extrême rareté, ils étaient réellement des âmes sœurs. Je peux vous le dire parce que je les ai connus tous les deux. J'ai toujours regretté qu'ils n'aient pas pu vivre au moins quelques années ensemble. Pour moi, un amour de cette qualité ne devrait pas être gâché, mais ils avaient tous deux une honnêteté et un sens de l'honneur que je ne possède sans doute pas. Croire qu'ils faisaient ce qu'il fallait pour le bien de leur fille était pour eux essentiel.

— Je comprends.

Iris conduisit très lentement sur la route du retour. Elle avait l'impression d'être rescapée d'un accident ou de relever d'une grave maladie et qu'il fallait redoubler de prudence pour tenir compte de sa faiblesse. Une fois à la maison, en se préparant du thé et un toast, elle se rendit compte que c'était un régime de convalescent.

Assise dans son salon, elle s'attendit à être submergée par des émotions, la fureur et la douleur déferlant en vagues qui l'engloutiraient. Savoir que sa vie entière était fondée sur un mensonge avait de quoi l'écraser. Elle aurait dû être détruite de fond en comble…

Non seulement rien ne vint, mais elle se sentit plus légère. Soulagée. Parce que, comprit-elle, cette révélation n'avait rien changé de fondamental pour elle. Joseph Friedman restait son père, qu'elle aimait toujours de tout son cœur. Son existence, sa famille, ses joies, ses peines étaient les mêmes depuis toujours. Elle n'avait rien perdu, nul ne lui avait rien enlevé. Seul fait nouveau, les doutes et les soupçons qu'elle nourrissait depuis son enfance étaient fondés. Elle en était elle-même… validée, en un sens. Et elle comprenait enfin sa mère !

Elle repensa à la jeune fille que Lea lui avait décrite, belle, brillante, débordante de vie et de curiosité. Elle était si jeune, encore adolescente, quand elle était tombée amoureuse d'un garçon riche qu'elle ne pouvait pas avoir. Cette toute jeune fille avait toutefois fait ses choix et en avait assumé les conséquences sans jamais se plaindre. Une femme au courage digne d'admiration. *Ma mère.*

Je suis heureuse de n'avoir découvert tout cela que maintenant et pas plus tôt. Ils avaient raison, j'en aurais sans douté été bouleversée. Plus maintenant. La vérité me réconforte, au contraire. Elle me permet enfin de comprendre les autres. La compréhension d'autrui permet de se connaître soi-même, c'est le secret de la survie. Parce que la vie n'est ni juste ni douce et qu'il est presque impossible d'aimer si on ne se met pas dans la peau des autres.

À mesure que ces pensées lui venaient, Iris prenait conscience que son attente était terminée. Elle savait désormais qui était la nouvelle Iris Stern et comment elle devait vivre.

Le portrait était encore appuyé contre le canapé, là où elle l'avait laissé. Elle le remballa, le descendit au fond de la cave, dans la petite pièce où Theo conservait ses dossiers médicaux, et le glissa entre deux classeurs de manière à ce que l'humidité ne le gauchisse pas. Elle ne pouvait pas l'exposer dans la maison, mais elle ne voulait pas non plus le détruire. C'était, après tout, le portrait de sa grand-mère... En attendant, il était en sécurité.

Après avoir rangé le tableau, elle monta dans la chambre Elle ouvrit la penderie du côté où étaient accrochés les costumes de Theo, elle ouvrit les tiroirs de sa commode puis entreprit de tout vider. Elle caressa les monogrammes de ses chemises, qui lui avaient toujours paru un peu vaniteux mais que Theo aimait tant. Son mari, c'est vrai, avait été fier de son élégance raffinée. Un vrai paon faisant la roue...

Elle rangea en piles bien nettes les costumes et les blazers décrochés des cintres, les cravates et les sweaters sortis des tiroirs. Tout en humant les légères odeurs qui en émanaient encore, elle les répartit dans des cartons, certains destinés à ses fils, d'autres à quelques amis chers, le reste à l'association caritative dont Theo s'était longtemps occupé. Elle avait cru avoir besoin d'aide pour prendre de telles décisions, il en aurait sans doute fallu à l'ancienne Iris, mais la nouvelle n'eut aucune hésitation en mettant un sweater de cachemire dans la boîte de Philip et un blazer dans celle de Jimmy.

Elle ouvrit ensuite le tiroir où Theo rangeait ses boutons de manchette, ses épingles de cravate, ses bracelets-montres. Il y en avait peu, car Theo n'était pas homme à arborer des bijoux voyants, mais ceux qu'il avait étaient en or massif. Ces trésors-là, elle ne les disperserait pas tout de suite. Elle les offrirait dans certaines grandes occasions afin de perpétuer le souvenir de Theo – et se faire ainsi plaisir à elle-même.

Le lit était maintenant encombré par les boîtes pleines. Elle allait devoir les poser par terre pour se coucher ce soir-là et, le lendemain, les expédier à leurs destinataires respectifs. Pour le moment, devant le grand lit si longtemps partagé avec Theo, elle dit à haute voix les mots qui se formaient dans sa tête depuis ces dernières heures :

— Je te pardonne tout, Theo. Je croyais l'avoir déjà fait, mon amour, mais la rancune me rongeait encore comme un poison. Les gens aiment, trahissent leur amour, aiment à nouveau. Personne ne comprendra jamais les mystères de l'amour, il faut être fou ou stupide pour prétendre le contraire. Ce que nous pouvons faire de mieux, c'est s'accepter l'un l'autre tels que nous sommes. Et nous pardonner nos offenses.

À l'heure du déjeuner, elle s'aperçut qu'elle mourait de faim. Elle se confectionna un sandwich avec du fromage et quelques restes trouvés dans le réfrigérateur et l'avala rapidement, parce qu'elle avait encore beaucoup à faire ce jour-là. Il fallait avant tout redresser un tort grave dont l'ancienne Iris était responsable. Elle le devait à la mémoire de sa mère – et parce qu'elle était elle-même une mère.

Pendant près de soixante ans, Anna avait aimé un homme sans jamais connaître le bonheur simple de s'endormir dans ses bras et de se réveiller blottie contre lui. Elle avait vécu quelques instants d'une passion intense et une éternité de remords et de regrets. Peut-être, dans le monde d'où elle venait et du temps où elle vivait, croyait-elle n'avoir pas d'autre choix. Le monde et le temps avaient changé, depuis.

Alors, pour la deuxième fois en quelques jours, Iris décrocha le téléphone et composa le numéro des renseignements.

Le studio de photographie de Nicolas Sargent se trouvait dans une partie chic du West Side. Iris prit le risque d'y aller sans savoir s'il y serait et la chance voulut qu'il y soit. Il la reconnut immédiatement en ouvrant la porte, sans pouvoir dissimuler sa stupeur.

— Madame Stern ! Qu'est-ce que... ?

Mais la stupeur fit aussitôt place à l'angoisse.

— Mon Dieu, Laura ! Comment va-t-elle ?

— Elle va bien. Physiquement. Moralement, très mal.

L'angoisse disparut. Iris vit ses yeux – d'une rare nuance bleu-vert et très expressifs – perdre tout leur éclat.

— Dans ce cas, je ne peux rien y faire.

— Ne soyez pas ridicule. Bien sûr que si.

— Elle m'a dit qu'elle ne voulait plus me voir. Que tout était fini entre nous.

— Elle ne savait pas ce qu'elle voulait. Elle venait de perdre coup sur coup son père et son mari. En plus, elle se sentait coupable parce qu'elle prévoyait le jour même de lui demander le divorce. Comment voudriez-vous qu'elle raisonne clairement dans ces conditions ?

L'espoir reparut dans les yeux vert-bleu.

— Voulez-vous dire qu'elle a... changé d'avis ?

— Je suis venue vous dire que vendredi prochain, elle passera à la télévision dans l'émission *Bonjour, l'Amérique*. Quand elle y va, elle prend une baby-sitter pour veiller sur Katie et arrive en ville la veille au soir. Les producteurs de l'émission la logent à l'hôtel Mayfair, juste à côté des studios dans la 66e Rue. D'habitude, elle y arrive vers dix-sept heures. Vous devriez donc pouvoir la trouver dans sa chambre vers cinq heures et demie.

— Mais, madame Stern… Laura m'a dit qu'elle ne voulait plus jamais me voir.

— Et alors ? Vous la laissez dire n'importe quoi ? Les jeunes de votre génération sont étranges. Mon mari ne m'aurait jamais permis de le mettre à l'écart de cette manière.

— Excusez-moi, mais je n'ai rien à lui permettre. Je respecte ses désirs, voilà tout.

— Oui, bien sûr. Les sexes étant désormais égaux en tout, lui forcer un peu la main serait politiquement incorrect. Pardonnez-moi l'expression, mais c'est aussi romanesque qu'un panier de linge sale. Ce n'est plus à la mode, je sais, mais les vieilles notions sur l'homme qui devait décider de tout avaient du bon. Comme sur celui qui faisait ce qu'il sentait et ce qu'il voulait sans s'embarrasser de considérations oiseuses.

Les yeux bleu-vert – ou vert-bleu ? – pétillaient maintenant de gaieté. Ce garçon avait donc le sens de l'humour. Tant mieux, il allait en avoir besoin.

— Vous estimez que je suis trop… rationnel ? que je devrais adopter des méthodes genre homme des cavernes ?

— J'aurais plutôt dit le rôle du Prince Charmant, mais c'était valable de mon temps. Vous me paraissez quand même assez plein de ressource pour trouver vous-même comment vous y prendre. Alors, n'oubliez pas : Laura sera là jeudi soir.

De retour sur l'autoroute, Iris dépassa la bretelle de sortie et continua jusqu'à une vieille maison victorienne, bien connue des lecteurs du livre de Laura MacAllister sur les préparatifs d'un mariage. Pour la deuxième fois de la journée, son apparition provoqua la stupeur.

— Maman ! Je ne t'attendais pas.

— Je sais, mais j'avais quelque chose à te dire.

Elles s'assirent dans la cuisine, devant les bols du délicieux café que sa fille préparait comme personne – sa fille parfaite, qui faisait toujours tout si bien. Iris reconnut l'expression du visage de Laura : c'était celle qu'elle avait elle-même lorsque Theo et elle étaient au bord de la rupture. Il existait des différences, bien sûr. Pendant cette période, Iris s'était laissée aller, se négligeant, s'habillant n'importe comment. Laura, elle, respectait une discipline personnelle. Ses cheveux étaient bien coiffés, son maquillage impeccable et elle portait un de ces survêtements vivement colorés qui étaient devenus sa marque de fabrique. Seuls ses yeux trahissaient son désarroi. Ils avaient perdu leur éclat de vie et de gaieté, son regard était morne. Sous son maquillage, Laura était pâle et lasse. Iris ne put s'empêcher de penser à ce que Lea Sherman lui avait dit de la belle et brillante jeune fille qui était tombée amoureuse de Paul Werner.

— Je voudrais te montrer quelque chose, dit Iris.

Elle ouvrit son sac, en sortit une lettre. L'enveloppe non cachetée était usée sur les bords et ne comportait en guise d'adresse qu'un seul nom, Iris, écrit en caractères aux jambages passés de mode.

— Ta grand-mère me l'a laissée pour que je la lise après sa mort, dit-elle en la tendant à Laura.

Laura sortit la lettre de l'enveloppe, la déplia et commença à la lire en silence. Iris savait que le début était tendre mais sans réelle importance, Anna y exprimait simplement son amour pour sa fille et ses petits-enfants. L'essentiel se trouvait dans le dernier paragraphe de la deuxième page, qu'elle avait lu si souvent qu'elle le connaissait par cœur.

« Quand tu regardes en arrière et fais le bilan de ta vie, l'amour est tout ce qui compte, écrivait sa mère. *Chéris-le comme un trésor, parce qu'il n'y a rien de plus précieux. Tout le monde n'a pas la chance de le prendre quand on le lui offre ou de le préserver quand on le possède. Des circonstances qu'on ne peut pas prévoir ou contre lesquelles*

on ne peut rien viennent se mettre en travers, parfois c'est notre orgueil, nos rancunes, notre égoïsme ou un sens du devoir mal compris. Je t'en conjure, Iris chérie, ne te laisse jamais aveugler par ce genre de choses. »

Laura termina sa lecture et releva les yeux.

— Pourquoi me fais-tu lire cette lettre ?

— Parce qu'elle aurait pu être écrite pour toi. J'y ajouterai cependant une chose : les remords peuvent aussi constituer un obstacle si on leur permet de prendre des proportions écrasantes.

— J'ai des raisons de me sentir coupable. J'ai commis de grosses erreurs.

— Nous en commettrons tous aussi longtemps que nous vivrons, c'est à peu près la seule certitude que nous ayons. J'en ai moi-même commis plusieurs, et de très graves. J'attendais de toi ce qu'il était injuste de te demander. J'ai oublié ce qui comptait vraiment. Tu es jeune, belle, honnête, Laura. Tu as le droit d'aimer et d'être aimée. Voilà en substance ce que me disait ta grand-mère et que je te dis maintenant.

Laura fondit en larmes.

— Il est quelquefois trop tard, maman.

— Mais quelquefois non. Je te demande maintenant deux choses. D'abord, garde cette lettre et n'oublie jamais son contenu. Et quand tu entendras jeudi soir frapper à la porte de ta chambre d'hôtel, ouvre-la.

Après le départ de sa mère, Laura baissa les yeux vers la lettre qu'elle tenait encore. Toute sa vie, elle avait cru que sa bonne-maman était le modèle de l'épouse parfaite, que les rapports paisibles et joyeux entre ses grands-parents représentaient la vie conjugale dont on aurait dû rêver. *Bonne-maman était toujours si heureuse, jamais déprimée ni fâchée, je voulais être exactement comme elle. Mais cette lettre…*

Laura relut le dernier paragraphe. *Chaque phrase déborde de regrets, ça imprègne même le papier. Elle toujours gaie, toujours calme, elle regrettait... quoi ? Une passion qu'elle n'avait jamais eue, ou qu'elle avait eue mais qu'elle avait perdue ? Ou est-ce moi qui le lis entre les lignes parce que je sais maintenant que je ne suis plus obligée d'être comme elle ?*

Je veux vivre avec passion, je veux vivre un amour qui touche mon cœur, mon corps et mon âme. Mes parents ont vécu pareille passion à un moment, mais d'une manière destructrice. Je sais maintenant que je ne suis pas forcée de suivre leur exemple, ni aucun autre. Je peux aimer à ma manière, qui croîtra et changera en même temps que moi. Je peux trouver un homme avec qui je peux rire, être gaie, qui soit un amant et un ami. Je ne suis pas forcée d'être comme ma mère ni ma grand-mère, ni personne d'autre. Maintenant, c'est à mon tour.

36

Une appétissante odeur de poulet rôti embaumait la maison. La table était dressée selon les rites, avec des assiettes neuves, le plat du *seder* aussi. Janet avait proposé d'en prêter un, mais Iris avait voulu avoir le sien. À quoi bon tenir le premier *seder* chez soi si on ne se sert pas de son propre plat de *seder* ?

— Bonne-maman ! appela Katie de la cuisine. Le *gefilte fisch* n'est pas censé être en forme de quenelles ?

Katie était chez Iris depuis deux jours pour l'aider à préparer le repas solennel de ce soir. Elle s'était portée volontaire en disant : « Tu ne l'as jamais fait avant, bonne-maman, ni moi non plus. Alors, on n'aura pas de complexes si on rate quelque chose. Si maman était là, elle fait tellement bien la cuisine qu'on aurait peur d'essayer quelque chose. » À vrai dire, Laura n'avait pas offert sa participation.

Katie fut la parfaite assistante pour Iris, parce qu'elle était aussi peu douée qu'elle pour la « cuisine ». Elles avaient donc ri de leurs tâtonnements pendant deux jours tandis qu'elles épluchaient, hachaient, cuisaient, faisaient bouillir, frire ou sauter plein de « trucs ».

— Tu sais, bonne-maman, je crois que savoir faire les choses dans ce genre-là, ça saute une génération, avait commenté Katie en s'apercevant qu'elles avaient oublié les œufs durs sur le fourneau et que l'eau s'était évaporée de la casserole. On se ressemble, toi et moi.

— J'en suis désolée, ma chérie, avait répondu Iris en souriant. J'espère que tu as quand même hérité de moi au moins une bonne chose.

— Il va falloir que je sois meilleure à n'importe quoi d'autre, parce que je n'arriverai jamais à faire mieux dans la cuisine.

Oui, elle est bien comme moi, avait pensé Iris avec un nouveau sourire. *Elle a mon caractère sur bien des points, mais elle n'est pas timorée comme je l'étais. Et puis, elle a une mère remarquable.*

Iris alla inspecter à la cuisine le *gefilte fisch*, réduit à l'état d'une pâte informe.

— Bon, un plat de moins à servir, dit-elle en le jetant à la poubelle. Dieu merci, le poulet est réussi. Avec lui, au moins, nous nous en sommes bien tirées.

— Et aussi avec les pommes de terre ! ajouta Katie. Nous sommes les championnes des pommes de terre rôties.

Si, par malheur, les autres plats se révélaient immangeables lorsque la famille passerait à table, Iris avait sous la main le numéro de téléphone d'un *delicatessen* qu'elle appellerait en cas d'urgence.

Elle retira le poulet du four, lui trouva une place sur le comptoir encombré et regarda autour d'elle avec satisfaction. Depuis des années, elle attendait ce moment-là. Elle avait fait le ménage de fond en comble, couru les magasins pour acheter les produits spéciaux et fait la cuisine depuis deux jours. Maintenant, tout était enfin prêt.

Cette année, Theo, le seder *aura lieu chez nous. J'en suis très, très heureuse.*

— Il est temps de monter nous changer, Katie. Veux-tu répéter d'abord tes questions ?

Étant la plus jeune, il lui incombait de poser les quatre questions rituelles.

— Pas la peine, merci. Je les connais par cœur.

Katie couchait dans l'ancienne chambre de Laura, dont elle ressortit au bout d'une minute.

— Peux-tu m'aider avec mes boutons, bonne-maman ?

Elle avait une robe rose au corsage de dentelle boutonné à l'encolure. Une tenue ni vieillotte ni à la mode mais unique – comme la petite personne qui la portait – car choisie par une mère à l'œil infaillible.

Iris s'affaira sur les boutonnières.

— Voilà, ça y est.

Mais Katie ne bougea pas. Quelque chose la troublait et, à l'évidence, elle n'était pas simplement venue chercher de l'aide pour boutonner sa robe.

— Qu'y a-t-il, ma chérie ? Tu peux tout me dire.

— Oui, je sais, mais c'est un peu… difficile.

Grand Dieu, qu'est-ce que cela peut être ?

— N'aie pas peur, Katie.

Katie hocha la tête, hésitant.

— Eh bien, quand papa est mort, j'ai eu beaucoup de peine, bonne-maman. Et il me manque tous les jours.

— Bien sûr, ma chérie. Tu aimais ton papa.

— Mais en même temps, j'étais contente que nous ne soyons pas obligées d'aller dans l'Ohio. C'est la première chose à laquelle j'ai pensé.

— Tu ne voulais pas quitter ta maison et tes amies, c'est naturel, ma chérie. Y penser à ce moment-là ne veut pas dire que tu n'aimais pas ton père ou que tu ne l'aurais pas ramené à la vie si tu l'avais pu.

Katie réfléchit un instant.

— Oui, je serais partie là-bas si cela avait suffi à le ressusciter. Mais j'aime vivre ici. J'aime vivre des journées comme celle-ci.

Iris se pencha pour la prendre dans ses bras. Dans quelques années, Katie vivrait sa vie et n'aimerait peut-être plus les jours de fête comme celui-ci. Mais, pour le moment, sa grand-mère pouvait encore la serrer contre son cœur.

— Je vais te confier un secret, lui chuchota-t-elle à l'oreille. J'ai été contente moi aussi de savoir que tu ne partirais pas dans l'Ohio.

— Il faudra quand même que j'aille passer une partie de mes vacances à Blair Falls avec la grand-mère Mac, soupira Katie. J'y suis déjà restée la moitié de l'été dernier. Maman veut que je garde le contact avec la famille de mon père.

— Ta mère a raison. Elle est bonne et juste.

— Oui, c'est vrai. Je crois que j'ai beaucoup de chance.

— Tu ne te sens pas bizarre, dit Katie quand elles redescendirent ? On n'a plus rien à faire jusqu'à ce que tout le monde arrive.

« Tout le monde » voulait dire la famille, bien sûr. Jimmy et Janet allaient venir avec Rebecca Ruth. Jimmy présiderait la table et conduirait le rite, Iris n'ayant pas osé le faire elle-même. Philip amènerait sa cliente, Mai Ling, dont la beauté égalait le talent. Iris espérait voir éclore entre eux plus que de l'amitié. Apparemment, son fils ne s'était pas encore laissé apprivoiser mais il était heureux, parce qu'il aimait son nouveau travail de conseiller financier qui lui faisait fréquenter les jeunes musiciens classiques. Philip était donc désormais bien dans sa peau. Steven et Christina viendraient de Washington avec une nouvelle à annoncer. Iris était presque certaine qu'elle allait de nouveau être grand-mère.

— Je suis un peu énervée, dit Katie.

— Moi aussi, répondit Iris.

— Si on vérifiait la soupe ?

Au même moment, la sonnette tinta.

— Les voilà ! s'écria Iris en courant ouvrir la porte.

— *Zissen pessah*, maman, lui dit Laura. Joyeux *Passover*.

— *Zissen pessah*, ma chérie.

Du pas de la porte, Laura vit les vases de fleurs, le canapé recouvert à neuf. L'air sentait de bonnes odeurs de cuisine. Les yeux de Laura scintillèrent – de joie, de larmes, peut-être des deux.

— Papa serait fier de toi, maman.

Iris dut battre des cils pour lutter contre ses propres larmes.

— Je l'espère, au moins.

Elle embrassa son enfant, sa fille. Tristesse et abattement avaient disparu de son regard. Plus belle que jamais, elle rayonnait. Alors, Iris se tourna vers son compagnon qui lui souriait :

— Entrez, Nick. Soyez le bienvenu.

Composition et mise en pages : Facompo, Lisieux